le **scrapbooking**

le **scrapbooking**

Édité par :
Éditions Glénat

Services éditoriaux et commerciaux :
Éditions Glénat – 39, rue du Gouverneur-Général-Éboué
92130 Issy-les-Moulineaux

Cet ouvrage est une édition partielle de l'encyclopédie Scrapbooking et plaisir du papier publiée par les Éditions Atlas.

Couverture :
Photographie principale : Jean-Baptiste Pellerin pour la prise de vue et Valéria Thomas
pour la conception et la réalisation du modèle.
Photographies en vignette : Jean-Baptiste Pellerin pour les prises de vue.

Intérieur :
Prises de vue : Jean-Baptiste Pellerin
Conception et réalisation des modèles : Magali Beaulant : 200, 214. Virginie Dillot : 52, 88, 92, 102, 104, 108, 116, 118, 122, 136, 140, 152, 154, 156, 166, 170, 176, 188, 190, 196, 212, 216, 220, 224, 232, 236. Céline Dupuy : 10, 158, 160, 210. Sonia Français Tizianel : 172. Catherine Guidicelli : 106, 110, 114, 126, 132, 144, 150, 168, 180, 194. Florence Le Maux : 120, 186, 226. Isabelle Leloup : 98. Aurore Piketty : 148, 204. Sylvie Raby : 48. Florence Raynal : 14, 38, 54, 56, 58, 60, 64, 74, 138, 184. Valéria Thomas : 66, 124, 134, 162, 192, 202, 206, 218. Charlotte Vannier : 130, 146, 208, 228, 230, 234. Laurence Wichegrod : 32, 34, 36, 40, 42, 44, 46, 50, 62, 68, 70, 72, 76, 78, 80, 82, 84, 90, 94, 96, 112, 128, 164, 174, 178, 182, 190, .222.

Directrice de collection : Florence Raynal
Stylisme : Perrine Mercat

Mise en page intérieur : Véronique Vagneur

Achevé d'imprimer à Singapour en mai 2010 par Imago Publishing Ltd
Dépôt légal : septembre 2008
ISBN : 978-2-7234-6582-3

Introduction

Au croisement de plusieurs techniques (récupération, collage, pliage et assemblage), le scrapbooking vous permet d'exprimer votre personnalité et de garder une trace de chaque moment, petit ou grand, de votre vie. Papier ou carton ? Avec ou sans photo ? À plat ou en volume ? Avec les modèles présentés dans cet *Atlas pratique*, vous explorez un grand nombre de techniques et d'idées. Cartes personnalisées pour un mariage, faire-parts, livre pour bébé, carnets de voyage ou simplement cartes de vœux : chaque événement de la vie devient prétexte à création. Les étapes de réalisation sont détaillées pas à pas et expliquées en photos, ainsi que les outils et les matériaux nécessaires, le temps à prévoir et le niveau de difficulté. Débutante ou confirmée, vous serez sûre de réussir !

L'ÉDITEUR

Sommaire

Quelques techniques de base

Recadrer une image

Selon la composition d'une page ou le format d'un cadre, vous devez recadrer une image: faites des essais avant de découper!

Un format carré ou rectangulaire est facile à définir à partir d'un simple morceau de carton blanc.

Une photo peut être recadrée soit pour en modifier les proportions en fonction d'un format souhaité, soit pour éliminer des détails gênants qui n'étaient pas perceptibles au moment de la prise de vue. Vous pouvez apprécier le cadrage avant découpe avec une fenêtre évidée dans du papier ou encore avec 2 équerres de papier blanc qui vous serviront pour toutes vos créations. Pensez également aux pochoirs pour des formes complexes à dessiner.

Conseil

✓ Si vous ne disposez pas d'un crayon aquarellable, piquez chaque angle du cadrage avec une épingle. Retournez l'image sur l'envers et joignez les points transpercés à la règle. Découpez. Ces 2 équerres, à conserver avec vos outils, vous seront très utiles pour toutes vos créations.

1er cas de figure :

VOUS CONNAISSEZ LES DIMENSIONS DÉFINITIVES DE L'IMAGE

Découpez une fenêtre

Dans un morceau de carton blanc, tracez et découpez au cutter une fenêtre aux dimensions définitives souhaitées.

Choisissez le cadrage

En déplaçant cette fenêtre sur l'image, sélectionnez le meilleur cadrage. Lorsque votre choix est fait, tracez les contours de la fenêtre au crayon aquarellable. Découpez sur le tracé.

Astuce

LE CRAYON AQUARELLABLE

Le crayon aquarellable permet de réaliser des tracés temporaires sur une photo.
Les tracés s'effacent avec un chiffon doux. Les petits carrés de tissu utilisés pour nettoyer les lunettes sont particulièrement adaptés. Le crayon aquarellable existe en bleu (pour les photos claires) et en blanc (pour les photos foncées). Ce type de crayon n'a rien à voir avec les crayons de couleur aquarellables : ne les confondez pas.

2e cas de figure :

VOUS HÉSITEZ SUR LE MEILLEUR FORMAT À DONNER À L'IMAGE

Découpez des équerres en carton

Sur du papier un peu épais, tracez 2 profils en L : chaque branche du L d'une largeur d'environ 5 cm doit être un peu plus longue que les dimensions de l'image. Découpez au cutter.

Positionnez les équerres

Placez les 2 équerres de manière à encadrer l'image. En déplaçant les équerres, vous trouverez le meilleur cadrage. Vérifiez l'angle entre les 2 équerres de carton avec une équerre en plastique et tracez les contours de l'image à conserver au crayon aquarellable. Découpez sur le tracé.

Conseil

Si l'image doit être placée sur l'arrière d'une fenêtre déjà découpée, pensez à tracer une marge d'1 cm tout autour du tracé précédent : cette marge vous servira de languette d'encollage.

Recouvrir du carton

Pour réaliser un album, un cadre ou recouvrir une boîte, vous devrez habiller du carton avec du papier : découpez-le aux bonnes dimensions et étalez au pinceau une couche fine et régulière de colle vinylique. Une fois expérimenté le principe de mise en œuvre, vous pourrez habiller facilement toutes vos créations, à plat ou en volume.

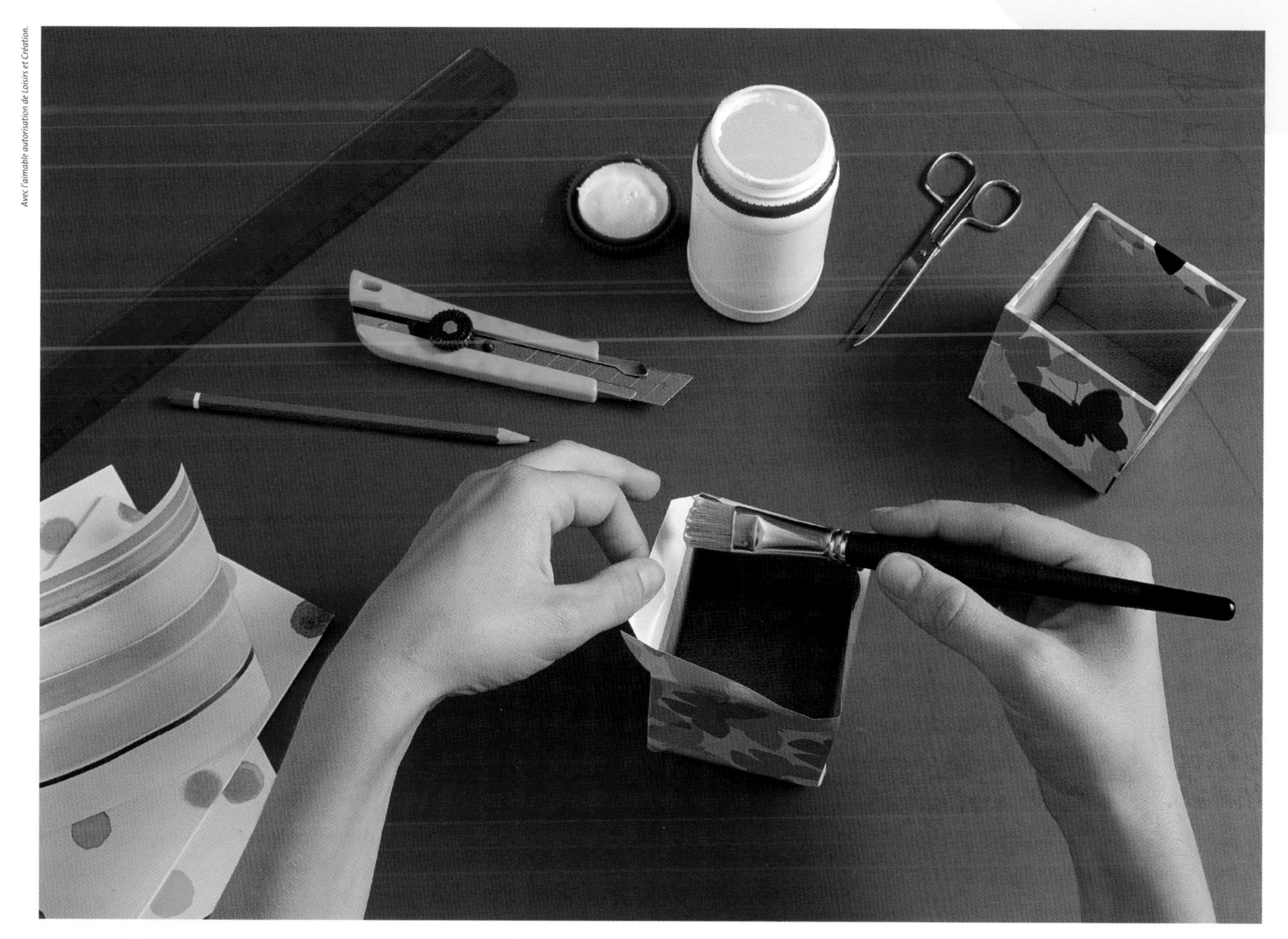

Pour habiller correctement les angles d'un élément de carton, il est nécessaire de créer une découpe spécifique.

Le séchage

✓ Les cartons plats doivent impérativement être contrecollés (collage d'une feuille de papier sur l'envers) et être mis sous presse durant le séchage de la colle. Sinon, le carton se voile (il se courbe) et ne peut plus être redressé.

Le collage de tissu

✓ Pour habiller un carton de tissu, encollez le carton, et non pas le tissu. Choisissez de préférence un tissu de coton à trame fine : les tissus synthétiques collent difficilement et laissent apparaître la colle, et les trames grossières ne marquent pas nettement les plis.

RECOUVRIR UN CARTON PLAT

Collez le papier

Reportez les dimensions du rectangle de carton sur le papier. Ajoutez tout autour une marge d'environ 2 cm. Découpez le papier. Encollez le carton avec une couche régulière de colle vinylique. Centrez le papier sur le carton et lissez bien avec un chiffon doux.

Découpez les angles

À chaque angle des rabats, découpez en triangle aux ciseaux. La pointe du triangle ne doit pas aller jusqu'à l'angle du carton : vous devez laisser une marge égale à l'épaisseur du carton. Encollez les rabats et repliez-les l'un après l'autre sur l'envers du carton, en marquant bien les angles avec la pointe de l'ongle pour recouvrir avec précision l'épaisseur du carton. Lissez bien.

Habillez l'envers

Découpez un rectangle de papier (dimensions du carton moins environ 1 cm). Encollez le papier et centrez-le sur l'envers du carton pour cacher les rabats. Lissez bien et mettez à sécher sous des poids.

RECOUVRIR UN VOLUME

Collez le papier

Découpez une bande de papier d'une longueur égale au périmètre du volume + environ 1 cm (rabat) et d'une hauteur égale à la hauteur du volume + environ 3 cm. Encollez avec la colle vinylique et collez le papier en commençant par le rabat d'1 cm. Lissez bien chaque face au fur et à mesure du collage. Une fois le tour du volume terminé, recoupez un éventuel débord à ras du carton avec les ciseaux.

Collez les rabats hauts

À chaque angle du volume, découpez un triangle aux ciseaux. La pointe du triangle ne doit pas aller jusqu'à l'angle du carton : vous devez laisser une marge égale à l'épaisseur du carton. Ré-encollez le papier (la colle a un peu séché) et repliez chaque rabat sur l'intérieur du volume. Lissez bien. Vous pouvez utiliser un plioir pour que le papier adhère bien dans les angles.

Collez les rabats bas

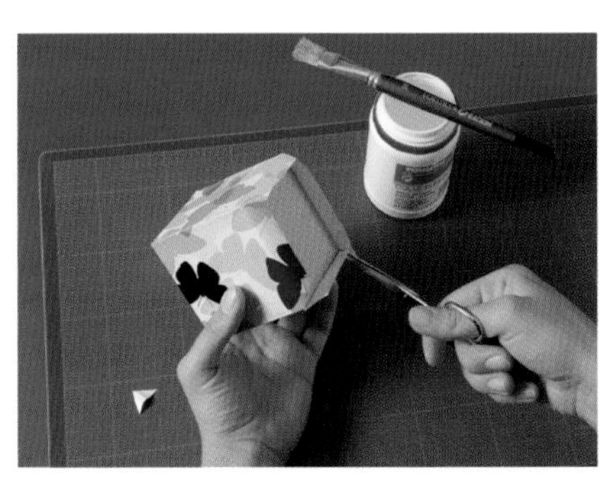

Découpez un triangle à chaque angle, cette fois jusqu'au carton. Ré-encollez le papier et repliez chaque rabat. Si vous souhaitez habiller l'intérieur, découpez et collez l'un après l'autre 4 rectangles de papier d'une largeur égale aux côtés intérieurs et d'une hauteur égale à la hauteur du volume moins environ 1 cm.

Créer une lettrine en relief

La lettrine est une lettre placée au début d'un titre, d'un texte ou d'un paragraphe. Découpée dans du carton-plume et recouverte de papier, elle vous permettra d'embellir une page de scrap ou de souligner un encadrement.

Le plastique fou permet de réaliser de belles lettrines. Pensez à disposer le motif à décalquer à l'envers sous la feuille de plastique. Décalquez et coloriez le motif. Découpez le contour aux ciseaux et faites cuire au four ménager.

Conseil

HABILLAGE DES TRANCHES

✓ Selon la forme de la lettre, les rabats de papier n'habillent pas toujours la totalité des tranches : découpez des petits morceaux de papier et complétez les manques en encollant la tranche.

Tracez et découpez

Décalquez soigneusement la lettre sur du carton-plume (ép. : 3 mm) et découpez son contour à l'X-Acto : découpez les courbes à main levée et les lignes droite à la règle.

Le A, lettrine en papier de soie

Encollez la face de carton-plume avec de la colle vinylique et positionnez le papier de soie. Lissez bien. Découpez le contour en laissant une marge d'environ 1 cm. Incisez les angles aux ciseaux. Encollez la tranche et rabattez-la sur l'envers du carton-plume.

Le F, lettrine en serviette de papier

Découpez des petits morceaux de différentes tailles dans la serviette. Étalez du vernis-colle sur le carton-plume et recouvrez-le peu à peu de morceaux de serviette, en les superposant légèrement. Lissez bien une fois la lettre habillée. Passez une 2e couche de vernis-colle sur toute la surface et laissez sécher.

Le S, lettrine en papier épais

Avec la colle en bombe, collez la feuille de papier décor sur le carton-plume avant la découpe de la lettre. Décalquez et découpez la lettrine. Passez une couche de peinture acrylique sur la tranche. Laissez sécher et poncez légèrement la tranche avec une lime à ongles. Tamponnez l'arête avec un tampon-encreur sombre. Laissez sécher et tamponnez l'arête avec un tampon-encreur clair.

Le T, lettrine en Décopatch

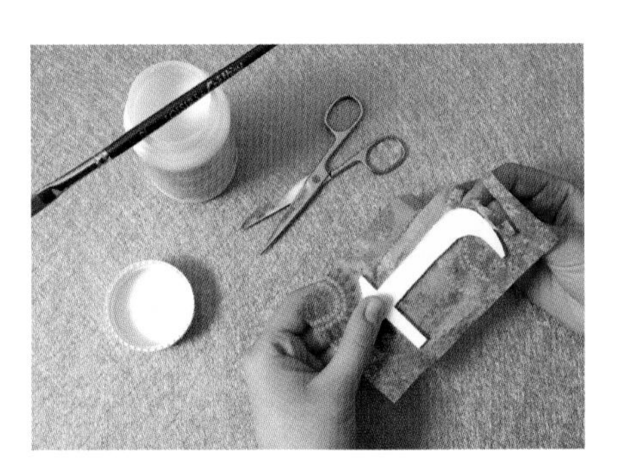

Encollez la face de carton-plume avec de la colle-vernis et procédez comme pour le papier de soie. Incisez aux ciseaux en plusieurs endroits le long des courbes. Lissez bien la tranche avec le doigt. Une fois la lettre recouverte, passez une couche de vernis-colle pour protéger le papier.

La typographie

- ✓ **Faites provision de belles lettres dans des magazines ou des journaux. Conservez-les précieusement pour toutes vos créations.**

Plisser le papier

Le plissage du papier, avec ou sans coloration, permet d'obtenir des matières et des textures originales pour toutes vos créations.

Plissages réalisés avec différents papiers : papier mûrier, papier de soie, Japon coloré.

Le plissage du papier permet d'obtenir des créations originales : selon le papier utilisé et selon la largeur de la règle qui sert de support au plissage, vous obtiendrez des effets uniques. Le papier ne doit pas être trop épais : les papiers matières et les papiers de soie se prêtent parfaitement à ce travail. Vous pouvez choisir un papier déjà coloré ou le colorer vous-même au moment du plissage, ce qui accentuera la texture et la nuance de la teinte.

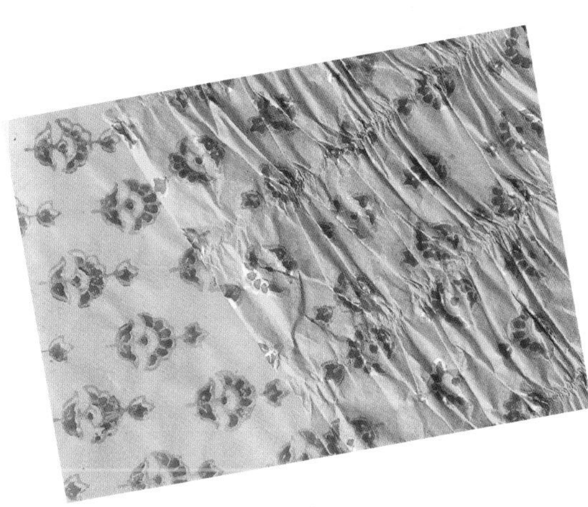

Conseil

LE PLISSAGE DE PAPIER IMPRIMÉ

✓ Vous pouvez également plisser du papier imprimé. Assurez-vous de la bonne tenue des couleurs à l'eau et choisissez de préférence un papier artisanal souple (le papier type papier cadeau a tendance à se déchirer au plissage).

LE PLISSAGE SIMPLE

Enroulage

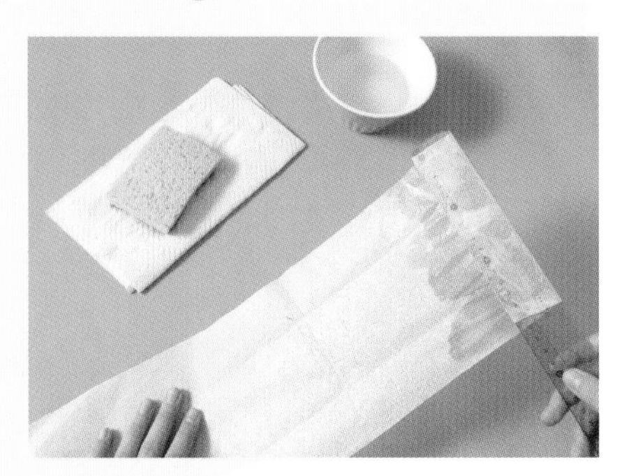

Placez la bande de papier sur un morceau de plastique. Humidifiez à l'éponge et enroulez la bande autour d'une règle (métallique ou en plastique) sans serrer le papier, qui se rétractera en séchant.

Plissage

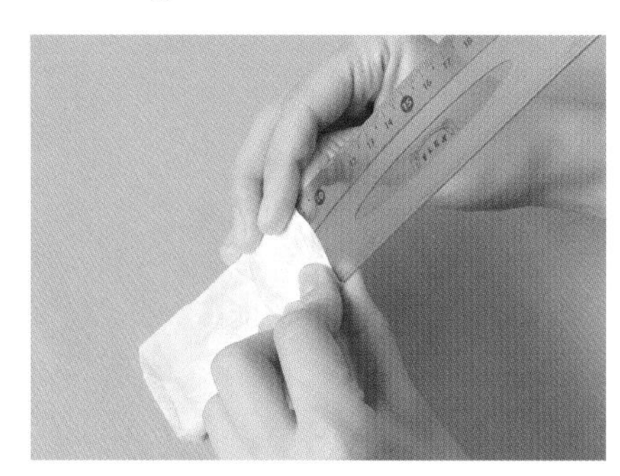

Placez la règle debout et faites coulisser les épaisseurs de papier le long de la règle pour obtenir une série de plis réguliers et très serrés. Laissez sécher complètement le papier.

Déroulage

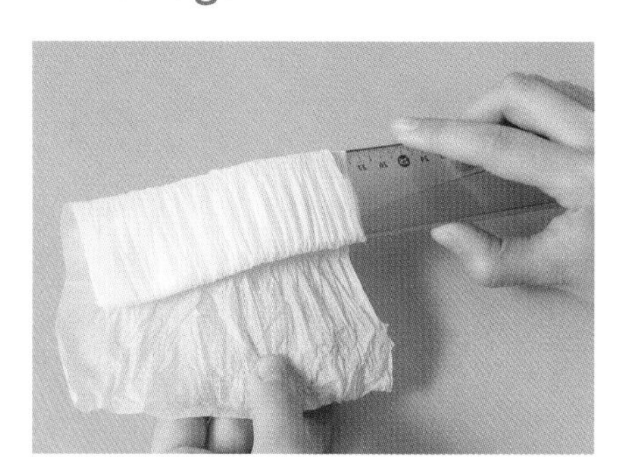

Dépliez délicatement l'extrémité du papier et déroulez au fur et à mesure toute la bande. Si vous n'arrivez pas à saisir l'extrémité, détendez légèrement la bande le long de la règle.

LE PLISSAGE COLORÉ

Enroulage

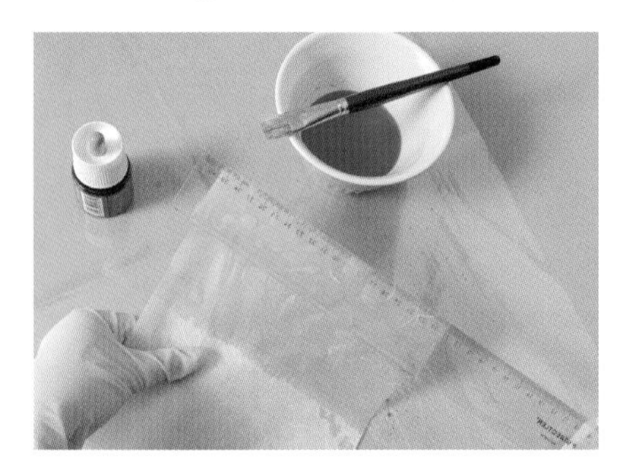

Placez la bande de papier sur un morceau de plastique. Mélangez 1/3 d'encre colorée avec 2/3 d'eau. Étendez au pinceau une couche régulière du mélange sur le papier au fur et à mesure de l'enroulage.

Coloration et plissage

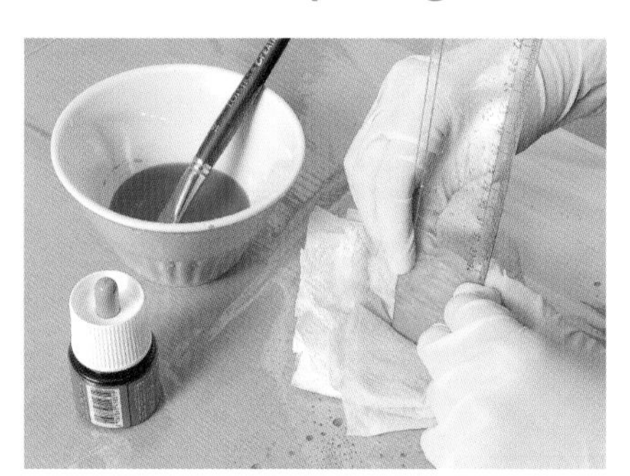

Portez des gants en plastique, placez la règle verticalement sur de l'essuie-tout et faites coulisser les épaisseurs de papier le long de la règle : le surplus d'encre est essoré sur l'essuie-tout par le tassement du papier.

Déroulage

Laissez sécher complètement le papier et dépliez comme pour le plissage simple. Ajustez la largeur selon l'effet souhaité.

Astuce

COLLEZ LE PAPIER PLISSÉ

✓ **Ce type de papier plissé peut être collé sur le support avec de la colle en bombe ou avec du ruban adhésif double face. N'utilisez pas de colle en bâton ou de colle vinylique : l'eau qui sert de solvant écraserait le plissage.**

Conseil

LA FICELLE DE PAPIER DE SOIE

✓ **À partir de bandes de papier de soie plissé, vous pouvez créer de la ficelle de papier : tordez peu à peu la bande de papier plissé entre les 2 mains pour obtenir une ficelle du diamètre souhaité.**

Créer ses tampons

Vous pouvez réaliser vous-même des tampons à partir de ficelle, de carton micro-cannelé, de créamousse ou de gomme à graver pour réaliser des motifs, des textes ou des papiers imprimés. Choisissez la méthode la plus adaptée au motif que vous souhaitez imprimer, car chaque tampon a ses particularités : durée d'utilisation, difficulté de réalisation et type d'encrage varient selon le matériau.

Conseils

IMPRIMER OU EMBOSSER ?

- Tous les tampons réalisés avec de la créamousse et de la gomme à graver peuvent être enduits avec un encreur ou de la peinture acrylique. Il se prêtent également à l'embossage à chaud.
- La ficelle et le carton micro-cannelé doivent être enduits de peinture acrylique et ne permettent pas d'embosser à chaud.
- Dans tous les cas, faites des essais sur une feuille de brouillon pour juger de l'effet produit.

Réalisez un tampon à vos initiales dans de la gomme à graver : vous pourrez ainsi signer toutes vos créations de manière très personnelle !

La ficelle

La ficelle permet de créer des motifs simples, comme des spirales, des cœurs ou des ondulations. Tracez le motif au crayon sur un morceau de carton-plume. Déposez un filet de colle sur le tracé et collez la ficelle. Retournez le tampon et appuyez bien quelques instants. Le motif est ensuite tamponné avec de la peinture acrylique déposée avec un pinceau-mousse. Ces tampons, vite réalisés, n'ont pas une tenue très importante dans le temps.

Le carton micro-cannelé

Avec du carton micro-cannelé, vous pourrez réaliser des textures idéales pour vos fonds de page ou vos frises. Découpez le carton suivant une forme simple (de préférence géométrique) puis collez la forme sur du carton-plume de même format. Le motif est ensuite tamponné avec de la peinture acrylique. Au fur et à mesure de l'impression, les cannelures se ramollissent : si vous devez réaliser une longue frise, préparez plusieurs tampons semblables.

La gomme à graver

La gomme à graver se prête à toutes vos envies : motifs, lettres, textures de fond de page... Ce matériau souple est facile à graver avec un X-Acto et des gouges à partir d'un tracé à main levée ou d'un motif décalqué. Une fois le tampon placé sur un bloc acrylique, il s'encre facilement pour l'impression. Lavez-le à l'eau savonneuse et séchez-le : il dure très longtemps.

La créamousse

La créamousse permet de découper des motifs précis et assez complexes, comme des fleurs, des feuillages ou des lettres. Dessinez votre motif au crayon sur une feuille de créamousse. Découpez aux ciseaux ou au cutter et collez le motif sur un morceau de carton-plume. Le motif est ensuite généreusement encré avant impression. Ces tampons, nettoyés avec une éponge humide, peuvent être utilisés de nombreuses fois.

Conseils

✓ Ayez toujours à portée de main du papier absorbant et des cotons-tiges. Avec le coton-tige, essuyez les éventuels débords d'encre sur les bords du tampon avant d'imprimer. Une fois l'impression terminée, nettoyez le tampon et appuyez-le plusieurs fois sur un morceau de papier absorbant pour enlever le surplus d'encre ou de peinture.

Les fonds en Distress

À partir de simples feuilles de papier blanc et d'encres Distress, inventez des matières et des imprimés uniques pour toutes vos créations : fonds de pages de scrap, cartes ou cartonnage. Encrez, froissez, pliez, embossez, tamponnez : vous obtiendrez à chaque fois un résultat différent !

1– Fonds en faux uni. 2– Fond froissé. 3– Fonds froissés ré-encrés. 4– Fond avec tampons. 5– Fond plié ré-encré.

Fond en faux uni

✓ Étalez l'encre directement avec l'encreur. Avec un pinceau plat, mouillez la feuille et étendez la couleur plus ou moins régulièrement selon l'effet souhaité. Laissez sécher.

Réalisez toujours un fond de dimensions supérieures au format définitif souhaité pour pouvoir recadrer la feuille.

Fond froissé

Réalisez un fond en faux uni, laissez sécher et froissez la feuille de papier entre vos mains. Défroissez et lissez la feuille avec le plat de la main.

Fond froissé ré-encré

Réalisez un fond froissé puis défroissez la feuille sans la lisser trop pour laisser des arêtes saillantes. Passez l'encreur sur les arêtes. Laissez sécher.

Fond plié ré-encré

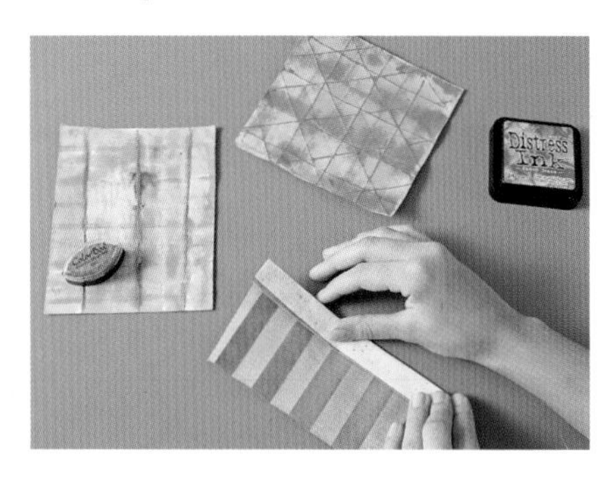

Réalisez un fond en faux uni et laissez sécher. Marquez des pliures et encrez-les avec l'encre Distress ou des encreurs Colorbox.

Fond avec embossage

Tamponnez un motif sur la feuille blanche avec de l'encre Versamark ou Top Boss. Saupoudrez de poudre à embosser incolore ou blanche. Embossez à chaud. Encrez la feuille avec l'encre Distress et étalez l'encre avec un pinceau plat : les motifs embossés apparaissent.

Fond avec plastique

Étalez de l'encre Distress de différents coloris sur une feuille de plastique lisse (rhodoïd ou plastique pour rétroprojection). Retournez la feuille de plastique sur une feuille de papier. Variez ensuite l'encrage en déplaçant la feuille de plastique.

Fond avec tampons

Réalisez un fond en faux uni puis imprimez la feuille encore humide avec un tampon encré avec l'encre Distress ou avec des encreurs Colorbox.

Embosser à chaud

L'embossage à chaud permet de donner du relief à des motifs ou des lettrages. La poudre à embosser se colle momentanément sur de l'encre encore humide le temps de chauffer la poudre : en fondant, les particules de poudre se lient, se fixent sur le papier et forment une épaisseur brillante, transparente ou colorée très décorative.

Avec l'aimable autorisation de Loisirs & Création. Peinture Ressource.

ASTUCE
Vous pouvez coller des motifs adhésifs (Glue Dots Magic Motifs) sur votre papier et les embosser.

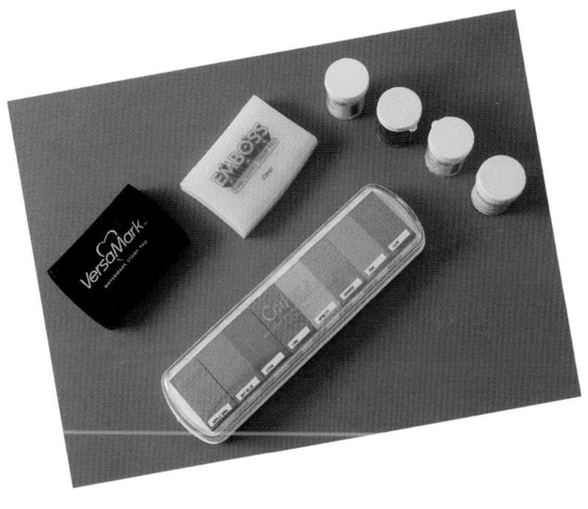

Conseils

EMBOSSER EN COULEUR OU EN TRANSPARANT ?

✓ Si votre motif est déjà en couleur, embossez avec de la poudre transparente.

✓ Pour obtenir des motifs colorés, vous pouvez jouer avec les encreurs et les poudres à embosser. Vous obtiendrez des résultats à chaque fois différents en associant les encreurs et les poudres :
- encreur transparent + poudre à embosser transparente
- encreur de couleur + poudre à embosser transparente
- encreur de couleur + poudre à embosser de couleur

1- Tamponnez

Placez une feuille de brouillon sur le plan de travail. Encrez le tampon choisi. Tamponnez soigneusement le motif sur un papier. Tous les encreurs conviennent pour l'embossage : les encreurs présentés comme spécifiques à l'embossage ont une encre plus humide que les autres, ce qui laisse plus de temps pour verser la poudre sur l'encre.

2- Versez la poudre

Saupoudrez largement la poudre à embosser sur le motif. Secouez le papier sur la feuille de brouillon pour enlever l'excédent. Placez la feuille de brouillon en cornet au-dessus du pot de poudre et versez l'excédent dans le pot.

3- Nettoyez les contours

Avec un pinceau fin, dégagez les fines particules de poudre qui ont pu s'accrocher sur le papier tout autour du motif. Soufflez doucement pour les faire partir de la feuille.

4- Chauffez la poudre

Mettez en marche le pistolet à embosser et chauffez la poudre pour la faire fondre sans trop approcher l'embout du pistolet du papier. Déplacez le pistolet sans arrêt en effectuant des petits mouvements circulaires pour ne pas brûler le papier. Dès que la poudre est fondue, arrêtez le pistolet. Laissez refroidir.

Si vous ne disposez pas de pistolet à embosser, utilisez un grille-pain en plaçant la feuille à chauffer dessus (jamais dedans). Mettez le grille-pain en marche : la poudre fond.

EMBOSSEZ UN MOTIF À MAIN LEVÉE

Pour embosser un texte ou un dessin déjà imprimé, passez sur le motif ou la lettre avec un feutre à embosser et reprenez à l'étape 2.

MIXEZ LES EMBOSSAGES

Vous pouvez rehausser un motif embossé à sec : passez délicatement l'encreur sur la surface mise en relief par l'embossage à sec et reprenez à l'étape 2.

Embosser à sec

L'embossage est une technique de gaufrage du papier qui permet de créer de délicats motifs en relief ou en creux sur la plupart des papiers. L'embossage se fait avec un stylet, une table lumineuse et un pochoir métallique, ou bien avec un kit à embosser pour tous les papiers opaques ou les feuilles de métal. Le relief des motifs peut être rehaussé en les colorant, soit avec de la craie (chalks), soit avec un stylo-feutre spécifique.

A- Papier-calque jaune foncé : frise embossée. B- Papier-calque jaune clair : frise embossée et craie. C-Papier orange : frise embossée. D- Papier jaune : frise embossée et craie. E- Papier-calque argenté : alphabet embossé. F- Papiers parme et violet clair : alphabets embossés et craie. G- Papier violet foncé : alphabet embossé et stylo-feutre.

Conseils

LA TABLE LUMINEUSE

✓ L'utilisation de la table lumineuse ne se limite pas à l'embossage : elle vous servira également à décalquer aisément des motifs et à trier vos diapos. Si toutefois vous n'en disposez pas, placez une lampe sous un plan de verre solide (table ou sous-verre).

EMBOSSER LE PAPIER-CALQUE

✓ Veillez à ne pas trop appuyer avec le stylo à embosser pour ne pas déchirer le papier-calque : faites des essais sur une chute.

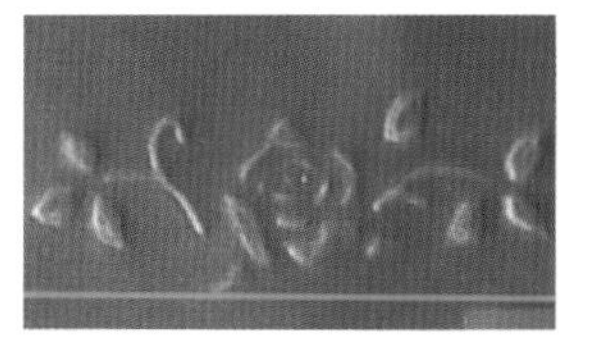

La table lumineuse ne permet pas d'embosser un papier épais ou une feuille de métal. Utilisez un kit d'embossage (Shape Boss Embossing System Fiskars).

1- Préparez l'embossage

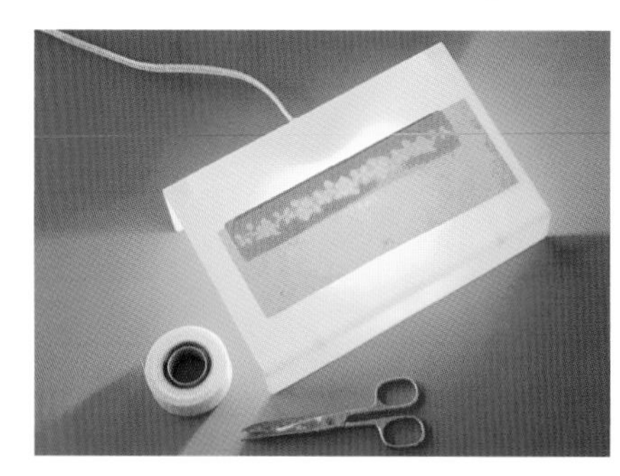

Sur la table lumineuse, placez le pochoir métallique et positionnez la feuille de papier dessus. Maintenez l'ensemble avec du ruban adhésif repositionnable.

2- Embossez le motif

Glissez le stylet à embosser dans chaque motif. Le stylet comporte 2 embouts arrondis de diamètre différent : choisissez celui qui est adapté à la taille de votre motif. Passez bien l'embout sur toute la surface de papier visible dans l'évidement du pochoir.

3- Embossez un texte

Pour embosser des lettres, procédez comme précédemment en veillant à placer le papier puis le pochoir sur l'envers.

4- Colorez les motifs

Placez le motif sur le plan de travail, relief vers vous. Alignez les motifs du pochoir sur les motifs en relief. Maintenez avec du ruban adhésif repositionnable. Colorez chaque motif à votre guise avec les petits cotons fournis avec la boîte de craies ou avec un coton-tige. Laissez sécher. Nettoyez le pochoir avec un chiffon sec.

5- Colorez les motifs au feutre

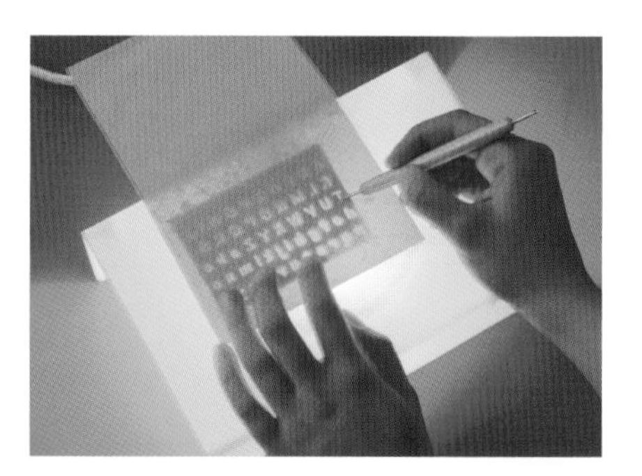

Placez le motif sur le plan de travail, relief vers vous. Alignez les motifs du pochoir sur les motifs en relief. Maintenez avec du ruban adhésif repositionnable. Choisissez un stylo-feutre dont la pointe est calibrée pour passer dans les motifs des pochoirs (ici, Art & Graphic Twin). Passez dans chaque motif évidé avec la pointe du stylo-feutre. Laissez sécher. Nettoyez le pochoir avec un chiffon sec.

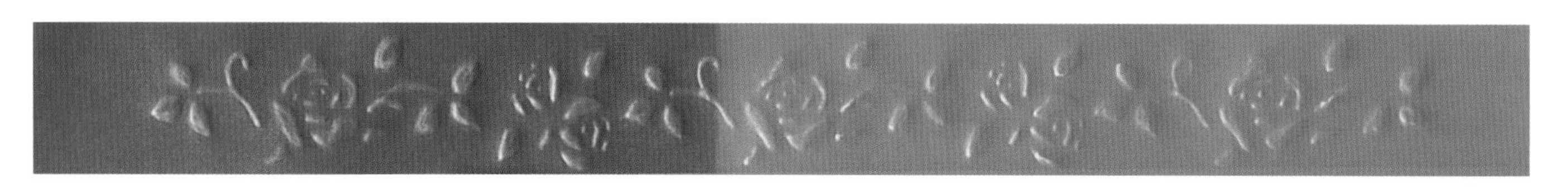

Les œillets et les rivets

Utilisez les œillets et les rivets pour fixer des photos, assembler des papiers ou maintenir des rubans tout en apportant une touche décorative. La pose se fait en 2 étapes : le perçage et le rivetage. Vous trouverez dans le commerce différents kits de pose pour vous faciliter la tâche.

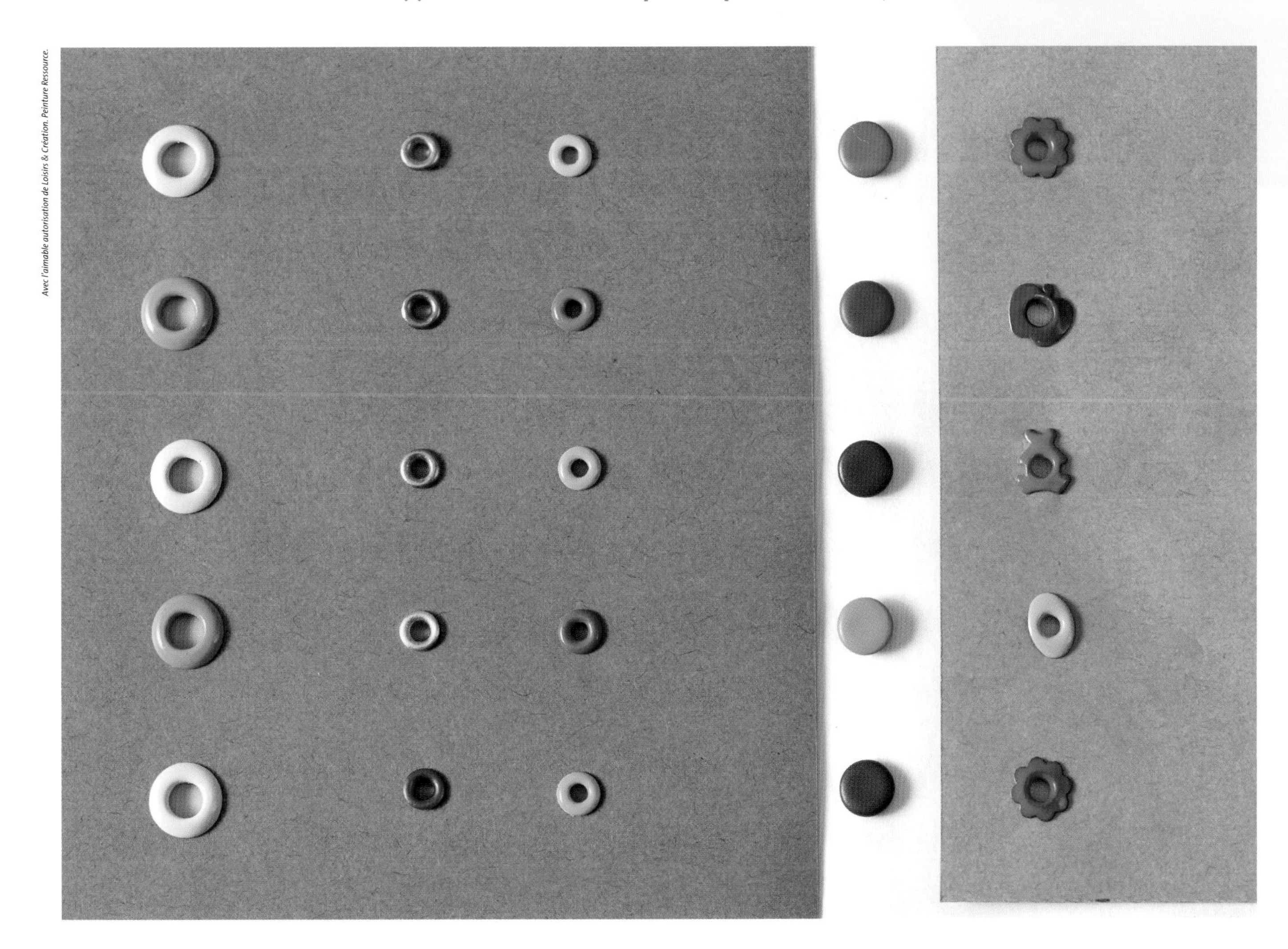

Avec l'aimable autorisation de Loisirs & Création. Peinture Ressource.

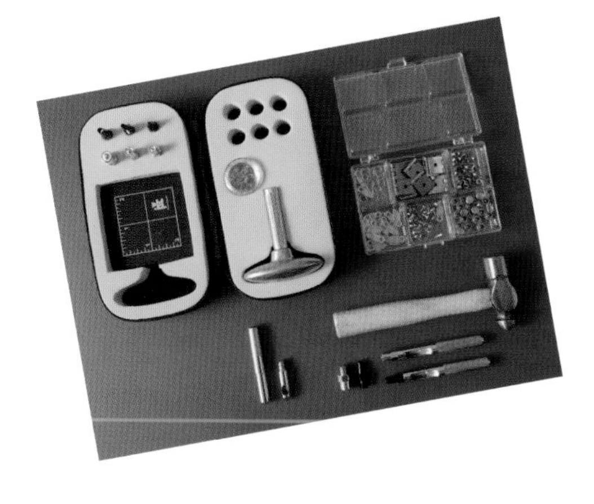

Conseil

LES KITS POUR LA POSE D'ŒILLETS ET DE RIVETS

✓ Il existe différents kits pour poser les œillets et les rivets. Dans tous les cas, le kit doit comporter des embouts de perçage et des embouts de sertissage coordonnés. Les kits se différencient surtout par la méthode de fixation : soit un marteau pour frapper sur les embouts, soit une poignée à tourner. La poignée à tourner présente l'avantage de ne pas faire de bruit si vous scrappez le soir !

Il existe des embellissements (Rob and Bob Studio) ressemblant tout à fait à des rivets : ce sont des boutons-pressions dont la pose ne nécessite qu'un outil de perçage.

Choisissez le bon outil

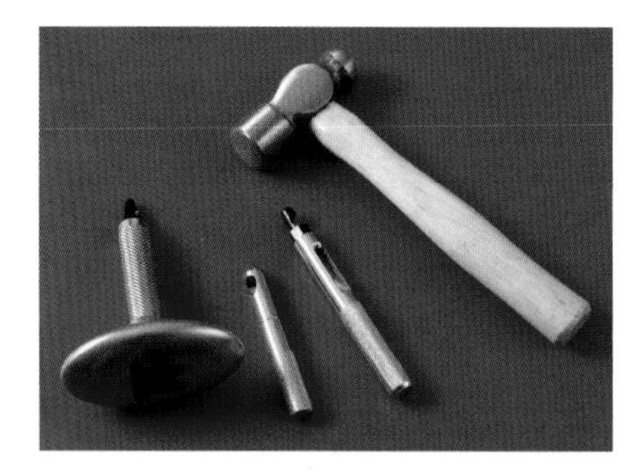

Préparez les outils : que vous choisissiez un kit à frapper au marteau ou un kit à poignée, fixez l'embout de perçage sur la tige.

Percez le trou

Tracez un repère sur le papier selon le positionnement souhaité. Placez le papier sur le tapis de coupe. Avec l'outil perforant, percez le trou du diamètre adapté à l'œillet ou au rivet. Selon votre kit de pose, vous devrez frapper au marteau ou simplement tourner la poignée de l'outil.

Placez et sertissez l'œillet

Insérez l'œillet ou le rivet dans le trou. Placez le papier et l'œillet (ou le rivet) à l'envers sur le plan de travail. Positionnez l'outil sertisseur sur l'œillet ou le rivet. Frappez au marteau (ou tournez la poignée selon l'outil) pour écraser la collerette de l'œillet (ou du rivet) contre le papier. Enlevez l'outil pour contrôler le résultat : si la collerette n'est pas écrasée régulièrement, replacez l'outil et frappez de nouveau.

Intégrez un ruban

Vous pouvez intercaler un ruban entre le papier et l'œillet (ou le rivet) : incisez le ruban en croix au cutter et placez-le sur la collerette de l'œillet ou du rivet avant de procéder comme précédemment pour fixer l'œillet ou le rivet.

Nettoyez l'embout perceur

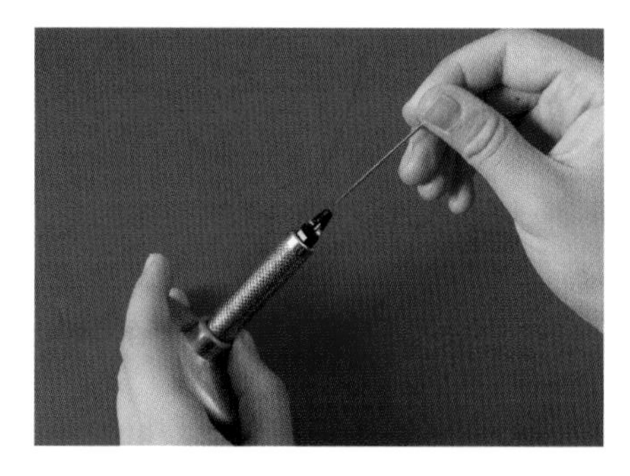

Pour pouvoir percer efficacement les trous, dégagez régulièrement les cercles de papier qui s'empilent dans l'embout de perçage : utilisez une aiguille ou un pic à brochette pour les enlever.

Les œillets et les rivets sont disponibles en 3 diamètres différents : à chaque diamètre correspond un outil de perçage et de rivetage.

Découper au cutter

Pour des réalisations impeccables, choisissez l'outil adapté au type de découpe. Une fois le bon outil en main, adoptez le bon geste pour obtenir une découpe précise et pour assurer votre sécurité.

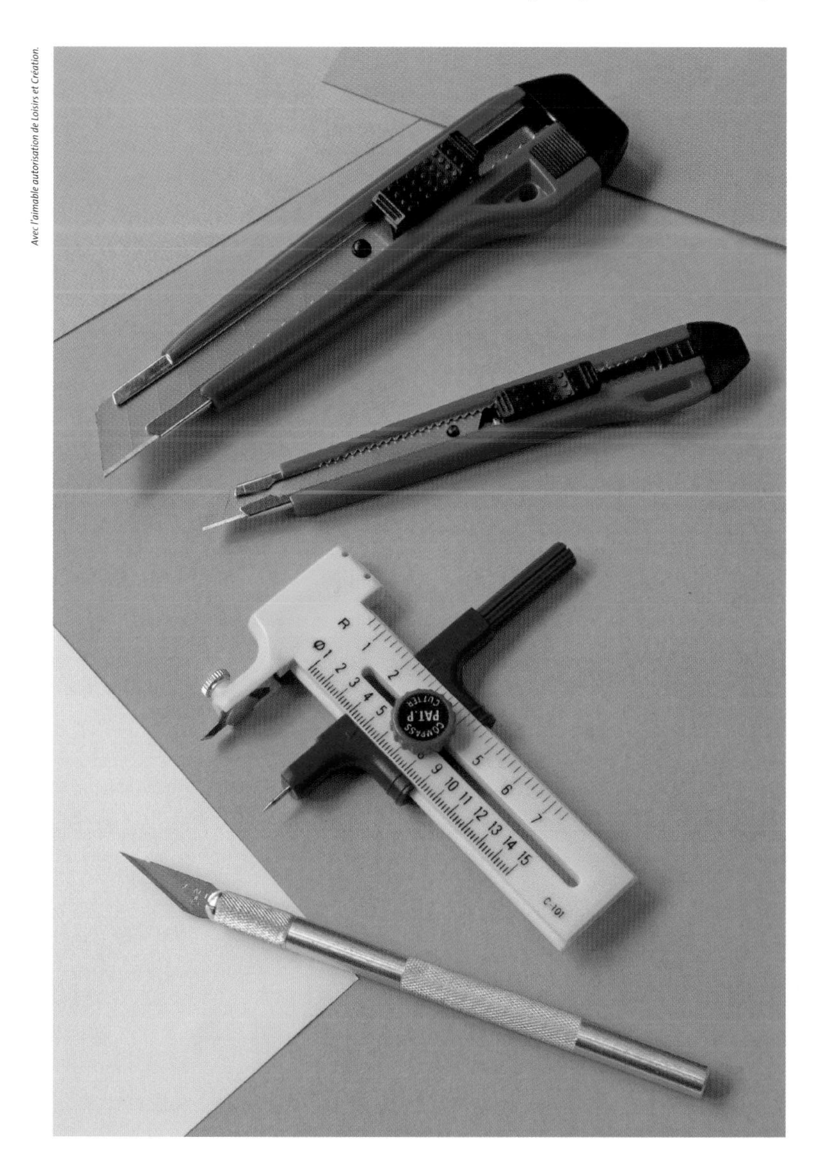

LES DIFFÉRENTS CUTTERS

Le cutter à lame de 18 mm

La rigidité de sa lame permet de trancher sans dévier les cartons épais. Choisissez un modèle de qualité comportant une bonne prise en main et un système de blocage de la lame.

Le cutter à lame de 9,5 mm

La largeur et la souplesse de sa lame permettent de découper des formes droites ou courbes assez fines. Évitez de l'utiliser pour les découpes épaisses, car la lame risque de ployer et de faire dévier la coupe sur l'épaisseur du matériau.

Le couteau de précision

Il est idéal pour les découpes très fines, en raison de son tranchant et de l'angle très aigu de la pointe. Pour votre sécurité, replacez impérativement son capuchon sur la pointe après usage, ou plantez la lame dans un bouchon de liège.

Le compas de découpe

Il permet de découper des cercles dans des papiers peu épais. Le rayon s'ajuste en faisant coulisser les 2 parties du compas et en les bloquant à l'aide d'une vis. Très pratique pour des découpes en série, il manque toutefois de précision pour les découpes fines (préférez alors les pochoirs coluzzle cercles).

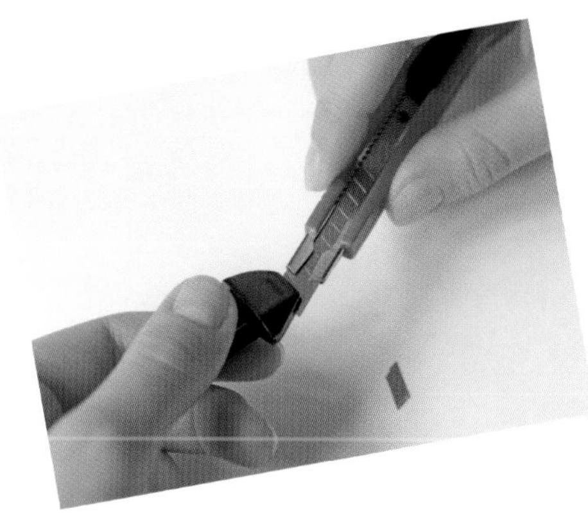

Conseil

COUPEZ LA LAME LORSQU'ELLE EST ÉMOUSSÉE

✓ Coupez régulièrement l'extrémité de la lame d'un cutter avant qu'elle ne soit émoussée et ne déchire le papier. Les cutters comportent tous à leur extrémité une encoche casse-lame : dégagez-la du cutter, placez l'extrémité de la lame dans l'encoche et appuyez d'un coup sec. La lame se sectionne le long d'une des striures visibles sur une de ses faces.

Position des mains et des outils

Placez le papier à découper sur le tapis de coupe. Positionnez une règle métallique le long du tracé et maintenez-la avec une main, en plaçant la main vers le haut de la découpe –jamais vers le bas– et en posant les doigts en retrait de la ligne de coupe. L'autre main tient le cutter et fait glisser la lame le long de la règle. Ne forcez jamais sur l'outil : passez la lame plusieurs fois sur le tracé tant que la coupe n'est pas effectuée.

La découpe de carton-plume et de carton

La découpe d'éléments épais nécessite l'utilisation d'un cutter à lame large et rigide (lame de 18 mm). Conservez durant toute la découpe un angle de 90° entre la lame et le tapis de coupe pour ne pas « biseauter » involontairement le carton.

La découpe de cartonnette et de papier épais

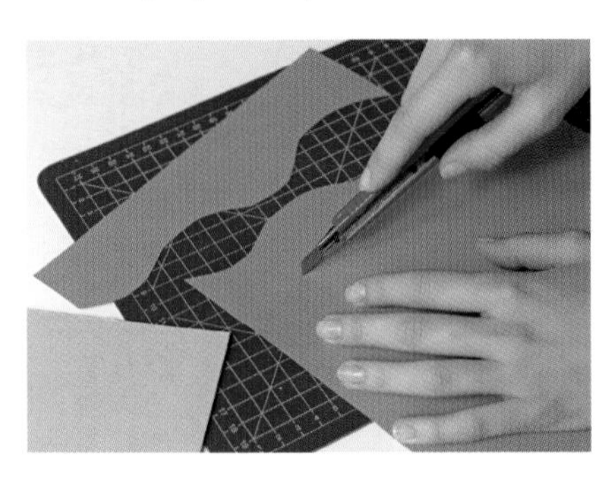

Le cutter à lame moyenne permet des découpes courbes. Évitez toutefois les cercles ou ovales de petit diamètre, car la lame risque de marquer le papier suivant les changements de direction de l'outil. Les découpes droites dans du papier épais peuvent également être réalisées avec le cutter à lame large.

La découpe de précision (X-Acto)

Pour les évidements d'une grande finesse à main levée et la découpe de très petits éléments aux formes irrégulières, utilisez l'X-Acto en maintenant le manche de l'outil verticalement et conservez l'angle d'attaque de la lame.

La découpe au compas

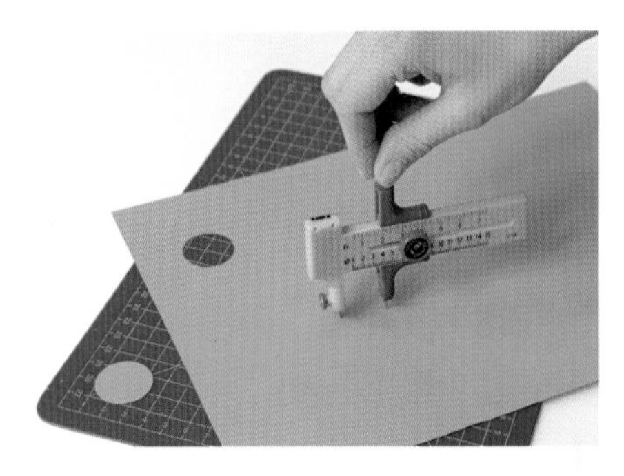

Pour découper avec cet outil, plantez la pointe du compas dans le papier et tournez plusieurs fois le compas sur son axe d'un geste léger et régulier, en veillant à conserver les branches perpendiculaires au tapis de coupe pour que le début et la fin de la découpe coïncident.

Attention aux lames cassées !

✓ **Lorsque vous coupez un morceau de lame émoussée, veillez à ne pas jeter le morceau, qui reste extrêmement acéré, directement dans une poubelle où quelqu'un peut mettre la main. Glissez ces morceaux dans une petite boîte d'allumettes : vous la jetterez une fois pleine !**

Pages de scrap

Les beaux yeux d'Alix

Coordonnez cette page à la tenue d'Alix : échappé de son bonnet, un fil de laine sert d'accroche aux lettres de son prénom.

Avec l'aimable autorisation de Loisirs & Création. Peinture Ressource. Fournitures : Loisirs & Création, Ocito et L'Éclat de Verre.

NIVEAU
Moyen

TEMPS
1 h 30

Les outils

- Cutter
- Ciseaux
- Tapis de coupe
- Règle métallique
- Kit pour la pose d'œillets
- Stylo-colle
- Pastilles adhésives fines et mini-pastilles adhésives
- 1 grosse aiguille
- Tampon encreur vert
- Feuille de brouillon

Le modèle

- 1 page d'album rose Toga de 30,5 cm de côté
- 1 page imprimée girly girl Rob et Bob Studio de 30 cm de côté
- 1 page unie turquoise
- Bande nuancier (couverture de carnet Inspiration Artémio)
- 1 page unie rose vif
- Papier calligraphie
- 1 page imprimée motifs fleurs et oiseau
- Lettrages : alphabet Flip Flop, stickers transparents provocraft et lettres adhésives en papier
- 4 boutons assortis
- 4 œillets
- 1 m de laine chinée
- 4 mini-pinces à dessin à crochet

ASTUCE
Vous pouvez coudre les boutons avec du coton à broder ou de la laine chinée.

1 - Découpez les papiers

Posez la page unie turquoise sur la page d'album et posez la page imprimée girly dessus en biais. Découpez la page unie rose vif (14 x 18,2 cm) et posez la photo dessus. Découpez la bande nuancier et le papier calligraphie (10,5 x 16 cm). Découpez et collez un motif oiseau dans l'angle droit de la page.

2 - Encrez la photo

Encrez le bord de la page rose vif avec le tampon encreur vert, posez le papier sur une feuille de brouillon et passez rapidement le tampon sur le bord des 4 côtés pour l'ombrer. Collez le nuancier sur le haut de la page puis posez la photo collée (matée) dessus en biais.

3 - Posez les œillets

Percez les 4 angles de la photo matée sur la page rose vif avec l'outil et l'embout perforant pour la pose d'œillets, introduisez 4 œillets différents dans les trous, retournez la page, fixez les œillets avec l'embout spécifique et le marteau. Une fois la photo fixée, glissez et collez le papier calligraphie sous la photo avec les pastilles adhésives fines.

4 - Créez les textes

Collez les chiffres transfert (année) dans chaque case du nuancier. Avec les lettres adhésives en papier, écrivez le texte en démarrant dans la marge en poursuivant sur et sous la photo. Découpez chaque lettre du prénom dans la planche de lettres et collez chaque lettre sur du papier imprimé motif fleurs avec le stylo-colle. Découpez le papier en rectangle autour de chaque lettre. Pincez chaque lettre avec une mini-pince à dessin à crochet.

5 - Terminez la page

Déroulez en boucles la laine chinée autour de la photo, puis laissez-la filer sous la photo pour y accrocher les lettres. Fixez-la avec des mini-pastilles adhésives. Repérez l'emplacement des lettres, percez la page avec une grosse aiguille, piquez chaque crochet à travers la page et aplatissez les crochets sur l'envers avec le plat des ciseaux. Collez les boutons, disséminés sur la page, avec les mini-pastilles adhésives.

PLACEZ LES ÉLÉMENTS SUR LA PAGE

Une fois le placement des différentes découpes de papier réalisé, enlevez les éléments découpés de la page pour pouvoir coller la page unie turquoise sur la page d'albumet la page imprimée girly à l'aide des pastilles adhésives fines. Retournez la page d'album, découpez l'excédent de papier au cutter et à la règle.

Mon joli mouton

Lorsqu'un beau bébé est habillé de laine et cueille une à une les pâquerettes, il mérite bien un cadre bucolique !

Avec l'aimable autorisation de Loisirs et Création. Photos : DR

NIVEAU
Moyen

TEMPS
1 h

Les outils

- ✓ Cutter
- ✓ Crayon
- ✓ Règle graduée
- ✓ Tapis de coupe
- ✓ Perforatrice à copie
- ✓ Ciseaux à lames décoratives « carte postale ancienne »
- ✓ Colle en bombe
- ✓ Papier journal
- ✓ Adhésif 3D en mosaïque
- ✓ Adhésif repositionnable

Le modèle

- ✓ 1 photo 10 x 12,5 cm
- ✓ 1 page de scrap 30 x 30 cm vert prairie
- ✓ Papier vert fleuri
- ✓ Papier-calque
- ✓ Papier vert anis
- ✓ Album
- ✓ Page de lettres adhésives sur papier
- ✓ Chiffres verts
- ✓ Têtes d'agneau en bois
- ✓ Ruban blanc : larg. : 2 mm
- ✓ Barrière en élément de scrap
- ✓ 1 sachet de pâquerettes

1- Découpez les papiers

Réalisez le fond (sur cet album, haut. : 33 cm) : découpez 1 bande de papier vert fleuri (haut. : 7cm) et 1 de papier vert anis (haut. : 13 cm). Découpez les contours d'1 feuille de calque (11,5 x 15 cm) et d'1 page vert anis (12,5 x 16 cm) aux ciseaux décoratifs. Découpez 1 carré (7 x 7 cm) de papier vert et 1 (6 x 6 cm) de papier fleuri.

2- Collez les éléments

Vaporisez de la colle en bombe sur l'envers de tous les découpages placés sur un papier journal. Collez le papier vert fleuri au centre du papier vert anis, allongez la page en collant sur la page vert prairie l'extension réalisée. Collez la photo sur le calque, puis l'ensemble sur le cadre vert anis. Collez le papier vert fleuri en travers du papier vert anis de l'étiquette, perforez le haut de l'étiquette à travers les 2 épaisseurs de papier.

ASTUCE
Les fleurs peuvent être réalisées avec une perforatrice et les têtes d'agneau avec de la pâte Fimo.

3- Collez la photo et les textes

Collez le cadre photo de travers sur la page ; collez la barrière, puis l'étiquette sur le côté de la barrière. Formez les textes à l'aide des lettres sur papier, en bas de page et au-dessus du cadre photo. Transférez les chiffres verts sur l'étiquette carrée.

4- Décorez la page

Collez les têtes d'agneau sur les angles du cadre ou au-dessus d'une lettre. Fixez des mosaïques d'adhésif 3D sur l'envers des pâquerettes, collez les fleurs parsemées sur la prairie de fond de page.

RALLONGEZ UN FORMAT

Si un papier est trop court pour recouvrir une page d'album, utilisez cette technique de superpositions de papiers, qui permet d'agrandir la page de fond à la dimension de la page d'album. L'album présenté ici a une hauteur de 33 cm, alors que les pages de scrapbooking ont un format de 30 x 30 cm. Choisissez des papiers coordonnés découpés ou non à la même largeur, que vous collerez successivement. Faites des essais en fixant les feuilles avec des adhésifs repositionnables. Collez ensuite les papiers avec la colle en bombe.

Randonnée dans les calanques

Tout au long des calanques, les randonneurs ont traversé la page d'un bon pas et précieusement noté leur itinéraire.

Avec l'aimable autorisation de Loisirs et Création. Photos : DR

NIVEAU
Moyen

TEMPS
1 h

Les outils

- Cutter
- Tapis de coupe
- Règle graduée
- Ciseaux droits
- Ciseaux à lames décoratives
- Bâton de colle
- Colle en bombe
- Adhésif crêpe
- 1 grosse aiguille
- Papier journal

Le modèle

- 4 photos en longueur avec même point de vue
- 1 page marron 30 x 30 cm
- 1 page rayures 30 x 30 cm
- 2 étiquettes en papier
- 3 tournesols en papier
- Lettres vertes en mousse
- 1 rouleau de filet adhésif vert
- Des cartes touristiques
- Des éléments décoratifs (lichen, poisson...)
- 2 petites attaches parisiennes de couleur

ASTUCE
Pour marquer le nom des villes, découpez (ou photocopiez et découpez) une carte touristique.

1- Préparez les photos

Découpez 1 rectangle de 20 x 30 cm dans le papier rayé, fixez-le au centre de la page marron avec des adhésifs crêpe. Assemblez les 3 photos à la suite avec des adhésifs crêpe. Posez les photos au centre de la page. Découpez 1 bande de 1 cm en haut d'1 photo sans personnage.

2- Collez les photos

Vaporisez avec la colle en bombe l'envers des papiers et des photos posés sur un papier journal. Collez la bande de papier rayé au centre de la page marron, collez la rangée de photos au centre de la bande à rayures. Puis collez la bande photo de 2 cm centrée en haut de page.

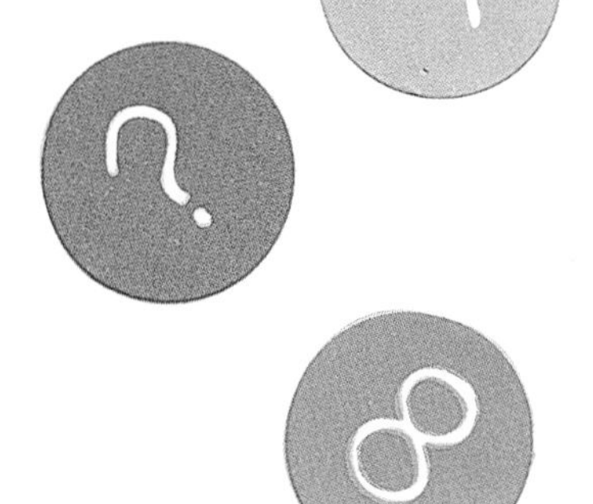

3- Collez les textes

Formez la date et le titre avec les lettres en mousse : date en haut au centre, lieu sous la page rayée. Collez les étiquettes de chaque côté de la 4e photo, redécoupez les bords avec les ciseaux décoratifs. Collez le nom des villes au centre des étiquettes. Percez chaque étiquette avec une aiguille et fixez-les avec une petite attache parisienne de couleur.

4- Décorez la page

Décorez la page en collant avec le bâton de colle des éléments évoquant la région visitée, ici : poisson, tournesols, lichen et le nom des villes traversées durant la randonnée. Glissez les éléments plats sous un filet adhésif traversant la largeur du bas de page.

PRÉPAREZ LA JUXTAPOSITION DE PHOTOS

Fixez temporairement les photos avec des adhésifs au centre de la page, coupez les excédents sortant à chaque extrémité avec le cutter et la règle. Enlevez les adhésifs, retournez les 3 photos sur l'envers, soulevez les photos à l'endroit des superpositions, déposez un peu de colle en bâton sur une partie de photo, maintenez pressé pour assembler. Enlevez les adhésifs sur l'endroit.

Vue de la lagune

Soulignez l'extraordinaire coucher de soleil vénitien et accentuez les perspectives grâce à des lamelles de papier-calque coloré.

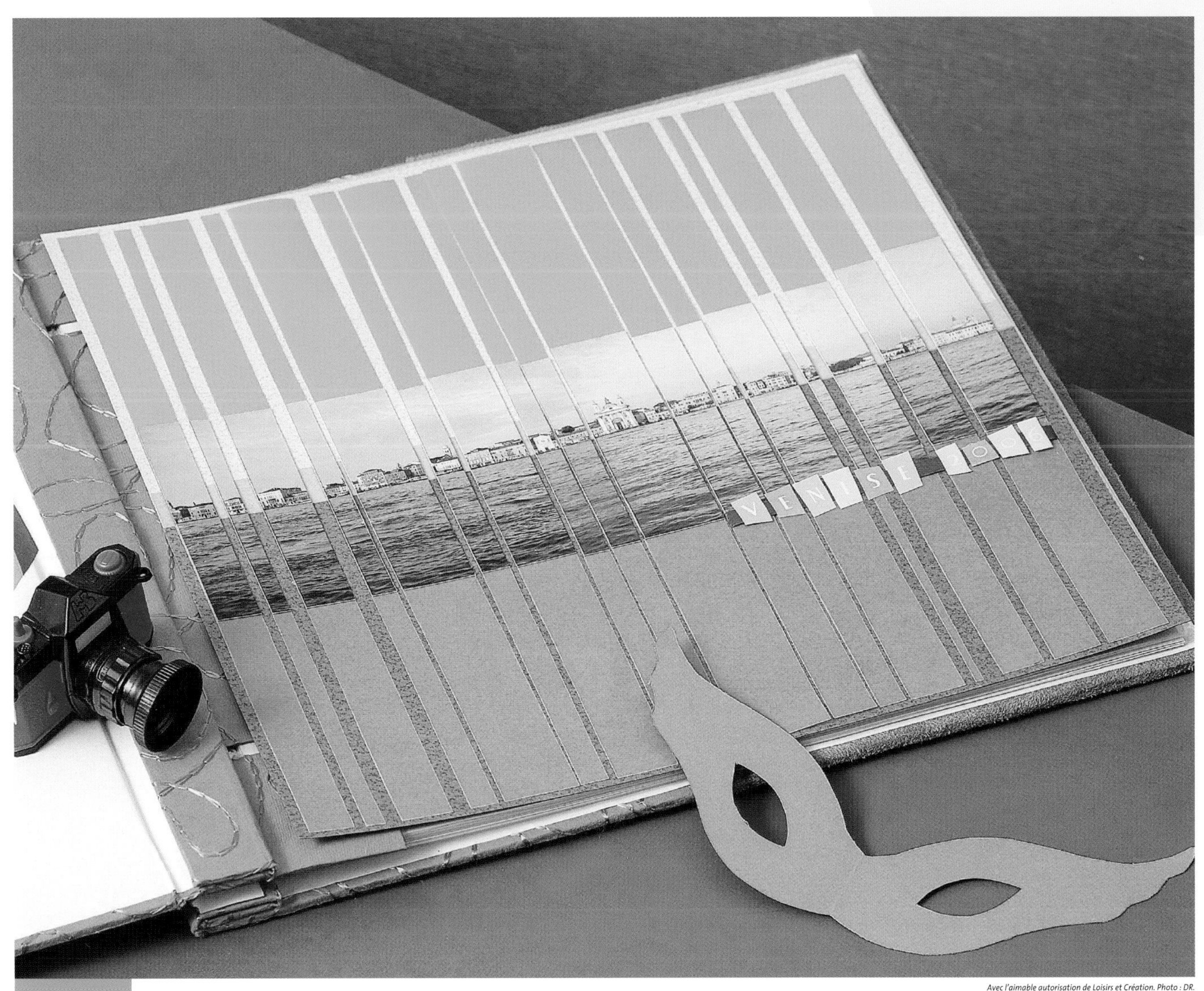

Avec l'aimable autorisation de Loisirs et Création. Photo : DR.

NIVEAU
Moyen

TEMPS
1 h

Les outils

- Tapis de coupe
- Cutter métallique
- Colle en bombe
- Règle
- Crayon
- Ruban adhésif repositionnable
- Ruban adhésif

Le modèle

- 1 feuille de papier bleu moyen (30 x 30 cm)
- 1 feuille de papier bleu-gris (30 x 30 cm)
- Feuilles de papier-calque rose, violet et jaune
- Bolduc violet (long. : 20 cm)
- Lettres autoadhésives
- Photos (vues panoramiques)

ASTUCE
Vous pouvez écrire verticalement, sur chaque lamelle de papier-calque jaune, le nom des bâtiments que vous avez visités avec un stylo orange ou gris.

1- Découpez les photos

Découpez les photos en lamelles de différentes largeurs et numérotez-les. Collez-les avec la colle en bombe sur les feuilles de papier-calque violet et jaune.

2- Découpez des lamelles

Placez la règle sur le trait de découpe des photos et découpez chaque lamelle (photo et papier-calque violet et jaune).

3- Préparez la page

Découpez 2 rectangles de papier bleu moyen et bleu-gris de 15 x 30 cm. Assemblez-les sur l'envers avec du ruban adhésif. En prenant appui le long de la règle, déchirez 1 bande de papier-calque rose de 2 x 30 cm. Collez-la à la jonction entre les 2 papiers bleus.

4- Assemblez la page

Collez les lamelles une à une, en variant légèrement les espaces, mais en alignant la ligne d'horizon. Collez les lettres autoadhésives sur 1 morceau de bolduc violet. Collez l'ensemble sur la page. Incisez au cutter à chaque extrémité du texte et passez le bolduc sur l'envers. Maintenez-le avec du ruban adhésif.

FIXEZ LE PAPIER-CALQUE SUR LES PHOTOS

Fixez côte à côte les lamelles de photo sur une bande de ruban adhésif repositionnable, placée en partie basse de l'envers des photos (sous la ligne d'horizon). Vaporisez de la colle sur la première moitié des photos et mettez en place la feuille de papier-calque jaune. Décollez le ruban adhésif, vaporisez de la colle sur la seconde moitié des photos et mettez en place la feuille de papier-calque violet.

Retour de pêche

Transformez les photos en belles étiquettes posées sur un fond d'océan et ponctuez la composition d'étoiles de mer.

Avec l'aimable autorisation de Loisirs & Création, Ocito et L'Éclat de Verre. Peinture Ressource. Photos : DR.

NIVEAU
Moyen

TEMPS
1 h

Les outils

- Cutter
- Tapis de coupe
- Règle graduée
- Adhésif double face 3D
- Crayon aquarellable
- Gomme ✓ Crayon
- Bâton de colle
- Ciseaux à lames décoratives « vagues »
- Ciseaux droits
- Perforatrice à copie
- Feuille de calque

Le modèle

- Photos de bateaux et de criée
- Page de fond bleu turquoise 30 x 30 cm
- Papier rouge
- Papier végétal bleu marin
- Lettres adhésives rouges (hauteur = 2,58 cm)
- Lettres adhésives noires (hauteur = 0,8 cm)
- Œillets de copie autocollants
- Étiquette à bagage de ton naturel
- 1 coquillage
- Végétaux d'aquarium
- Fil de coton rouge
- Perforatrice étoile de mer

ASTUCE
Les vrais coquillages sont souvent fragiles et risquent de se casser dans un album : pensez aux petits accessoires de décors d'aquarium pour les remplacer !

1 - Découpez les photos

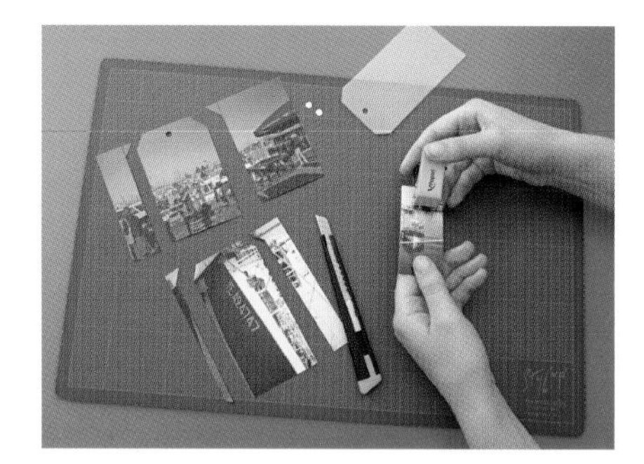

Reportez le schéma de l'étiquette sur le calque, découpez la forme et disposez-la sur les photos pour en tracer le contour tout en utilisant sa transparence pour choisir le meilleur cadrage. Tracez le contour de l'étiquette sur l'endroit de la photo et découpez avec le cutter sur le tapis de coupe. Faites un trou au centre avec la perforatrice à copie.

2 - Préparez la page

Sur la page bleue, collez 1 bande de papier végétal de 9,5 x 30 cm. Découpez 1 bord de papier rouge de 3 cm de large avec les ciseaux « vagues » et perforez-le (perforatrice étoile) ; gardez les étoiles. Collez la bande. Découpez 2,5 cm d'une photo en longueur, perforez 1 étoile à chaque extrémité et collez la photo en haut de page.

3- Préparez la boucle

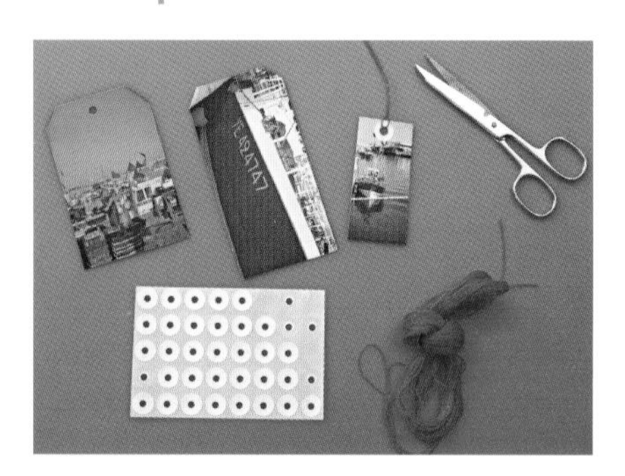

Collez un œillet de copie sur le trou de chaque étiquette. Coupez 15 cm de coton rouge, pliez-le en deux, glissez la boucle à l'intérieur du trou, repassez l'extrémité des 2 fils dans la boucle. Serrez puis faites un nœud à l'extrémité.

4- Collez les éléments

Encollez et positionnez les étiquettes sur la page. Pressez fermement pour un placement définitif. Découpez et collez 1 carré d'adhésif double face 3D à l'intérieur du coquillage.
Collez-le sur le papier végétal, collez les étoiles et les végétaux.

5- Placez les titres

Tracez sur l'étiquette à bagage trois traits de crayon à 2 cm d'intervalle. Soulevez les lettres avec la pointe du cutter, posez-les juste au-dessus du trait. Gommez doucement les traits de crayon. Décollez les lettres rouges de la même manière et écrivez le lieu et l'année de la prise de vue dans les espaces libres entre les étiquettes.

DÉTERMINEZ LA TAILLE DE L'ÉTIQUETTE

La taille de l'étiquette dépend de la taille des photos ; utilisez-la verticalement ou horizontalement selon le sujet de la photo. Vous pouvez également évider plusieurs tailles d'étiquettes dans une carte et vous en servir comme fenêtre de cadrage pour repérer les meilleurs angles à découper. Faites un trait sur l'endroit de la photo avec un crayon aquarellable qui trace sans faire de marques.

Ma mamie

Jouez les délicates superpositions de papier et dédiez cette page pleine de tendresse à une mamie formidable.

Avec l'aimable autorisation de Loisirs et Création.

NIVEAU
Moyen

TEMPS
1 h

Les outils

- Cutter
- Ciseaux
- Tapis de coupe
- Crayon
- Règle graduée
- Règle métallique
- Ruban adhésif repositionnable
- Bâton de colle
- Gomme
- Colle en bombe

Le modèle

- Photo recoupée (9,5 x 10,3 cm)
- 1 feuille « écriture » (30 x 30 cm)
- 1 feuille de calque fantaisie A4
- 1 page de scrap rayée (30 x 30 cm)
- 1 m de ruban mauve (larg. : 2 mm)
- Grosses lettres adhésives
- Paillettes fleurs bleues et blanches
- Fleurs 3D assorties
- Kit pour la pose d'œillets
- Œillets mauves

1- Tracez les repères

Pour repérer le centre, tracez 2 lignes médianes sur l'envers du calque et de la photo. Posez la photo au centre, tracez le contour sur le calque au crayon, enlevez la photo et tracez les diagonales.

2- Découpez le calque

Coupez les diagonales avec le cutter sur le tapis de coupe. Gommez doucement les traits de crayon. Avec le cutter et la règle, passez légèrement la lame sur les 4 côtés du rectangle de manière à marquer les traits et replier les triangles facilement. Repliez les 4 triangles sur l'endroit.

3- Posez les œillets

Coupez la feuille « écriture » au format A 4. Superposez et fixez les 2 papiers avec 2 adhésifs repositionnables. Tracez 1 repère sur chaque triangle à 1,5 cm de la pointe rabattue. Percez les 2 épaisseurs avec l'outil, placez les œillets, retournez les papiers, aplatissez les griffes des œillets avec l'outil presseur et le marteau. Enlevez les adhésifs.

4- Posez les rubans

Glissez 15 cm de ruban dans chaque œillet, rabattez les 2 extrémités sur l'envers, fixez-le, bien tendu sur l'envers du papier, avec un morceau d'adhésif.

5- Écrivez le titre

Faites un trait de crayon à 2,5 cm du bas de page. Placez les lettres adhésives en commençant par le centre du mot de chaque côté du ruban. Fixez le mot MA de la même manière en haut à 2 cm du bord de page. Gommez les traits de crayon.

6- Décorez la page

Disposez les paillettes sur la page, encollez-les l'une après l'autre en les posant sur le bâton de colle, puis replaçez-les sur la page. Collez les fleurs 3D. Collez la page dans un album format A4 ou sur 1 page de scrap rayée de 30 x 30 cm.

CENTREZ UNE FENÊTRE

Posez la photo retournée au centre de la feuille de calque A4. Centrez-la en calant les tracés sur les lignes médianes du calque. Enlevez la photo, posez la règle et tracez légèrement les 2 diagonales se croisant au centre du rectangle tracé. Le relevé doit être précis pour obtenir une fenêtre de la même dimension que la photo. La photo ne doit pas dépasser 10 cm de largeur pour être cadrée dans un format A4.

Le maquillage

La métamorphose du clown blanc est immortalisée sur un fond qui associe les pois, les arabesques et les rayures bayadères.

Avec l'aimable autorisation de Loisirs & Création et Acicam. Peinture Ressource. Fournitures : Acicam.

NIVEAU
Moyen

TEMPS
2 h

Les outils

- ✓ Cutter
- ✓ Tapis de coupe
- ✓ Crayon
- ✓ Ciseaux
- ✓ Règle métallique
- ✓ 1 bloc acrylique
- ✓ 1 grosse aiguille
- ✓ Pastilles adhésives Glue Dots fines
- ✓ Agrafeuse
- ✓ Stylo gel noir

Le modèle

- ✓ 3 photos (10 x 13,5 cm)
- ✓ Papiers unis bazill de 30,5 cm de côté (blanc, vert et orange)
- ✓ Papier rayé « My mind eyes » stripe/orange
- ✓ Papier tacheté « Creative imaginations » Samantha walker
- ✓ 2 feuilles A4 blanches
- ✓ 1 planche de fleurs en papier « Urban Lily » Funky florals
- ✓ Tampons clear stamps « Autumn leaves de Rhonna Farrer » elegants flourishes
- ✓ Tampon encreur chalk dark brown
- ✓ Attaches parisiennes
- ✓ Chiffres transfert « Making memories »

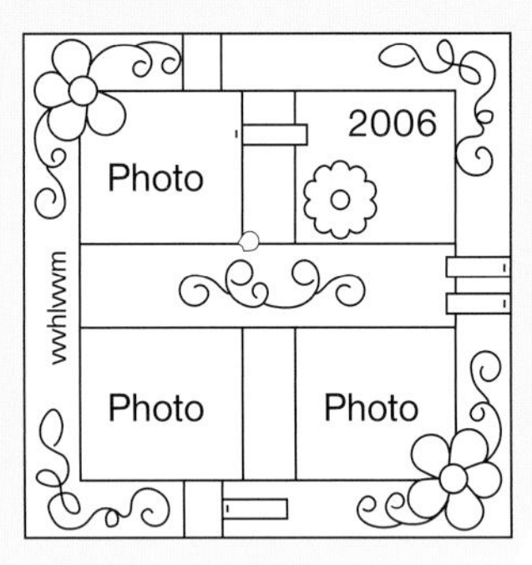

Agrandissez le gabarit à la photocopieuse à 900 %.

1- Découpez les papiers

Tracez et découpez au cutter des rectangles : 18 x 30,5 cm et 4,5 x 26 cm dans le papier rayé, 6 x 30,5 cm dans le papier orange ; des carrés : 10,2 cm de côté dans le papier vert, 2 fois 10 cm de côté dans le papier tacheté. Collez la bande de 6 cm de papier orange le long du papier rayé de 18 cm de haut puis collez l'ensemble dans l'angle droit de la page de fond blanche avec les pastilles adhésives.

2- Placez les photos

Placez les 3 photos sur les papiers découpés de manière à former un carré de 26 cm de côté, recadrez les photos autour du personnage et découpez les papiers pour composer un montage géométrique en suivant le schéma.

3-Tamponnez les motifs

Choisissez 2 tampons flourishes de différentes tailles et pouvant décorer les angles de la page. Positionnez le motif transparent sur le tampon acrylique et encrez avec l'encreur chalk marron (faites un essai sur papier blanc avant de le poser sur l'original). Imprimez les angles de la page avec ces motifs, puis imprimez le motif en l'inversant au centre du montage. Nettoyez les tampons et la plaque à l'eau savonneuse, séchez-les et rangez-les sur leur plaque-support.

4- Écrivez les textes

Détachez les fleurs en papier de la planche, fixez-les aux angles des photos et du carré uni avec des attaches parisiennes puis percez le papier au préalable avec l'aiguille. Écrivez votre texte sur des bandes de 1,5 cm de papier de couleur avec le stylo gel. Fixez-les le long d'une photo ou de la page avec l'agrafeuse. Écrivez un commentaire le long de la photo avec le stylo gel et l'année avec les chiffres transfert sur le carré vert uni.

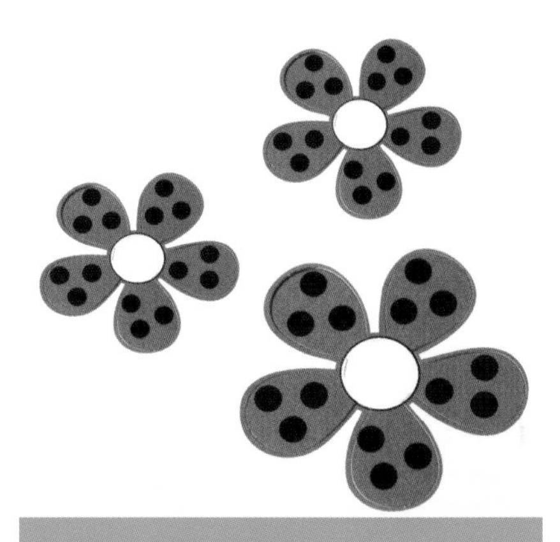

ASTUCE
Vous pouvez embosser les motifs d'arabesques (tampons flourishes) pour accentuer les reliefs.

COMPOSEZ LA PAGE

Posez les documents montés sur les 2 feuilles blanches A4, positionnez-les de manière à ce que l'ensemble soit bord à bord et tienne véritablement dans un carré. Quand la mise en page est définitive, fixez les documents avec des pastilles adhésives sur les feuilles A4. Découpez l'excédent de papier blanc autour du montage. Placez et fixez le montage sur la carte de fond préparée.

Altitude 2738 m

Le jeu de découpes de cette belle photo permet d'en accentuer la perspective pour profiter pleinement du panorama.

Avec l'aimable autorisation de Loisirs et Création.

NIVEAU
Difficile

TEMPS
1 h 30

Les outils

- ✓ Règle graduée
- ✓ Règle métallique
- ✓ Tapis de coupe
- ✓ Cutter
- ✓ Gomme
- ✓ Crayon B ou aquarellable
- ✓ Colle Glue Roller
- ✓ Ciseaux fins
- ✓ Papier-calque

Le modèle

- ✓ 1 photo agrandie de paysage (20,3 x 27 cm)
- ✓ 1 intercalaire d'album marron (30,5 x 30,5 cm)
- ✓ Pochoir de découpes rectangles et carrés
- ✓ Carte bleue (32 x 30 cm)
- ✓ Papier floqué blanc
- ✓ 1 planche de lettres adhésives bleu glacier
- ✓ Papier-calque iris 200 g/m²
- ✓ Œillets métalliques marron de 5 mm
- ✓ Outils de pose des œillets
- ✓ 2 pinces métalliques
- ✓ Marteau

1- Tracez les cadres

Sur la carte bleue, tracez 1 cadre au crayon à 1 cm des bords avec la règle. Posez le pochoir de découpes sur l'endroit de la photo, choisissez les formes et les cadrages adaptés aux découpes du pochoir. Tracez les cadres sur l'endroit si vous êtes sûre des cadrages ou sur l'envers au crayon gras ou aquarellable pour pouvoir modifier les tracés.

2- Découpez la photo

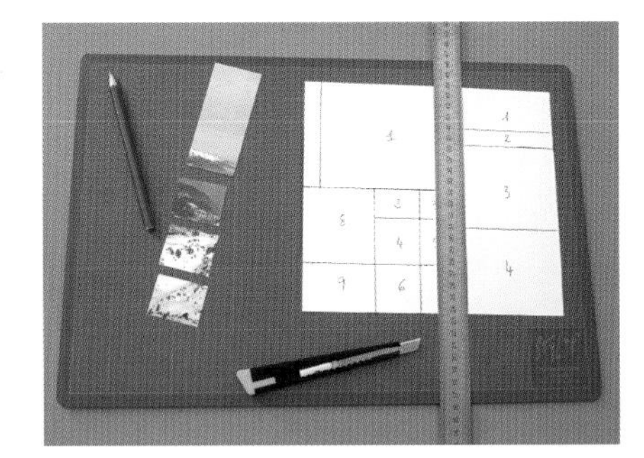

Posez la photo sur le tapis de coupe, découpez précisément chaque case au cutter et à la règle. Posez au fur et à mesure de la découpe les morceaux en reconstituant l'image, commencez par les 4 angles, puis complétez le puzzle ; si nécessaire, redécoupez un morceau pour équilibrer la mosaïque.

3- Collez les morceaux

Encollez l'envers d'une photo d'angle avec la colle Glue Roller (cette colle permet de décoller et repositionner la photo en cas d'erreur). Collez la photo en la calant sur les traits de crayon. Collez ainsi les photos du contour, puis celles de l'intérieur de la page, en laissant un espace régulier entre chaque photo. Gommez les traits de crayon.

4- Posez les œillets

Avec 2 pinces métalliques, maintenez la carte bleue sur l'intercalaire marron à 2 cm du bas de page. Percez les 2 épaisseurs sur les 4 angles avec les outils de pose des œillets (plaque spéciale, outil perceur...) et un marteau. Placez un œillet dans un trou, placez l'outil presseur dessus et frappez au marteau pour ouvrir les griffes de chaque œillet.

5- Découpez les étoiles

Reproduisez l'étoile des neiges sur du papier-calque au crayon, puis sur l'envers du papier floqué en 2 formats (2,5 cm et 6 cm). Découpez précisément deux motifs dans chaque taille, la petite étoile avec des ciseaux fins et la grande avec le cutter.

5- Décorez la page

Formez le texte « altitude 2738 m » avec des lettres adhésives bleu glacier sur 1 bande de calque iris de 2,5 x 18,5 cm. Vaporisez la colle sur l'envers des étoiles et du calque, collez le texte, puis 1 petite étoile à chaque extrémité. Collez les grandes étoiles en haut et en bas de page.

Respectez le sens des « hélices » !

Tracez tout d'abord un ou plusieurs rectangles « façon carte postale » comprenant le sujet, ici le refuge, l'horizon... Les zones non identifiables seront découpées en carrés (les cailloux, la neige...). Si l'image comporte des personnages ou des habitations, déplacez le pochoir pour les laisser entiers. Découpez les formes d'angles en premier et positionnez les aux 4 angles du cadre sur la carte bleue.

Agrandissez le schéma de l'étoile des neiges à la photocopieuse à 120 % et réduisez-le à 50 %.

Autour du lac

Donnez de la profondeur à votre photo en l'encadrant de bandes de papier en camaïeu selon la technique de l'iris folding.

Avec l'aimable autorisation de Loisirs & Création, Ocito et L'Éclat de Verre. Peinture Ressource.

NIVEAU
Moyen

TEMPS
1 h

Les outils

- Cutter
- Tapis de coupe
- Massicot
- Roller d'adhésif double face
- Carrés adhésifs 3D
- Ruban adhésif
- Pinceau-mousse rond
- 1 grosse aiguille

Le modèle

- 1 photo (10 x 15 cm)
- 1 page de fond montagne « Picture Collection by Rayher »
- 5 feuilles unies dégradées : papiers Bazill blanc, vert clair, moyen, soutenu et foncé (30 x 30 cm)
- Alphabet transfert blanc « Paris » de Toga
- 1 fleur en tissu vert à pois (diam. : 8 cm)
- 1 fleur en tissu vert (diam. : 5 cm)
- 1 attache parisienne fleur blanche
- Encre Distress « Walnut Stain »
- Lettres de papier blanc

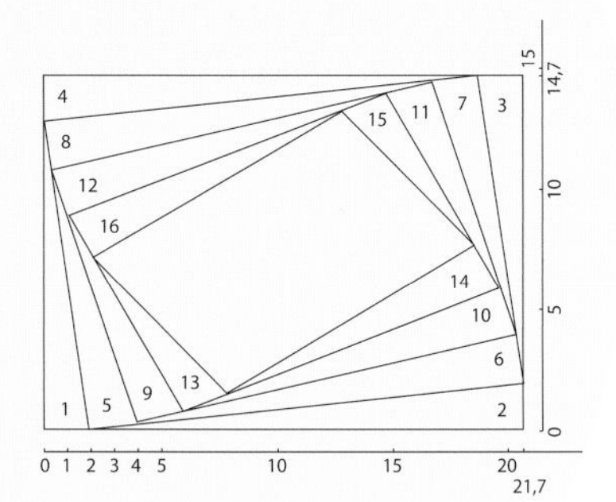

Agrandissez le gabarit à la photocopieuse à 500%.

ASTUCE
Vous pouvez réaliser vos propres lettrages, à partir du papier de votre choix, grâce à la machine Cuttlebug et de matrices alphabet. Cette machine permet également d'embosser à sec ; elle est toutefois assez onéreuse : groupez-vous pour l'acquérir !

1- Préparez les bandes

Avec le massicot, coupez 4 bandes de 2,5 cm de largeur dans les papiers Bazill blanc, vert clair, vert moyen et vert soutenu. Encrez tous les bords avec l'encre Distress « Walnut Stain » à l'aide du pinceau-mousse rond.

2- Réalisez un iris

Photocopiez le gabarit de montage. Collez les bandes vert soutenu en les positionnant sur les traits 1, 2, 3 et 4 du gabarit. Maintenez les extrémités de chaque bande avec le roller d'adhésif double face. Répétez l'opération en suivant des numéros et en changeant de couleur après chaque tour : vert moyen, vert clair et blanc.
En collant successivement les bandes, c'est l'envers du travail qui est face à vous.

3- Collez votre photo

Une fois l'*iris folding* terminé, détachez délicatement votre réalisation du gabarit en papier : vous découvrez alors votre travail de face. Positionnez la photo au centre puis fixez-la sur l'arrière avec du ruban adhésif. Collez l'ensemble sur la page de fond en gardant la photo horizontale.

4- Découpez le cadre

Dans le papier Bazill vert foncé, découpez 1 rectangle de 23 x 19 cm et évidez 1 fenêtre centrale de 19 x 15 cm pour obtenir un cadre de 2 cm de largeur. Sur l'envers, collez les carrés adhésifs 3D tout autour et positionnez le cadre horizontalement sur l'*iris folding*, centré sur la page.

5- Décorez la page

En bas à droite de la page, fixez les 2 fleurs en tissu maintenues par l'attache parisienne en perçant le papier avec la grosse aiguille. En haut à droite, écrivez le lieu et la date avec les lettres transfert. Collez les lettres du titre sur le cadre avec le roller de ruban adhésif double face.

LA TECHNIQUE DE L'IRIS FOLDING

L'*iris folding* (ou pliage en iris) consiste à décaler suivant un angle défini des bandes ou des rectangles de papier, de préférence en camaïeu. Cette technique permet de donner du mouvement à une photo et de la mettre en valeur. Selon l'ordre des tons du papier (du plus clair vers le plus foncé ou vice versa), vous obtiendrez des effets différents : faites des essais.

En souvenir d'antan

Rassemblez vos souvenirs en les glissant sous les rubans imprimés d'une page nostalgique et empreinte d'émotion.

Avec l'aimable autorisation de Loisirs et Création. Photos : DR. Pince à photos : Conran Shop.

NIVEAU
Facile

TEMPS
1 h

Les outils

- ✓ Ciseaux droits
- ✓ Ciseaux à lames décoratives
- ✓ Cutter
- ✓ Tapis de coupe
- ✓ Adhésif Glue Roller
- ✓ Pâte à fix

Le modèle

- ✓ Photos anciennes
- ✓ Vieux documents
- ✓ Timbre et pièces trouées
- ✓ Ruban ancien
- ✓ Papier pêle-mêle 30 x 30 cm
- ✓ Coins photos adhésifs transparents

ASTUCE
Si vous possédez des éléments de la vie quotidienne, tels des vieux tickets de la même période, un ruban ou une épingle à chapeau, cela donnera vie à cette page du passé.

1- Préparez les photos

Récoltez dans vos archives des photos anciennes de différents formats et de vieux documents retraçant une époque déterminée. Disposez les éléments sur la page posée sur le tapis de coupe. Découpez le bord des photos à bords lisses avec les ciseaux à lames spéciales « cartes postales anciennes ».

2- Découpez le papier

Incisez le bord des rubans de papier pour permettre aux photos d'être glissées dessous et maintenues. Introduisez les angles des photos sous les liens. Fendez le bord du ruban de papier pour y glisser de la même manière les tickets.

3- Fixez les photos

Fixez les angles des photos qui n'ont pu être maintenues par ce procédé avec des coins photos adhésifs et transparents. Fixez également les petites photos avec les coins adhésifs. Collez les 2 épaisseurs de ruban avec de la Glue Roller, puis glissez le ruban plié sous le ruban de papier.

4- Collez les décors

Collez les pièces de monnaie et le timbre sous capsule avec une petite boulette de pâte à fix directement sur le papier de page de scrap.

DÉTERMINEZ VOTRE MISE EN PAGE

Le positionnement et le choix des éléments sont primordiaux dans cet assemblage : choisissez comme point de départ 1 photo centrale plus grande. Complétez par des petites photos de la même époque, photos d'identité et scènes familiales.
Le papier choisi est un pêle-mêle imprimé représentant un capitonnage de tissu qui existe en différents coloris.

Une journée au haras

Trois fiers cavaliers et leur monture méritent bien une belle page pour leur première balade de printemps.

Avec l'aimable autorisation de Loisirs et Création.

NIVEAU
Facile

TEMPS
1 h 30

Les outils

- Cutter
- Règle métallique
- Crayon
- Ciseaux
- Tapis de coupe
- Bâton de colle
- Ciseaux cranteurs
- Ruban adhésif
- Ordinateur
- 1 feuille blanche

Le modèle

- 6 feuilles de scrap (30 x 30 cm)
  - 1 rouge
  - 1 fantaisie verte « oh my baby »
  - 1 gazon
  - 1 vert foncé
  - 2 imprimés verts
- 1 planche d'autocollants « équitation »
- 3 diapositives
- 6 photos (3 grandes, 3 petites)
- 1 fleur séchée autocollante
- 1 pochette de lettres adhésives
- 3 grandes étiquettes blanches adhésives

1- Découpez les papiers

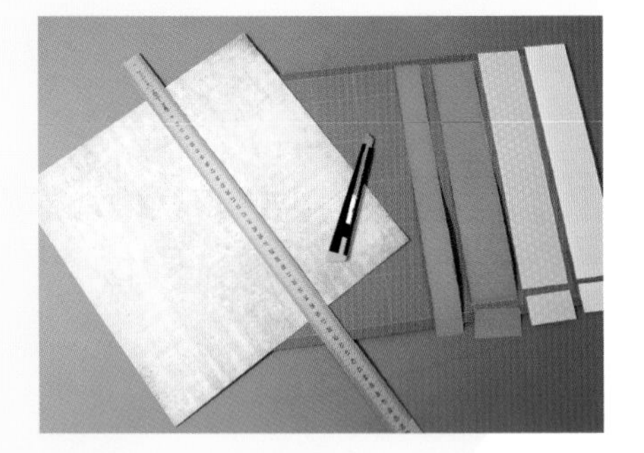

Avec le cutter, découpez 2 bandes de 5 x 27,5 cm dans les 2 papiers imprimés verts. Découpez 1 bande de papier rouge de 5 x 27,5 cm et 1 de 3 x 30,5 cm.

2- Collez les bandes

Avec le bâton de colle, collez la bande rouge de 3 x 30,5 cm en bas de la page fantaisie verte. Collez verticalement les 3 autres bandes, à 3,7 cm d'intervalle.

3- Préparez le gazon

Découpez 1 bande de 5,5 x 30,5 cm dans le papier gazon et coupez 1 bord aux ciseaux cranteurs. Collez 1 fleur séchée sur le bord gauche de la bande et collez les lettres du texte sur la bande gazon.

ASTUCE
Choisissez un décor autocollant (fer à cheval, brosse, cravache, bombe) en rapport avec les préférences de chaque cavalier.

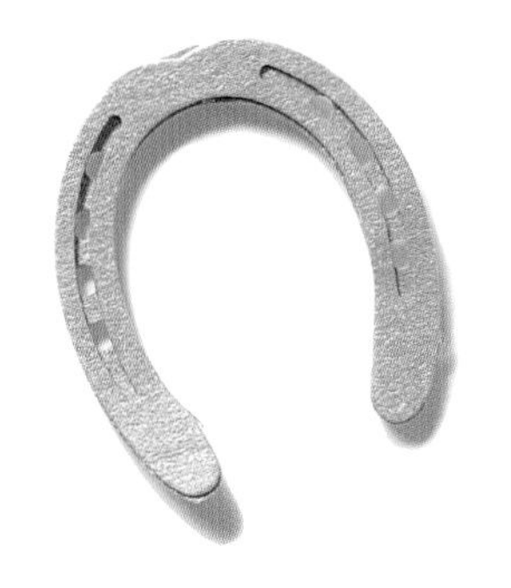

4- Collez les photos

Collez les grandes photos sur les bandes verticales à 3,7 cm du haut de page. Collez la bande gazon horizontalement à 1 cm du bas de la page pour laisser apparaître la fine bande de papier rouge.

5- Habillez les diapos

Enlevez le négatif des diapos et fixez les petites photos au dos avec de l'adhésif. Découpez 3 carrés de papier vert foncé de 5 cm de côté. Tracez au centre 1 rectangle de 3,7 x 2,6 cm. Évidez la fenêtre au cutter. Collez les cadres sur les diapos.

5- Terminez la page

Collez les 3 diapos sous les photos correspondantes. Imprimez les prénoms à l'ordinateur, découpez et collez-les. Placez les décors autocollants sur chaque cadre diapo et 1 pomme sur la page.

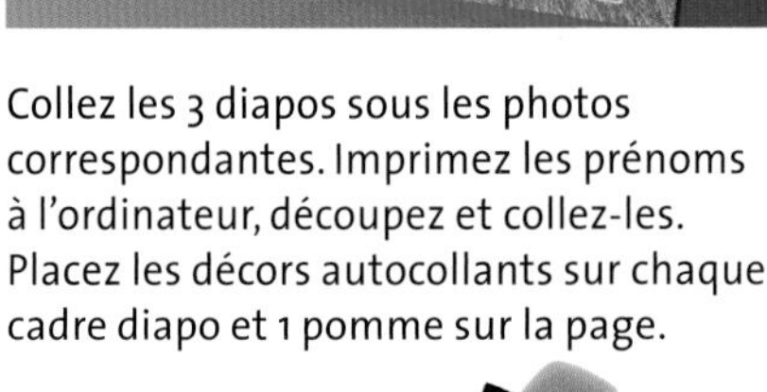

DONNEZ DU RELIEF À LA TYPOGRAPHIE

Collez les lettres adhésives sur de grandes étiquettes blanches autocollantes. Découpez soigneusement le contour aux ciseaux en laissant une marge de 2 mm tout autour et en arrondissant les angles. Ce mini-cadre permet de faire ressortir le texte sur un fond imprimé et de créer un effet de relief. Vous pouvez accentuer cet effet en traçant un trait gris le long d'un grand côté de la lettre, sur la marge blanche.

Barcelone

Finement détourées aux ciseaux, les cheminées sculpturales de l'architecture de Gaudí se détachent sur un fond de ciel éclatant.

Avec l'aimable autorisation de Loisirs et Création. Photo : DR.

NIVEAU
Facile

TEMPS
1 h

Les outils

- Cutter
- Tapis de coupe
- Ordinateur
- Ciseaux fins
- Colle en bombe
- Plioir
- Règle graduée
- Crayon
- X-Acto
- Ruban adhésif
- Bâton de colle

Le modèle

- Papier bleu foncé (30 x 22 cm)
- 1 feuille A4 de papier-calque bleu foncé
- 1 feuille A4 de papier orange
- 1 feuille A4 de papier bleu lavande
- Photos (dont 3 tirages d'une photo de mosaïque)

ASTUCE
Si vous n'encollez pas entièrement le haut des cheminées, vous pourrez y glisser des tickets-souvenirs de vos visites...

1- Préparez les papiers

Découpez 1 bande de papier bleu lavande de 3 x 30 cm. Détourez les photos aux ciseaux fins et évidez les parties délicates avec l'X-Acto. Assemblez à la suite 3 photos de mosaïque avec du ruban adhésif.

2- Imprimez les papiers

Imprimez à l'ordinateur votre texte sur la feuille de papier-calque. Imprimez le titre sur la feuille de papier orange (police Harrington, taille 36, texte bleu). Tracez la largeur du bandeau orange (2,2 cm) en centrant le texte. Déchirez les bords du bandeau en prenant appui contre la règle.

3- Collez le calque

Tracez 1 trait en partie haute du texte sur le calque. Marquez la pliure avec le plioir le long de la règle pour former 1 rabat. Encollez l'envers de la feuille de calque et fixez-la sur le rectangle de papier bleu foncé, en repliant le rabat sur l'envers du papier.

4- Collez les photos

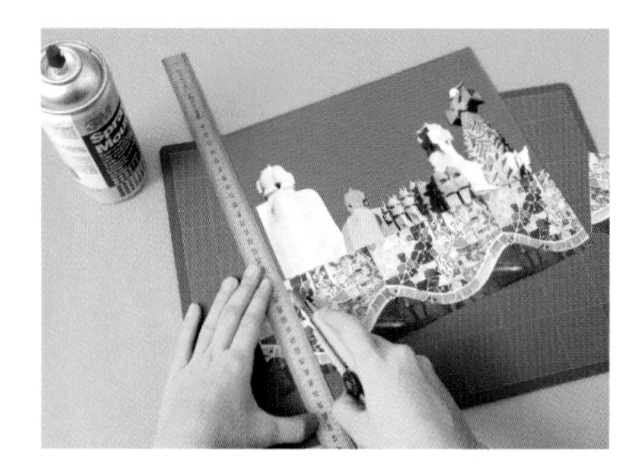

Tracez 1 trait à 17 cm du haut du papier bleu. Disposez les photos de cheminées au-dessus de ce trait, et la bande de mosaïque en dessous. Lorsque la composition vous convient, fixez les photos avec la colle en bombe. Recoupez les extrémités de la mosaïque au cutter.

5- Collez les bandeaux

Encollez et placez l'un sur l'autre les 2 bandeaux (bleu et orange). Collez-les ensuite pour dissimuler la jonction des photos. Découpez aux ciseaux des fragments de mosaïque sur une chute de photo et collez-les avec le bâton de colle sur le bandeau orange. Recoupez les bords de la page au cutter.

ÉCRIVEZ VOTRE TEXTE

Pour réaliser le texte sur la feuille de papier-calque, vous devez choisir le format paysage sur votre logiciel de traitement de texte. Écartez au maximum les curseurs de limitation de texte à droite et à gauche de la feuille. Écrivez votre texte (police Harrington, taille 12, texte bleu). Si le texte n'est pas assez long pour habiller toute la page, faites des copier-coller.

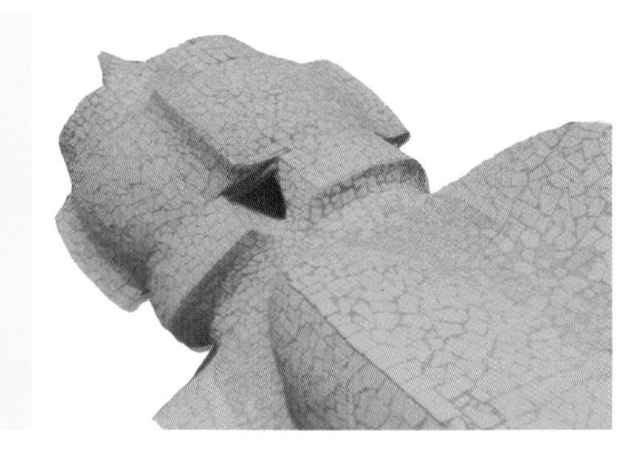

La jolie fermière

Cousez le raphia et les lettres-guirlandes pour créer le prénom de la jolie fermière qui a vendu toutes ses pommes au marché.

Avec l'aimable autorisation de Loisirs et Création. Photo : DR.

NIVEAU
Moyen

TEMPS
1 h

Les outils

- Cutter
- Tapis de coupe
- Colle en bombe
- Règle graduée
- Crayon
- Ciseaux
- Aiguille
- Ordinateur
- Bâton de colle
- 1 feuille de papier machine

Le modèle

- Carton-plume (ép. : 3 mm)
- 1 feuille A4 de papier kraft
- 1 feuille A4 de papier rouge
- Lettres-guirlandes
- Raphia
- Perforatrices (pomme, fleur)
- Portrait
- Fil noir
- 3 étiquettes rondes vertes

1- Préparez les fonds

Découpez 1 rectangle de papier rouge de 22 x 16 cm. Tracez 1 rectangle de 7,5 x 10,5 cm à 2,5 cm du bas et à 5 cm du bord droit. Évidez le rectangle. Découpez 1 rectangle de papier kraft et 1 de carton-plume de 22 x 16 cm. Collez-les avec la colle en bombe. Sur le papier kraft, tracez 1 rectangle de 8 x 11 cm à 2,2 cm du bas et à 4,8 cm du bord droit. Évidez le rectangle.

2- Assemblez la page

Collez la photo dans son cadre de papier rouge, puis l'ensemble sous le carton-plume. Imprimez les textes en rouge et collez-les sur le papier kraft. Perforez et collez les pommes et les fleurs de papier rouge. Collez 3 étiquettes rondes vertes.

ASTUCE
Vous pouvez glisser des petites perles rouges et naturelles dans les fils de raphia.

3- Cousez le prénom

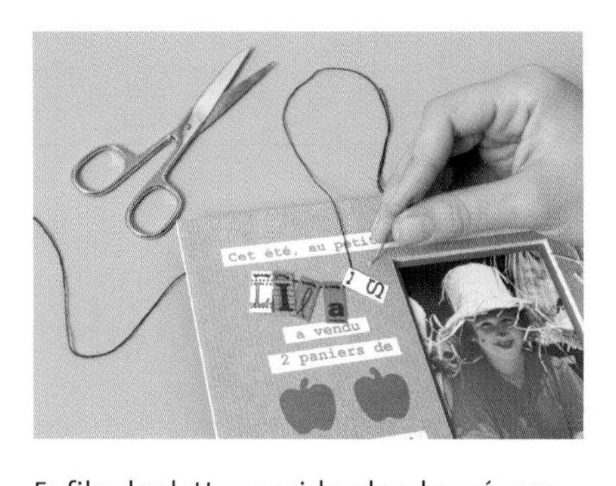

Enfilez les lettres-guirlandes du prénom sur une aiguillée de fil noir. À chaque extrémité, piquez à travers le carton-plume et nouez le fil noir sur l'arrière de la page.

4- Cousez le raphia

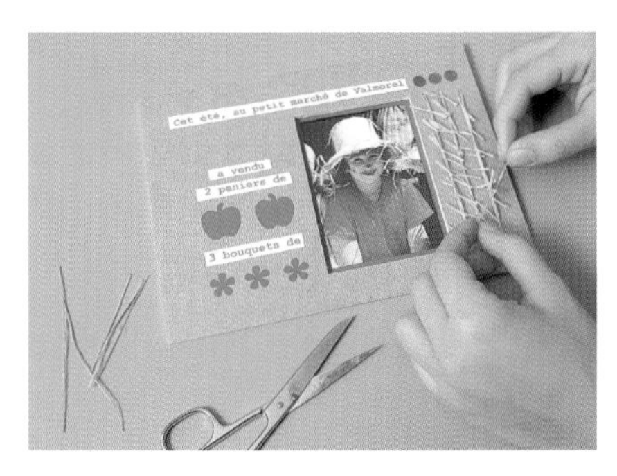

Passez 3 fils de raphia parallèlement au grand côté de la photo en les espaçant de 1 cm. Nouez au dos du carton-plume. Faites des séries de petits nœuds le long de chaque fil.

PRÉPAREZ LES TEXTES

Écrivez votre texte sur l'ordinateur (police Courrier, taille 20, couleur rouge). Imprimez-le sur une feuille de papier machine blanc. Découpez chaque bande au cutter et à la règle. Disposez chaque bande sur la page et marquez un petit repère pour noter les recoupes. Découpez au cutter sur le tapis de coupe et collez les textes avec le bâton de colle.

Les patios cubains

Retrouvez l'ambiance douce et colorée des patios de La Havane sur une page de papiers superposés imprimés de volutes légères.

Avec l'aimable autorisation de Loisirs & Création, Ocito et L'Éclat de Verre. Peinture Ressource.

NIVEAU
Moyen

TEMPS
1 h

Les outils

- Cutter
- Règle métallique
- Tapis de coupe
- Crayon
- Ciseaux
- Perforatrice décor d'angle
- Pastilles de colle Vellum
- Colle forte en tube
- Pochoir coluzzle cercles et son tapis
- Cutter circulaire
- Pistolet à embosser
- Ruban adhésif de masquage
- Emporte-pièces et marteau
- 3 feutres bleus
- 1 feutre noir

Le modèle

- 1 page de scrap SCRB 146 Marble Collection Scrapbour (30 x 30 cm)
- 1 feuille de papier-calque imprimé A (ramages)
- 1 feuille de papier-calque imprimé B (tourbillons)
- Papiers A4 (blanc, noir et turquoise)
- Chutes de carton d'emballage
- Ruban autocollant (Inspirables a Day at the Beach)
- 1 trombone cœur
- 1 papillon en plastique rose
- Encreur pour embossage
- Poudre à embosser blanche
- Tampons alphabet
- 2 mini-attaches parisiennes marron
- Encreurs bleu et noir
- Lettres transfert noires
- Lettres en métal
- 25 cm de cordelette bleue
- 4 photos et des tickets-souvenirs

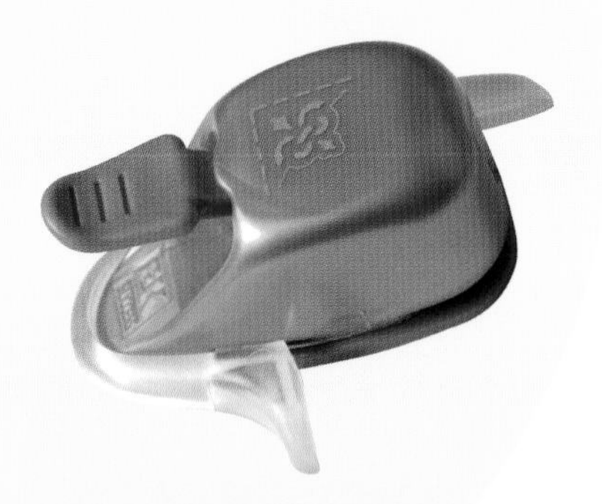

ASTUCE
Pour bien régler l'écartement entre les encoches réalisées avec la perforatrice, faites toujours un essai sur une chute.

Vous pouvez remplacer le morceau de ticket-souvenir par une photocopie du plan de la ville.

1- Préparez le fond

Découpez le papier-calque :
dans le calque A, 1 rectangle de 16 x 26 cm ;
dans le calque B, 1 rectangle de 30 x 21 cm.
Collez avec les pastilles de colle Vellum le calque A dans l'angle bas droit de la page de scrap. Marquez plusieurs plis sur le calque B pour former une pochette : 1 pli à 1 cm (rabat) et 2 plis espacés de 5 cm. Collez le rabat sur l'envers de la page de scrap et les extrémités du rabat du dessus pour former une pochette.

2- Mattez les photos

Découpez les photos : 1 grande (14 x 10 cm) et 3 petites (8 x 5 cm). Encrez les tranches en bleu. Découpez 1 rectangle de papier blanc de 15,5 x 11,5 cm. Perforez les angles et placez la photo. Collez le tout sur 1 rectangle de papier noir de 16 x 12 cm. Collez 2 petites photos sur du carton et coupez tout autour en laissant une marge de 5 mm. Encrez les tranches du carton en bleu ou en noir.

3- Préparez les textes

Découpez 1 rectangle de carton de 24,5 x 3,5 cm (découpez à main levée dans la longueur). Encrez les tranches en noir. Embossez le titre sur du papier turquoise. Découpez le texte (16 x 1,5 cm) et collez-le sur le carton. Placez les lettres transfert noires. Assemblez le carton et la page avec les 2 mini-attaches parisiennes.

4- Créez l'étiquette

Découpez à l'aide du pochoir coluzzle 1 cercle de 5 cm de diamètre. Encrez en noir la tranche. Percez 1 trou à l'emporte-pièces. Sur une chute de papier blanc, dessinez 1 cœur au feutre noir. Coloriez-le avec les feutres bleus, découpez le contour et collez-le au centre du cercle. Collez les lettres en métal. Nouez la cordelette dans le trou.

5- Assemblez la page

Placez verticalement le ruban autocollant en l'alignant avec le bord du calque A. Collez la grande photo et les 2 photos mattées sur le carton. Placez le trombone cœur sur la photo restante et collez-la sur un morceau de ticket-souvenir. Collez l'étiquette et soulevez le ruban pour glisser la cordelette. Collez le papillon. Placez vos autres tickets-souvenirs dans la poche.

EMBOSSEZ LE TITRE

Pour bien aligner les tampons alphabet, placez une bande de ruban adhésif de masquage sur le papier turquoise. Repérez au crayon la largeur des tampons et écrivez la lettre à tamponner pour vous guider car chaque lettre tamponnée est peu visible une fois encrée en transparent. Saupoudrez de poudre à embosser, enlevez le surplus et embossez au pistolet.

La rentrée des classes

L'entrée au CP est un moment inoubliable : réalisez une page colorée et mixez les lettres en relief et les lettres transfert.

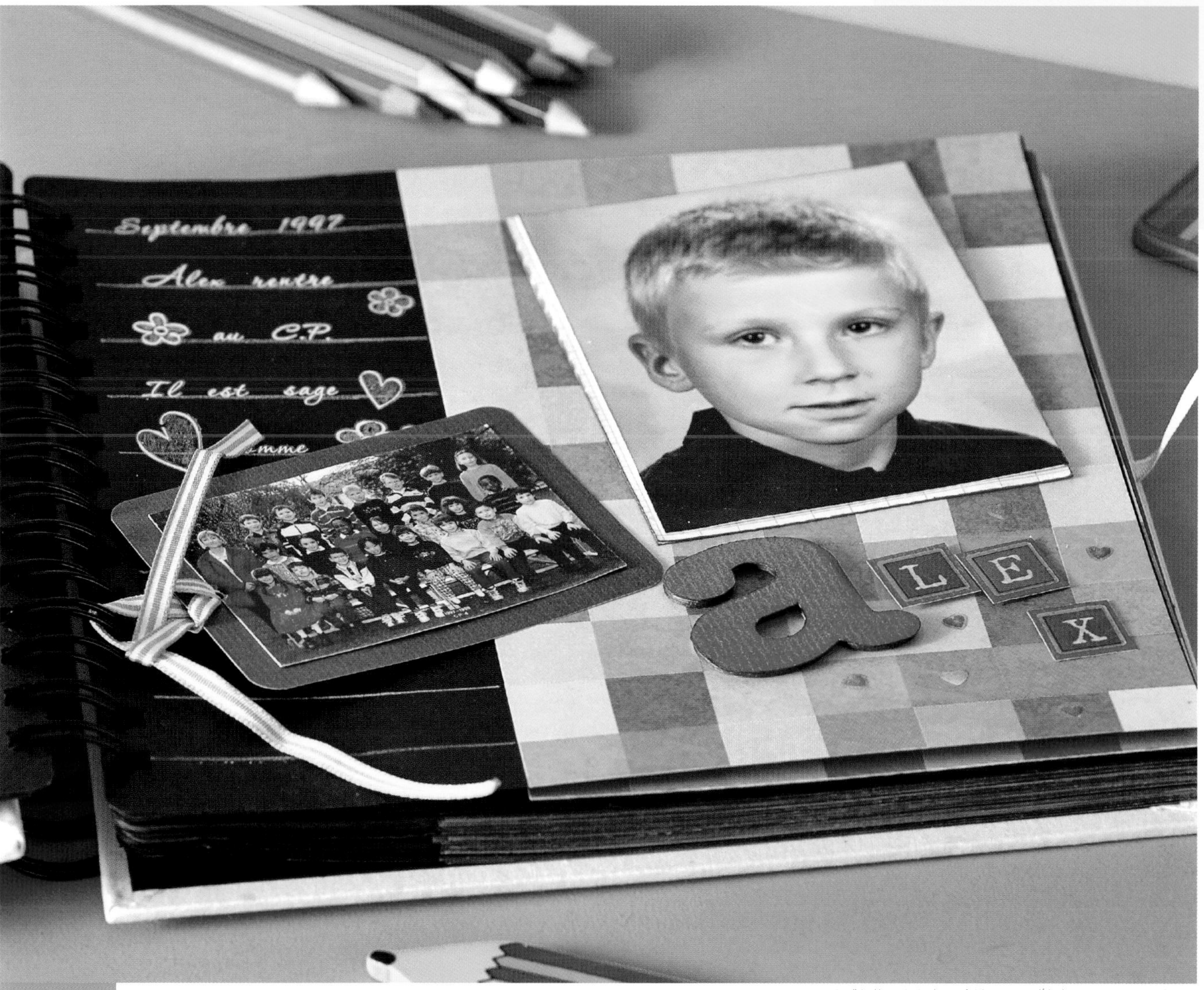

Avec l'aimable autorisation de Loisirs & Création, Ocito et L'Éclat de Verre. Peinture Ressource. Photos DR.

NIVEAU
Facile

TEMPS
1 h

Les outils

- ✓ Règle métallique
- ✓ Tapis de coupe
- ✓ Bâton de colle
- ✓ Crayon
- ✓ Carrés adhésifs 3D en mousse
- ✓ Perforatrice d'angle arrondi
- ✓ Perforatrice de bureau
- ✓ Feutre bleu

Le modèle

- ✓ Album photo à feuilles noires (21 x 21 cm)
- ✓ 1 feuille A4 de papier à carreaux multicolores
- ✓ 1 feuille de cahier
- ✓ Chutes de papiers bleu et rouge
- ✓ Encreur bleu
- ✓ Crayon blanc
- ✓ 20 cm de ruban rayé (larg. 5 mm)
- ✓ Alphabet transfert blanc Toga
- ✓ 1 initiale en carton
- ✓ Lettres adhésives (1,5 x 1,5 cm)
- ✓ Mini-cœurs adhésifs
- ✓ 1 portrait (8,5 x 11 cm)
- ✓ 1 photo de classe (8 x 5,5 cm)

ASTUCE
Écrivez le prénom de la maîtresse et des élèves au dos de l'ardoise !

1- Préparez la page

Découpez et collez sur la page de fond noire 1 rectangle de papier à carreaux de 21 x 13,5 cm. Avec le crayon blanc, tracez une série de lignes sur le papier noir en vous guidant sur les lignes formées par les carreaux.

2- Préparez les photos

Collez le portrait sur la feuille de cahier, recoupez 2 bords à ras e 2 autres bords en laissant une marge de 2 mm. Encrez tout le contour avec l'encreur bleu. Préparez l'ardoise : découpez 1 rectangle de papier bleu de 9 x 6,5 cm et collez la photo de classe dessus. Arrondissez les angles avec la perforatrice d'angle arrondi et perforez 1 trou sur un petit côté avec la perforatrice de bureau.

3- Écrivez le texte

Composez le texte avec les lettres transfert blanches sur la page noire en vous guidant sur les lignes. Transférez ensuite des cœurs et des fleurs (disponibles sur la planche de transfert). Coloriez-les en blanc.

4- Créez le prénom

Tracez le contour de l'initiale au crayon sur le papier rouge. Découpez le contour au cutter. Colorez la tranche de l'initiale de carton avec le feutre bleu. Collez l'initiale en papier sur l'initiale en carton.

5- Assemblez la page

Collez le portrait sur la page, un peu en biais. Passez le ruban dans le trou de l'ardoise et nouez le ruban sur les spirales du carnet. Fixez les lettres du prénom avec des carrés adhésifs 3D en mousse. Disséminez des mini-cœurs à votre guise sur le papier à carreaux.

REHAUSSEZ LES LETTRES ADHÉSIVES

Collez les autres lettres du prénom (en lettres adhésives carrées) sur une chute de papier rouge. Découpez le contour de chaque lettre au cutter en laissant une marge d'1 mm tout autour du carré adhésif. Vous pouvez également encrer les tranches de chaque petit carré rouge.

Un fier petit marin

Voilà une page qui met l'accent sur le regard d'un petit marin, grâce à des découpes graphiques et des couleurs dynamiques.

Avec l'aimable autorisation de Loisirs & Création et Ocito. Peinture Ressource. Fournitures : Loisirs & Création et Ocito. Photos : DR.

NIVEAU
Facile

TEMPS
2 h

Les outils

- Ciseaux
- Crayon
- Règle métallique
- Cutter
- Tapis de coupe
- Colle en bombe
- Papier de verre
- Pastilles adhésives Glue Dots Ultra Thin
- Coton ou mèche
- Papier journal

Le modèle

- Carte de fond Junkitz, collection Paper Z
- 1 carte rouge
- Craie (chalk) rouge et noire
- Mini-perforatrice alphabet Carla Craft
- Perforatrice chiffre
- Perforatrices « poisson » et « étoile de mer »
- Encreur noir
- 1 chipboard monogramme adhésif
- 1 portrait couleur (10 x 15,5 cm) et des photos de bateaux de pêche
- 1 ticket de bateau

1- Poncez les papiers

Frottez doucement le bord de la carte de fond et le bord du portrait avec le papier de verre : posez le papier à plat sur le plan de travail et poncez le papier sans l'arracher jusqu'à obtenir un filet blanc. Avec une mèche ou un coton imbibé de craie rouge, frottez le bord de la carte. Frottez le bord de la photo avec l'encreur noir.

2- Découpez les photos

Collez le portrait sur la carte rouge puis découpez le contour aux ciseaux en laissant une marge de 3 mm. Collez la photo matée au centre de la carte de fond avec les pastilles adhésives. Découpez le ticket de bateau puis les photos de bateaux en triangles et en rectangles. Posez les découpes autour de la photo.

ASTUCE
Vous pouvez mater en relief la photo sur le papier rouge en utilisant des carrés de mousse 3D.

Jouez avec les nuances de craies.

3- Perforez les motifs

Perforez des poissons, des étoiles de mer et le chiffre dans le papier rouge avec les perforatrices. Découpez le papier en carré autour du chiffre et gardez en attente les motifs perforés. Reproduisez 2 fois le schéma de la parenthèse sur le papier rouge puis découpez-les sur le trait.

4- Assemblez la page

Encollez l'envers des photos découpées avec la colle en bombe sur un papier journal. Soulevez 1 découpe, encollez et replacez-la : réalisez l'ensemble du collage de l'encadrement de cette façon. Collez les textes, les parenthèses en les inversant et les décors perforés. Collez le monogramme dans l'angle gauche.

PERFOREZ LE TEXTE

Découpez une bande de 3 cm de haut dans le papier rouge. Positionnez toujours le papier au fond de la perforatrice et appuyez fermement sur l'outil en maintenant le papier de l'autre main. Posez les perforatrices des lettres de manière à ce que le bord de l'outil recouvre la lettre perforée précédente pour obtenir un espacement régulier. Faites des essais. Découpez les mots au fur et à mesure de leur réalisation puis découpez-les pour obtenir des bandes de 1,5 cm de haut.

Une mallette de perforatrices - alphabet est un investissement... qui vous rendra de nombreux services !

Un pêle-mêle méli-mélo

Inventez une page pêle-mêle amusante à partir de vos chutes de photos cadrées dans les cercles de la feuille de scrap imprimée.

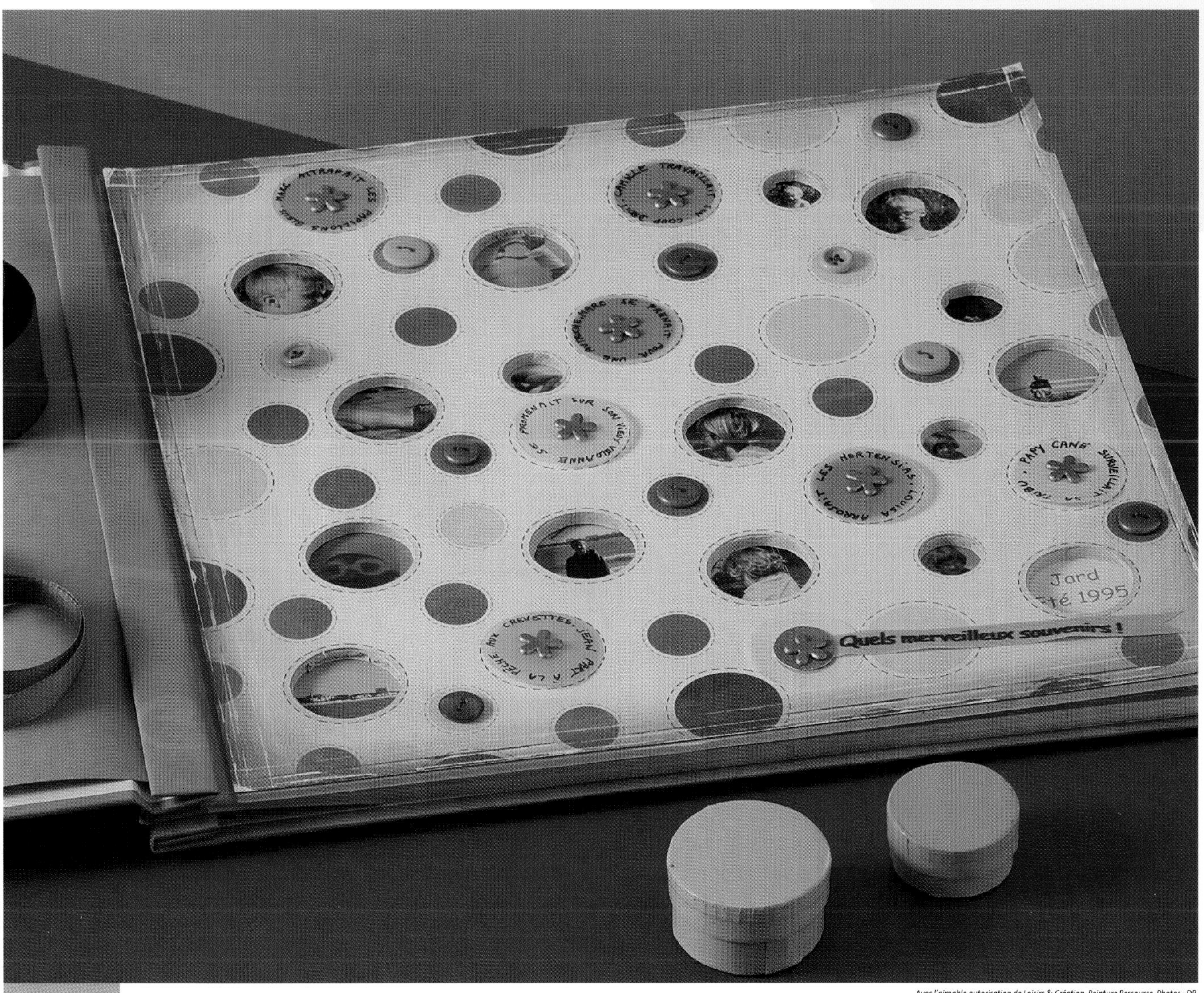

Avec l'aimable autorisation de Loisirs & Création. Peinture Ressource. Photos : DR.

NIVEAU
Moyen

TEMPS
1 h

Les outils

- Cutter
- X-Acto
- Compas de découpe
- Règle métallique
- Crayon
- Tapis de coupe
- 1 grosse aiguille
- Ciseaux
- Pinceau
- Bâton de colle
- Colle en bombe
- Ruban adhésif double face
- Ordinateur

Le modèle

- Carton-plume de 30 cm de côté (ép. : 3 mm)
- 1 feuille de scrap Crate Paper Taylor, collection Bounce de 30 cm de côté
- Peinture bleu clair
- Chutes de papier-calque naturel, bleu et vert
- Feutre noir fin
- Feutre bleu clair
- 10 à 12 photos
- 7 attaches parisiennes fleur argent
- 2 feuilles A4 de papier machine blanc
- Fil de fer brun et blanc
- 10 boutons
- 20 cm de ruban turquoise (larg. : 1 cm)

ASTUCE
Le fil de fer enroulé autour des branches des attaches parisiennes permet de mettre en relief les pastilles de calque.

1- Découpez les éléments

Avec l'X-Acto, évidez des cercles sur la feuille de scrap. Conservez 1 petit cercle vert. Posez la feuille sur le carré de carton-plume, tracez le contour des cercles évidés et découpez-les à l'aide de l'X-Acto. Peignez en bleu clair la tranche des cercles évidés dans le carton-plume. Laissez sécher.

2- Assemblez la page

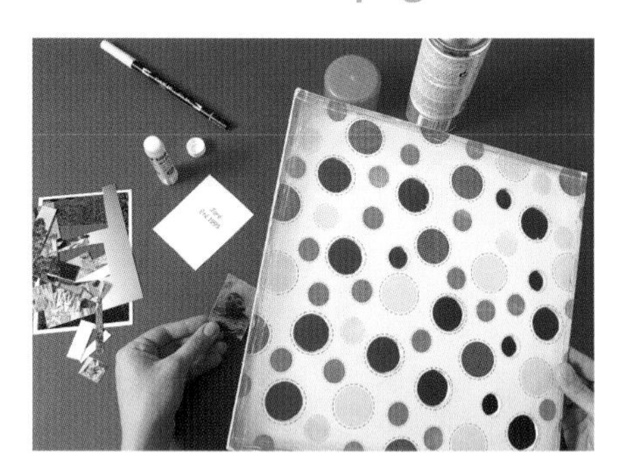

Avec la colle en bombe, assemblez le carton-plume et la feuille de scrap. Cadrez chaque photo dans un cercle évidé : lorsque la composition vous convient, collez-les au dos du carton-plume avec le bâton de colle. Imprimez le titre sur une feuille de papier machine et collez-le dans un des cercles. Soulignez au feutre bleu clair le contour de chaque cercle-photo.

3- Préparez les décors

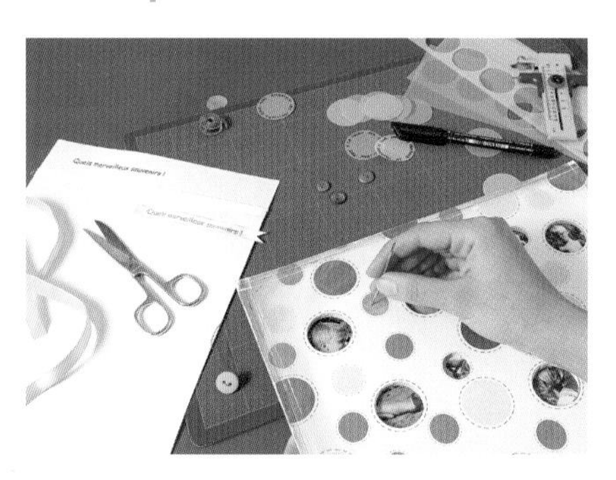

Découpez des cercles de papier-calque de différentes couleurs (diam. : 3,5 cm) avec le compas de découpe. Écrivez votre texte sur chaque cercle au feutre noir fin. Placez les boutons sur des cercles, percez 2 trous avec la grosse aiguille et fixez-les avec des morceaux de fil de fer brun. Inscrivez le texte sur le ruban.

4- Fixez les décors

Placez les cercles de calque sur les cercles de la feuille de scrap. Avec la grosse aiguille, percez le carton-plume. Passez 1 attache parisienne fleur dans un cercle de calque, enroulez 1 petit morceau de fil de fer blanc autour des branches de l'attache puis fixez l'attache dans la page. Fixez le ruban avec une attache passée dans un cercle vert découpé à l'étape 1.

IMPRIMEZ LE TEXTE SUR DU RUBAN

Imprimez votre texte sur une feuille de papier machine. Collez 1 bande de ruban adhésif double face sur le texte imprimé et positionnez avec précision le ruban dessus. Lissez bien. Repassez la feuille dans l'imprimante : le texte est imprimé sur le ruban. Vous pouvez également écrire le texte à la main avec un feutre spécial tissu.

La fête foraine

Sucettes et barbe à papa de coton rose font un clin d'œil aux gourmands avides de frissons et de sensations fortes.

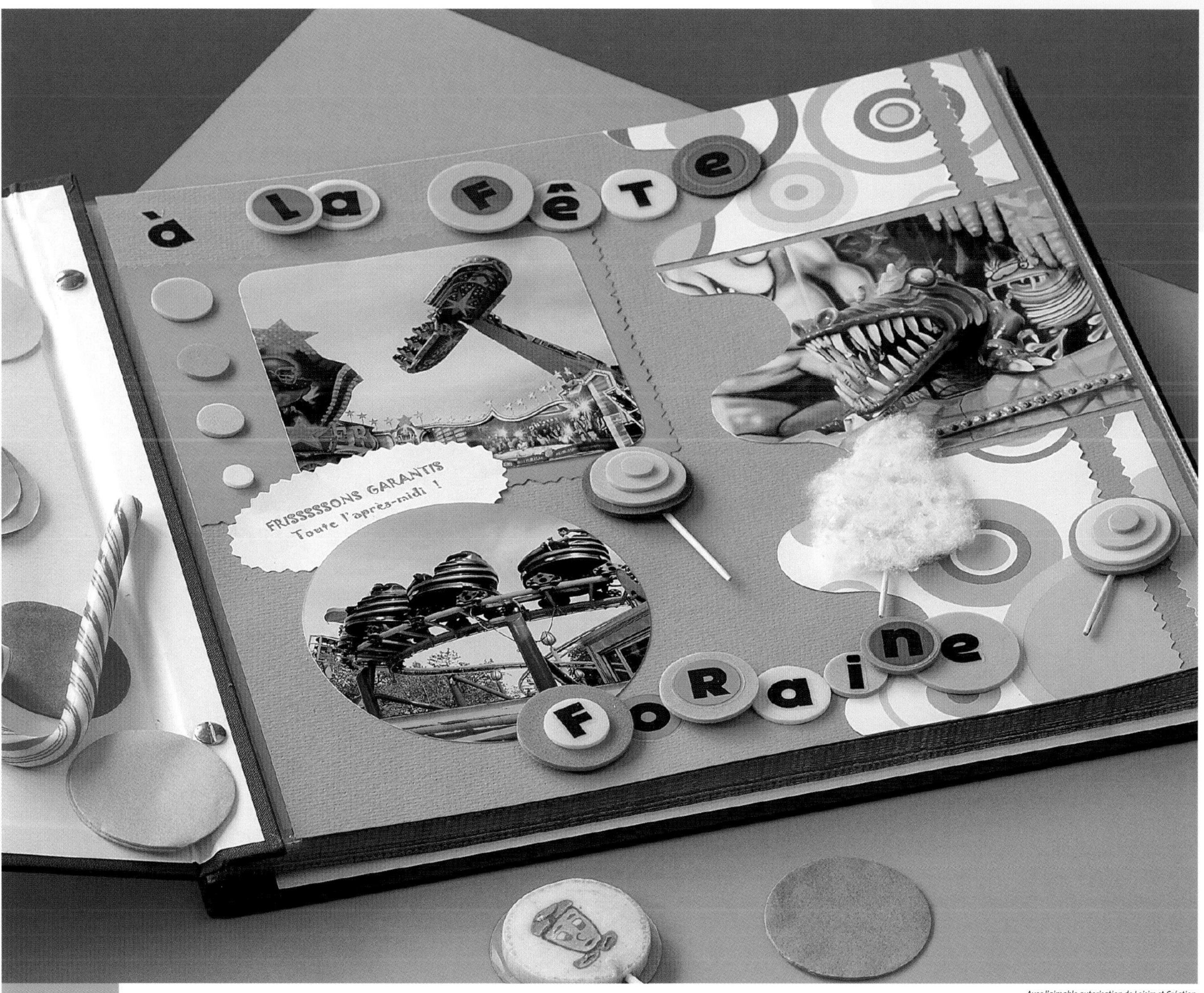

Avec l'aimable autorisation de Loisirs et Création.

NIVEAU
Moyen

TEMPS
1 h 30

Les outils

- Cutter ✓ Règle graduée
- Tapis de coupe
- Ciseaux à lames décoratives « volcan »
- Colle ✓ Colle en bombe
- Ciseaux droits ✓ Compas
- Adhésif double face
- Carrés de mousse 3D (5 mm)
- Adhésif crêpe
- Coton à démaquiller
- 3 cure-dents
- Ordinateur
- Chute de papier fort

Le modèle

- 1 feuille de scrap 30 x 30 cm turquoise
- 1 feuille de papier imprimé ronds « pop »
- 2 feuilles A4 de papier orange
- Ronds de mousse de diam. et coloris variés
- Lettres auto- adhésives noires
- Encre rose
- Gel pailleté rose
- 3 photos de manège

ASTUCE
Alternez la fixation des ronds de mousse pour créer du volume. Fixez certains avec de l'adhésif double face, et d'autres avec des carrés de mousse 3D.

1- Découpez les papiers

Selon le gabarit, découpez 30 x 12 cm (papier imprimé) et 13 x 17 cm (papier orange). Avec les ciseaux « volcan », recoupez l'imprimé à 1 cm du bord droit et 3 bords de la feuille orange. Imprimez le texte (papier orange) et découpez en ovale aux ciseaux « volcan ».

2- Collez les papiers

Maintenez avec l'adhésif crêpe les 2 bandes imprimées sur la feuille turquoise : bande fine à 5 mm du bord, bande large à 1 cm de l'autre. Posez la photo et coupez l'imprimé à 5 mm au-dessus et au-dessous. Collez définitivement les papiers (papier orange à 4 cm du haut).

3- Collez les photos

Replacez la photo 1 entre les marges de l'imprimé : découpez et collez. Découpez la photo 2 en carré, arrondissez les angles aux ciseaux et collez-la. Collez le texte. Tracez 1 cercle (diam. : 10,5 cm) au dos de la photo 3, découpez aux ciseaux et collez.

4- Fabriquez les sucreries

Avec de l'adhésif double face, superposez 4 ronds de mousse de tailles différentes. Découpez l'extrémité d'1 cure-dent et collez avec l'adhésif double-face au dos de la « sucette ». Fabriquez également 1 barbe à papa.

5- Décorez la page

Fixez les sucreries avec du double face. Collez les lettres sur des ronds de mousse, puis fixez les ronds de mousse sur la page.

Schéma à agrandir à la photocopieuse à 300 %.

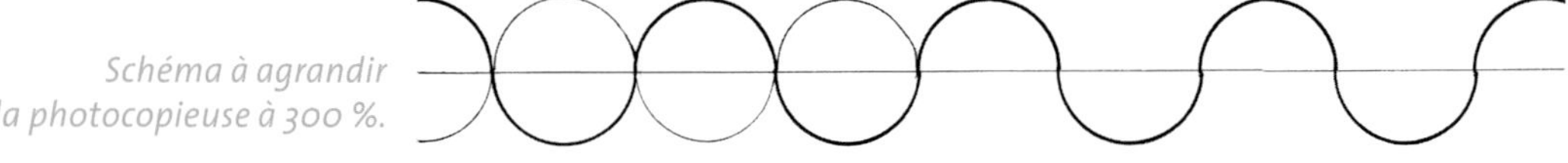

IMITEZ DE LA BARBE À PAPA

Teintez le coton avec 1 goutte d'encre rose diluée dans un peu d'eau. Laissez sécher. Découpez la forme de la barbe à papa dans la chute de papier fort et le coton. Assemblez avec l'adhésif double face. Découpez l'extrémité d'un cure-dent et collez-le au dos du papier. Ébouriffez le coton en tirant avec 2 doigts sur les différentes épaisseurs et déposez quelques gouttes de gel pailleté rose.

L'automne

Mettez en valeur les magnifiques couleurs automnales en composant une page qui mêle cercles et carrés et se joue de la symétrie.

Avec l'aimable autorisation de Loisirs & Création, Ocito et L'Éclat de Verre. Peinture Ressource. Fournitures : Loisirs & Création.

NIVEAU
Moyen

TEMPS
1 h 30

Les outils

- ✓ Massicot
- ✓ Perforatrice jumbo cercle (diam. : 5 cm)
- ✓ Kit pour la pose d'œillets
- ✓ Règle métallique
- ✓ Crayon
- ✓ Gomme
- ✓ Pastilles adhésives double face

Le modèle

- ✓ 1 page de fond unie (30,5 x 30,5 cm)
- ✓ 1 bloc (pad) de carrés de papier (collection Blush de Basic Grey) ou 4 carrés (15,2 x 15,2 cm)
- ✓ Papier à bandes « Wilderstein » de 7 Gypsies
- ✓ Rub-on lettres transfert « Architexture » d'EK Sucess
- ✓ Œillets métalliques multicolores
- ✓ Stickers « Autumn » de The Woodstone Collection
- ✓ Stickers « Autumn » d'American Traditional Design
- ✓ Photos de paysages (10 x 13,5 cm, 10 x 15 cm et 6 x 8 cm)

1- Préparez la page

Fixez les 4 carrés de papier de couleurs différentes sur la page de fond avec des pastilles adhésives double face en veillant à placer les carrés bord à bord.

ASTUCE
Vous pouvez remplacer les bandes de papier imprimé par des rubans.

2- Découpez les photos

Posez les photos sur les carrés puis décidez du placement et des photos qui resteront entières ou seront découpées en fonction du cadrage et de l'intérêt des photos. Ici, 4 cercles ont été découpés avec la perforatrice sur des sujets peu visibles qui se trouvent ainsi valorisés par la découpe. Découpez 2 bandes de 2 x 30,5 cm dans le papier à bandes Wilderstein avec le massicot puis recoupez les 2 bandes à 15,2 cm. Collez les bandes croisées sur les carrés de papier uni avec des pastilles adhésives double face.

3- Placez les photos

Fixez les photos avec des pastilles adhésives double face sur les 4 carrés. Collez la photo de 10 x 15 cm sur toute la largeur, la photo de 10 x 13,5 cm centrée, la photo de 6 x 8 cm + 2 cercles sur la bande verticale croisée et 1 photo recoupée de 8,5 x 10 cm + 2 cercles sur l'autre bande croisée en vis-à-vis.

4- Placez les textes

Tracez 1 repère au crayon à 0,5 cm du bord du papier pour pouvoir positionner le texte. Découpez les lettres transfert « Architexture » puis calez-les sur les traits pour déterminer leur emplacement. Collez les stickers du mois sur le côté droit par-dessus la photo, et ceux de l'année au-dessus et en dessous des photos.

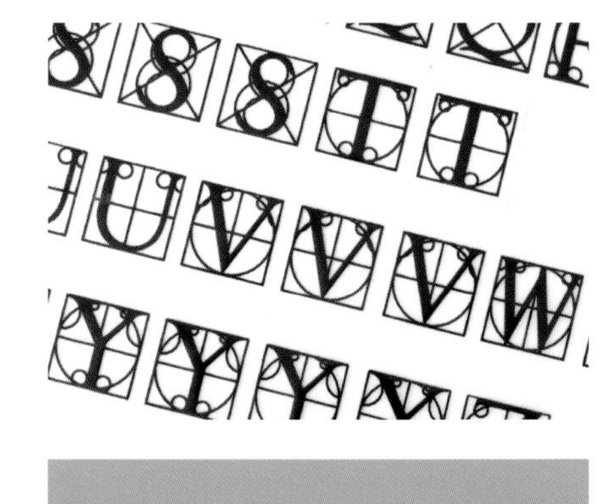

ASTUCE
Transférez les lettres en frottant avec le bâtonnet fourni : soulevez 1 coin du papier et, si certaines parties du lettrage sont mal transférées, frottez de nouveau.

FIXEZ LES ŒILLETS

Percez les angles des carrés de papier avec l'outil perforant et le marteau sur le tapis, introduisez un œillet dans le trou, retournez la page puis aplatissez l'envers de l'œillet avec l'outil et le marteau. Pour plus de facilité, posez les œillets les uns après les autres, carré par carré. Choisissez 4 œillets dans une couleur assortie au fond de page (ici, vert, prune, orange et jaune).

À la Saint-Blaise

Conservez le souvenir d'une journée traditionnellement gourmande en créant une page ponctuée de trois étiquettes enrubannées.

Avec l'aimable autorisation de Loisirs & Création et Ocito. Peinture Ressource. Fournitures : Loisirs & Création et Ocito.

NIVEAU
Moyen

TEMPS
2 h

Les outils

- Cutter ✓ Feutre bleu ciel
- Tapis de coupe
- Règle métallique
- Crayon ✓ Pinceau
- Pastilles adhésives
- Glue Dots Ultra Thin
- Bâton de colle
- Ruban adhésif
- Ciseaux droits et ciseaux cranteurs ✓ Stylo gel noir
- Peinture bleu ciel
- Perforatrice à copie
- 1 feuille de papier machine

Le modèle

- 1 photo en hauteur de gâteaux (10 x 15 cm)
- 1 carte de fond cartonnée de 30,5 cm de côté
- Papier vert marbré Imaginisce
- Papier-calque imprimé or
- Papier fleurs et cercles réversible Granny's Kitchen SEI

Étiquettes :

- Papier à pois et à rayures Granpa's attis SEI
- Alphabets Tag de paperloft, monograms Cloud design
- Lettres adhésives chipboard
- Boîte de lettres transfert bleues scrapworks
- 3 rubans assortis
- Lien fin vert Toga

9 cm

5 cm

Agrandissez le gabarit à la photocopieuse à 200%.

ASTUCE
Pour créer la carte de fond de votre page, récupérez le fond d'un carnet de pages en couleur.

1- Préparez la page

Découpez au cutter puis aux ciseaux cranteurs 2 rectangles de 9,5 x 30,5 cm et 14 x 30,5 cm sur la page réversible fleurs et cercles. Découpez 1 bande de 1 cm en 2 liens de 0,5 cm aux ciseaux cranteurs. Découpez aux ciseaux droits de grands festons sur 1 bande de 8 x 30,5 cm sur le papier vert marbré. Découpez la feuille de calque en 2. Posez et collez le calque au centre de la page de fond, collez la page fleurs à droite, la page cercles à gauche, recouverte de la bande festonnée verte. Collez tous les éléments avec les pastilles adhésives et collez les 2 liens crantés avec la colle en bâton.

2- Créez les étiquettes

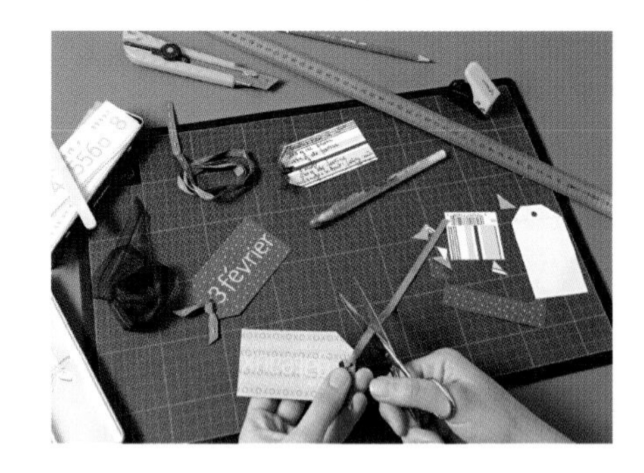

Tracez et découpez la forme de l'étiquette sur la feuille de papier machine pour faire un gabarit. Posez cette forme sur les 3 papiers choisis, tracez le contour de l'étiquette au crayon, découpez chaque étiquette aux ciseaux droits puis perforez le trou au centre avec la perforatrice à copie.

3- Réalisez les textes

Détachez les lettres adhésives chipboard « À la Saint-Blaise » de la plaque sans enlever le papier protecteur du côté adhésif, posez-les sur un papier et peignez-les en bleu ciel. Laissez bien sécher. Détachez puis découpez les étiquettes autour des lettres « les gâteaux » de l'alphabet Tag.

4- Terminez la page

Collez la photo à l'aide d'une lettre adhésive monogram Cloud design et l'année de la prise de vue. Collez asymétriquement les lettres Tag découpées au-dessus de la photo. Collez les 3 étiquettes décorées avec les pastilles adhésives sur le côté gauche et fixez le lien vert entre les bandes crantées avec de l'adhésif sur l'envers de la page de fond. Dessinez au stylo gel noir un angle de cadre aux coins de la photo, des points au cœur des fleurs et « Ah ! » au-dessus du titre aquarellé au feutre bleu ciel.

ÉCRIVEZ LE TEXTE SUR LES ÉTIQUETTES

Glissez 1 ruban de couleur différente dans le trou de chaque étiquette, nouez serré puis coupez les extrémités en biais à environ 2 cm. Écrivez la liste des ingrédients ou la recette sur l'étiquette rayée avec le stylo gel noir, la date et le mot « gâteaux » avec les lettres transfert bleues sur les 2 autres étiquettes.

Été 56 à Cabourg

Pour une page tout en relief et en mouvement, boutons cousus et lettres peintes accompagnent des photos d'un été inoubliable.

Avec l'aimable autorisation de Loisirs et Création. Peintures Ressource. Fournitures : Loisirs & Création et Ocito. Photos : DR.

NIVEAU
Moyen

TEMPS
2 h

Les outils

- Cutter
- Règle métallique
- Tapis de coupe
- 1 pinceau
- 1 aiguille à broder
- Ciseaux droits
- Papier de verre fin

Le modèle

- 1 page de fond rayée SEI de 30 cm de côté
- 1 page de cercles SEI
- 1 pochette de papiers assortis Toga, grainetier, tourbillons et pages unies
- 1 grand alphabet en carton Toga
- 1 petit alphabet adhésif en carton Heidi Swapp
- Peinture acrylique (jaune, orangé, vert et grenat)
- Des boutons et des fils à broder assortis aux couleurs des papiers
- 1 tampon encreur noir
- 1 tampon encreur marron
- Stylo à colle
- 30 cm de ruban marron
- Pastilles adhésives Glue Dots Ultra Thin
- 2 photos en noir et blanc.

ASTUCE
Choisissez des boutons de couleurs vives assorties aux teintes du papier et des peintures et faites des essais de disposition avant de les coudre : placez-les sur des couleurs contrastées pour qu'ils ressortent.

1- Découpez les éléments

Découpez les 2 photos (10 x 8 cm) pour recadrer les personnages. Poncez doucement le contour au papier de verre, posez la photo sur le plan de travail et frottez les bords du papier horizontalement jusqu'à ce qu'ils deviennent blancs. Découpez 1 rectangle vert (9 x 11 cm) et 1 rectangle marron (8,5 x 12,5 cm) pour encadrer chaque photo. Découpez 1 rectangle de 8 x 30 cm dans le papier « petits cercles » et 1 de 6 x 30 cm dans le papier « grands cercles ». Réalisez le bas de page en déchirant le papier tourbillons irrégulièrement à la main.

2- Vieillissez les photos

Afin de donner un aspect vieilli aux pages et aux photos, vous pouvez ombrer le tour avec une couleur. Pour cela, utilisez un tampon encreur de préférence usagé ou des craies.

3- Peignez les lettres

Protégez le plan de travail avec du papier. Peignez les lettres d'1 ou 2 couches de peinture, de manière à bien recouvrir la surface. Humidifiez juste le pinceau sans le charger d'eau, car ces peintures sont très fluides. Choisissez des teintes en harmonie avec les couleurs des papiers. Laissez bien sécher.

4- Collez les éléments

Collez les bandeaux à pois superposés en haut de la page de fond rayée, puis le papier déchiré en bas de page. Collez les photos légèrement décalées sur chaque fond, puis sur la page. Collez le ruban (tous les collages se font avec les pastilles adhésives). Collez les grandes lettres entre les photos et les petites sur le ruban avec le stylo à colle.

5- Cousez les boutons

Disposez les boutons sur la page décorée en utilisant des couleurs contrastées pour que les boutons ressortent. Choisissez le même coloris de fil pour les coudre, prenez 1 aiguillée de fil à broder en 6 brins d'environ 60 cm, piquez sur l'endroit dans le trou du bouton, cousez le bouton, faites 2 nœuds apparents sur l'endroit et coupez en laissant 1 cm de fil.

ENCREZ LES PAPIERS ET LES PHOTOS

Tenez d'une main le papier de scrap ou les photos découpées au format voulu et déjà poncées, et de l'autre le tampon encreur. Appliquez le tampon d'un geste précis sur le bord du papier et encrez plus ou moins les 4 côtés. Sur cette page, les papiers ont été encrés en noir et les photos ont été encrées 2 fois, avec un passage de noir puis de marron. Laissez bien sécher les éléments avant de les fixer sur la page.

Des feuilles d'automne

Imprimées au tampon ou découpées dans des serviettes en papier, les feuilles mortes tourbillonnent sur cette page automnale.

Avec l'aimable autorisation de Loisirs & Création, Ocito et L'Éclat de Verre. Peinture Ressource. Photos : DR.

NIVEAU
Moyen

TEMPS
1 h 30

Les outils

- Cutter
- Crayon
- Règle métallique
- Tapis de coupe
- Ciseaux
- Perforatrice de bureau
- Pastilles adhésives Glue Dots
- Carrés adhésifs 3D en mousse
- Pinceau
- Papier de verre
- Ruban adhésif double face
- 1 aiguille et du fil

Le modèle

- 1 carnet (28 x 28 cm)
- 1 feuille de scrap réf. Fancy Pants Lil'Princess 981 (30 x 30 cm)
- 1 feuille de scrap imprimé vert (30 x 30 cm)
- 1 feuille A4 de papier-calque vert
- Chute de papier orange
- 1 feuille A4 de papier Canson blanc
- Lettres en carton blanc
- Lettres transfert noires
- Tampons alphabet
- Tampon feuille
- Tampons encreurs orange, vert et bleu
- Serviettes en papier à motifs « feuille »
- Vernis-colle
- Poudre à embosser blanche
- Tampon encreur pour embossage
- Pistolet à embosser
- 1 bouton orange
- 3 photos

1- Préparez la page

Enlevez 1 page du carnet. Placez-la sur la feuille de scrap de fond pour la découper au format. Percez les trous avec la perforatrice. Découpez les 3 photos (9 x 6 cm), 3 rectangles (9,5 x 6,5 cm) de papier imprimé vert et 1 rectangle (10 x 7 cm) de papier Canson blanc. Poncez les 3 rectangles verts avec le papier de verre.

2- Collez les photos

Encrez toutes les tranches : en bleu pour les photos et en orange pour les papiers. Collez 1 photo (carrés adhésifs 3D en mousse) sur 1 rectangle vert.
Avec du ruban adhésif double face, collez cette photo sur le rectangle de Canson blanc, puis les 2 autres photos sur les rectangles verts.

Préparez les feuilles

Découpez 6 feuilles dans les serviettes en papier. Enlevez les épaisseurs de papier. Collez les feuilles sur le papier Canson blanc avec le vernis-colle. Laissez sécher et découpez le contour des feuilles aux ciseaux.

4- Imprimez le bandeau

Découpez 1 rectangle de 28 x 7 cm de papier imprimé vert. Imprimez le papier vert de feuilles orange et vertes. Laissez sécher. Découpez 1 rectangle de papier-calque vert de 4 x 28 cm.

5- Imprimez le texte

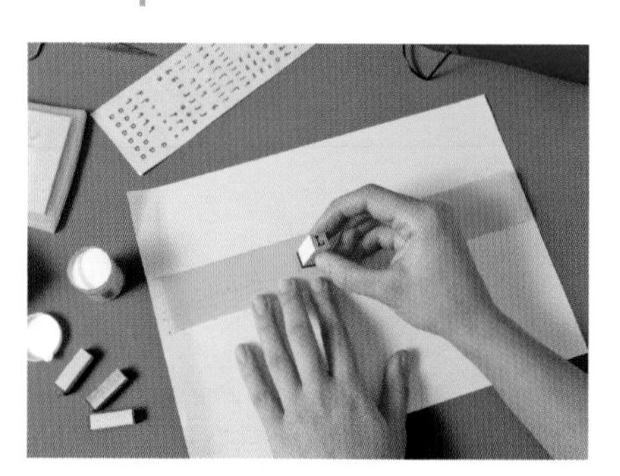

À 2,5 cm du haut du rectangle de papier-calque vert, embossez le texte en blanc. Ajoutez l'année avec les lettres transfert noires. Effrangez aux ciseaux le haut de la feuille de calque. Avec le ruban adhésif, collez-la sur 1 cm au dos du bandeau. Collez dessus le rectangle de papier orange. Perforez les trous du bandeau.

5- Assemblez la page

Placez la page et le bandeau dans les spirales de l'album. Collez les photos avec les pastilles adhésives. Collez les feuilles puis les lettres en carton blanc. Découpez l'accent du « e » dans une chute de papier orange et fixez-le avec un carré 3D en mousse. Cousez le bouton pour créer le point du « i ».

EMBOSSEZ SUR DU CALQUE

Préparez votre texte sur une feuille de papier : tracez une ligne, mesurez la largeur des tampons alphabet et reportez la mesure sur la ligne pour bien positionner chaque lettre. Tamponnez les lettres avec l'encre à embosser. Saupoudrez de poudre à embosser blanche. Chauffez avec le pistolet en prenant soin de chauffer régulièrement toute la feuille de calque pour qu'elle ne gondole pas trop. La découpe des franges compense la légère déformation du papier.

Le baptême de Clémentine

Conçue comme un mini-reportage, cette page dynamique joue avec les découpes, très simplement réalisées avec différents pochoirs.

NIVEAU
Moyen

TEMPS
1 h

Les outils

- Cutter
- Gomme
- Tapis de coupe
- Crayon
- Ciseaux droits
- Règle
- Pochoirs (stencils) cœurs, lettre nuage et puzzle
- Bâton de colle
- Colle photo repositionnable

Le modèle

- 4 ou 5 photos
- 1 page de fond « simple sets » de SEI
- 1 bloc de feuilles de couleur (Inspirations « Rio de Janeiro » de Artemio)
- 1 grande perforatrice fleur
- Kit pour la pose d'œillets métalliques
- 1 fleur-œillet métallique bleue
- Lettres-stickers sur cercles de couleur
- Grandes lettres blanches adhésives
- Stickers initiales

ASTUCE
Vous pouvez remplacer une photo par un texte écrit de manière à intégrer la forme d'un des pochoirs.

1- Coupez les photos

Posez les pochoirs sur les photos (cœurs, lettre C, nuage et puzzle), tracez le contour au crayon et découpez chaque photo. Détourez la photo des personnages aux ciseaux fins. Placez les photos découpées dans les cases de la page de fond.

2- Découpez des fleurs

Tracez le contour des photos nuage et lettre en les posant sur le papier rouge : faites un léger trait de crayon, enlevez la photo et découpez les formes en laissant 2 mm autour. Gommez le trait de crayon. Réalisez des fleurs à l'aide de la perforatrice dans 2 coloris de papier : 6 fleurs rouges et 6 fleurs roses.

3- Écrivez les textes

Utilisez les grandes lettres blanches pour écrire le titre : BAPTÊME sur le bord vertical de la page. Ajoutez « de » à l'horizontal au-dessus de la photo détourée. Collez les lettres-stickers du prénom sur les 3 papiers en harmonie avec les couleurs des photos et écrivez l'année avec les chiffres-stickers en collant certains chiffres ou lettres au cœur d'une fleur perforée.

4- Collez les photos

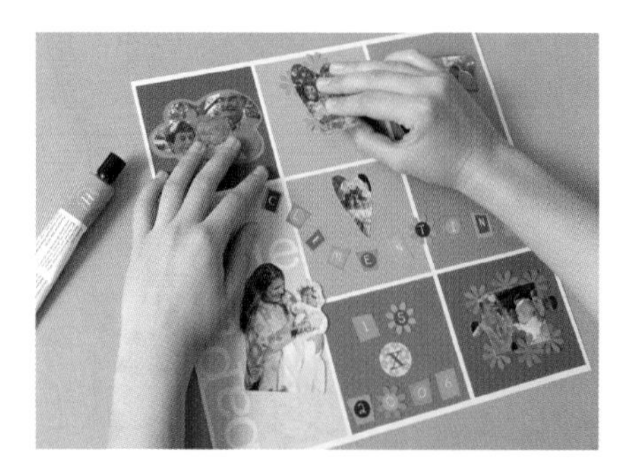

Collez les photos et les lettres, posez un peu de colle sur les 2 surfaces, laissez sécher et mettez en contact les 2 surfaces. Pour modifier, enlevez le papier, frottez pour enlever la colle et renouveler le collage. Disposez le prénom en ondulation, soulevez chaque lettre l'une après l'autre, posez la colle, laissez sécher, pressez et collez toutes les lettres à la suite.

5- Décorez la page

Perforez 1 fleur dans le papier rose et orange, posez 1 fleur au centre de chaque rectangle, percez le cœur de la fleur et la page, d'abord avec une grosse aiguille puis avec la pointe des ciseaux, introduisez une fleur-œillet, retournez la page, utilisez l'outil du kit, tapez et aplatissez les branches de l'œillet métallique.

DÉCOREZ DES PHOTOS

Disposez les 6 fleurs sous les photos découpées. Le bord de la photo doit se trouver au cœur de chaque fleur : déterminez le placement de chacune. Encollez la moitié d'une fleur sur l'endroit, collez-la sous la photo puis collez les 6 fleurs à la manière des cadres en papiers découpés mexicains. Réalisez le tour des 2 photos de la même façon, 1 en rose et 1 en rouge. Placez les photos décorées dans les cases de couleur de la page de fond.

Les Seychelles

Voici une double page aux couleurs des dernières vacances, dorée comme le sable et bleue comme l'océan Indien.

NIVEAU
Moyen

TEMPS
30 mn

Les outils

- Cutter droit
- Cutter rotatif
- Tapis de coupe
- Pochoir cercles coluzzle avec tapis de mousse
- Règle graduée
- Crayon gras B
- Colle en bombe repositionnable
- Bâton de colle
- Gomme

Le modèle

- Perforatrice étoile de mer
- Album photo 18,7 x 20,5 cm
- Papier décor sable 30 x 30 cm
- 2 feuilles de calque turquoise A4 100 g
- 1 photo en longueur avec personnage central 11,7 x 17,7 cm
- Lettres adhésives bleu moyen

ASTUCE
Pour tracer au dos de la photo, utilisez un crayon gras B et faites un trait fin de manière à ce que les traits ne rayent pas la photo sur l'endroit.

1- Découpez la photo

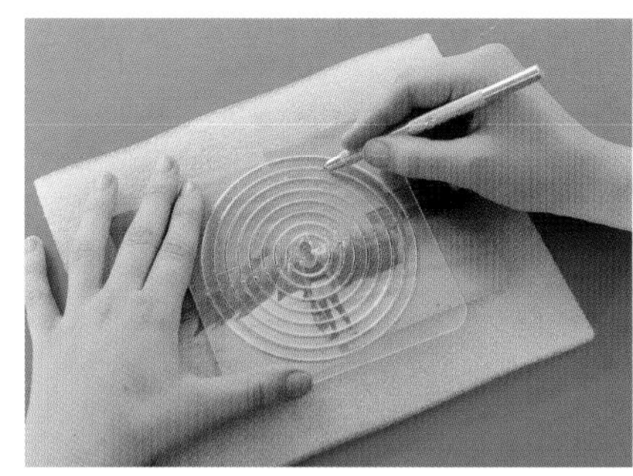

Placez la photo sur le tapis de mousse, posez le pochoir cercles sur la photo. Découpez 1 cercle dans la photo avec le cutter rotatif. Terminez la découpe au cutter droit. Retournez la photo et tracez sur l'envers 2 lignes médianes au crayon sans appuyer. Terminez la découpe du cercle au cutter droit, puis découpez les lignes médianes sur les parties restantes avec la règle sur le tapis de coupe.

2- Collez la photo

Tracez 1 cadre de 0,5 cm autour d'une feuille de calque turquoise de 13,7 x 20 cm. Retournez le calque, vaporisez la colle sur l'envers des 5 morceaux de la photo. Collez les coins de la photo dans les 4 coins du cadre. Collez le cercle au centre. Retournez le calque, gommez les traces de crayon. Collez le calque sur le papier décor sable, puis le montage sur la page.

3- Perforez les décors

Perforez des étoiles de mer autour d'un rectangle de papier décor sable de 9,7 x 19,7 cm. Conservez les étoiles. Perforez d'autres étoiles de papier décor sable et de calque turquoise. Vaporisez la colle sur les étoiles et collez-les aux 4 angles et sous le montage. Collez le papier perforé au centre d'une feuille de calque turquoise de 15,8 x 21 cm. Tracez un trait de crayon au centre.

4- Fixez les lettres

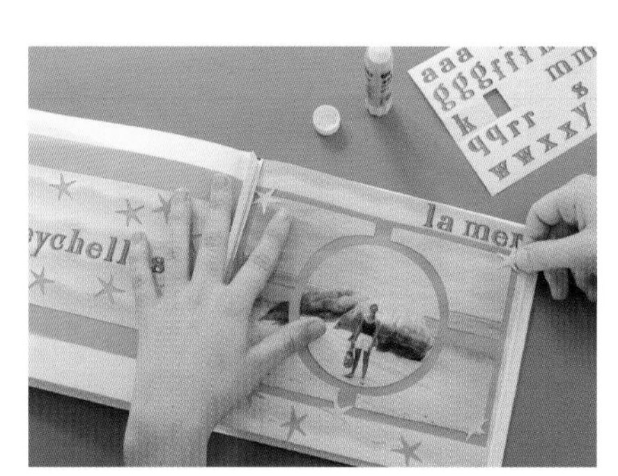

Fixez les lettres adhésives le long du trait de crayon : commencez par les lettres du milieu pour centrer le mot. Fixez un texte sur l'autre page pour créer un rappel de couleur. Vaporisez l'envers du montage avec la colle en bombe et collez-le sur la page d'album en vis-à-vis. Décorez les 2 pages avec les étoiles collées à l'aide du bâton de colle.

DÉCOUPEZ AVEC LE CUTTER CIRCULAIRE

Centrez le pochoir cercles sur la photo autour du personnage central, déplacez le pochoir pour trouver le bon emplacement de cadrage. Laissez une marge identique en haut et en bas de la photo. Maintenez le pochoir avec la main et introduisez de l'autre la lame du cutter à lame rotative : ce cutter est spécialement conçu pour glisser aisément dans la fente, sans risquer d'abîmer les bords du pochoir.

Un joli bébé

Suspendue sur du fil laitonné, la mini garde-robe du nouveau-né est tout simplement découpée dans des feuilles de scrap imprimées.

Avec l'aimable autorisation de Loisirs & Création, Ocito et L'Éclat de Verre. Peinture Ressource. Fournitures : Loisirs & Création. Photo : DR.

NIVEAU
Facile

TEMPS
1 h

Les outils

- Cutter
- Tapis de coupe
- Crayon
- Règle métallique
- Feutre permanent jaune
- Aiguille
- Mini-pastilles adhésives
- Bâton de colle
- Ciseaux fins
- Perforatrice d'angle arrondi
- Machine à coudre

Le modèle

- 1 photo en couleur (10 x 13,5 cm)
- 1 set de feuilles de scrap Artemio « Baby Boy »
- 1 page Bazill brique, turquoise clair et turquoise foncé
- Fil laitonné « Desire » turquoise (DMC)
- 4 boutons multicolores cœurs
- Lettres Little Letters Chunky 7/16 vertes, Sixth Avenue Roosevelt rouges, jaune pâle et orange
- Fil à coudre bleu
- Fil à broder turquoise
- 2 grosses attaches parisiennes turquoise

ASTUCE
Vous pouvez remplacer les boutons par des petits cœurs réalisés en pâte Fimo.

1- Préparez le fond

Faites des repères au crayon puis recoupez le tour de la page à damiers multicolores en laissant une marge blanche de 0,5 cm tout autour. Centrez la page à damiers recoupée sur la page Bazill brique et collez les 4 angles avec les mini-pastilles adhésives.

2- Placez la photo

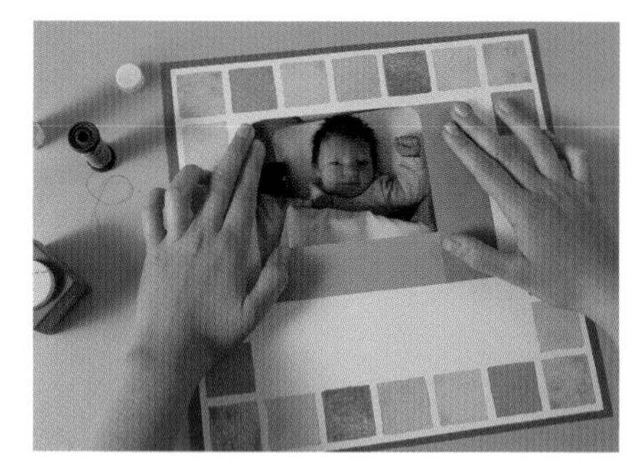

Collez la photo sur 1 rectangle de papier turquoise clair de 14 x 18 cm. Collez à droite de la photo, à la verticale, 1 rectangle de 4,5 x 14 cm de papier turquoise foncé. Arrondissez les 2 angles hauts du montage avec la perforatrice d'angle arrondi. Fixez ce montage en haut, au centre de la page sous le damier.

3-Placez le fil laitonné

Découpez les vêtements du set de feuilles de scrap avec les ciseaux fins. Coupez des petites bandes de papier brique (sur un cadre), pliez-les en 2 à cheval sur le fil laitonné turquoise et collez-les sur les vêtements telles des pinces à linge. Posez le fil horizontalement sous la photo, percez la page en vis-à-vis avec l'aiguille, glissez 1 attache parisienne ouverte sur l'envers dans chaque trou, enroulez le fil autour et recoupez l'excédent.

4- Décorez la page

Découpez les petits motifs décoratifs (canard, bateau en papier, petit-suisse, chou, chaussons) et le petit nuancier sur la couverture du set. Collez les éléments au centre des damiers et sur le montage photo. Nouez du fil à broder bleu sur l'endroit des boutons et collez les boutons dans les damiers avec des mini-pastilles adhésives.

5- Collez le titre

Composez la date de naissance avec les petites lettres adhésives vertes en les collant au-dessus du nuancier. Écrivez le prénom avec les grandes lettres (ici, les lettres jaune pâle ont été foncées avec un feutre permanent jaune). Collez 1 petit canard à côté du titre.

COUSEZ LE PAPIER

Montez le fil à coudre bleu sur la machine à coudre réglée sur le point zigzag et faites des essais au préalable sur une chute de papier. Piquez le bas du montage photo. Réglez la machine sur un point décoratif sinueux puis piquez le tour de la page au centre des damiers à travers les 2 épaisseurs de papier. Rentrez et arrêtez les fils sur l'envers de la page.

Petit clown

Créez une page unique pour mettre en valeur le plus drôle des petits clowns en cousant un patchwork de papiers multicolores.

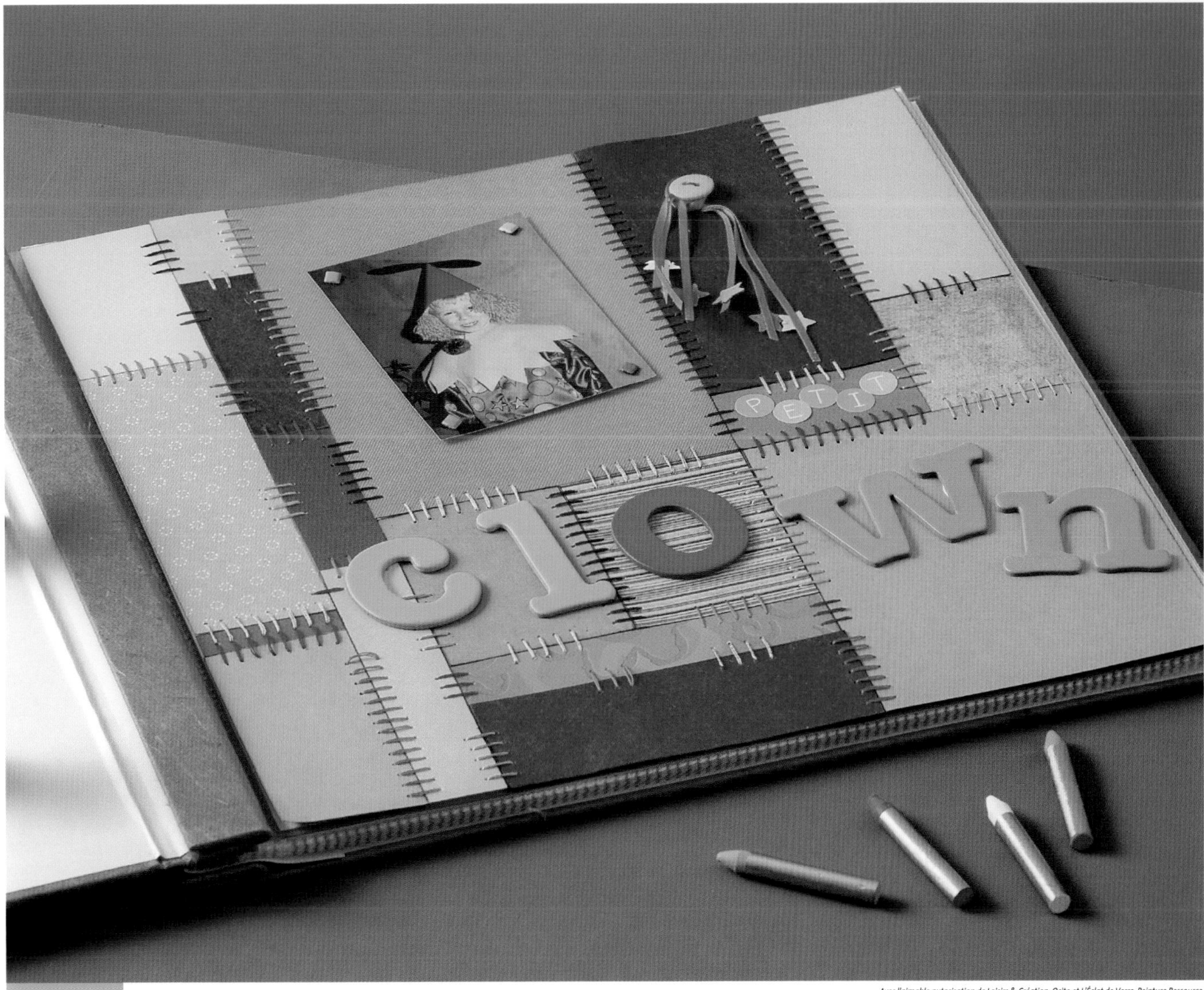

Avec l'aimable autorisation de Loisirs & Création, Ocito et L'Éclat de Verre. Peinture Ressource.

NIVEAU
Moyen

TEMPS
3 h

Les outils

- Cutter
- Crayon
- Règle métallique
- Tapis de coupe
- Ciseaux
- Pinceau
- Ruban adhésif repositionnable
- 1 grosse aiguille
- Colle forte en tube

Le modèle

- Chutes de papier de couleur (voir schéma)
- 1 page de fond unie (30 x 30 cm)
- Coton à broder jaune, orange, rouge, bleu clair et bleu foncé
- Encreur orange, violet et vert
- Peinture acrylique bleue, verte et rouge
- Chute de papier-calque et de carton-plume
- Lettres en carton
- Lettres transfert
- Perforatrice étoile
- 1 bouton vert
- Ruban de satin étroit orange (long. : 1 m)
- 4 mini-attaches parisiennes carrées
- 1 photo

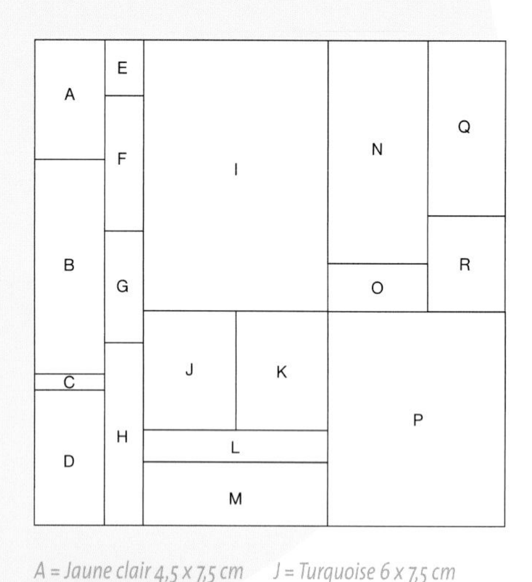

A = Jaune clair 4,5 x 7,5 cm
B = Vert fleuri 4,5 x 13,5 cm
C = Rose 4,5 x 1 cm
D = Vert 4,5 x 8,5 cm
E = Rose clair 2,5 x 3,5 cm
F = Bleu foncé 2,5 x 8,5 cm
G = Violet 2,5 x 7 cm
H = Jaune 2,5 x 11,5 cm
I = Orange 12 x 17 cm
J = Turquoise 6 x 7,5 cm
K = Rayures 6 x 7,5 cm
L = Imprimé orange 12 x 2 cm
M = Bleu foncé 12 x 14 cm
N = Bleu foncé 6,5 x 14 cm
O = Violet 6,5 x 3 cm
P = Vert 11,5 x 13,5 cm
Q = Jaune 5 x 11 cm
R = Imprimé vert 5 x 6 cm

1- Découpez les papiers

Suivant le gabarit, découpez les papiers. Découpez la photo au format de 7,5 x 10 cm. Encrez les tranches des papiers en orange, violet ou vert selon la couleur des papiers.

ASTUCE
Cette page est idéale pour utiliser vos chutes de papiers.

2- Percez les papiers

Assemblez les papiers sur l'envers avec du ruban adhésif repositionnable. Sur 1 rectangle de papier-calque, tracez 3 traits parallèles espacés de 5 mm. Marquez 1 repère tous les 5 mm sur les 2 traits de part et d'autre du trait central. Positionnez le trait central à la jonction de 2 papiers. Placez sous les papiers un morceau de carton-plume. Percez les papiers avec la grosse aiguille sur les repères.

3- Assemblez les papiers

Séparez les 6 brins du coton à broder en 2 (la couture se fait avec 3 brins). Piquez l'aiguille dans le 1er trou sur l'envers d'un papier puis piquez dans le trou opposé, sur l'autre papier. Cousez ainsi les papiers 2 à 2.

4- Fixez la photo

Placez la photo sur la page et percez les angles de la photo avec la pointe du cutter. Placez les mini-attaches parisiennes. Peignez les lettres en carton et collez-les avec la colle forte sur la page. Placez les lettres transfert pour former le mot « petit ».

5- Décorez la page

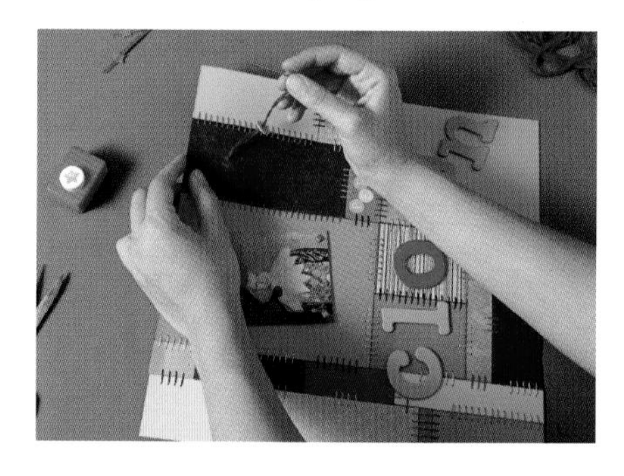

Perforez des étoiles dans les chutes de papier. Découpez des morceaux de ruban d'environ 20 cm. Cousez le bouton. Nouez les morceaux de ruban autour du bouton. Collez les étoiles sur le ruban. Collez la page sur le fond de page.

COUSEZ LES PAPIERS

Percez les papiers à votre guise : le ruban adhésif maintient les papiers, il n'est donc pas nécessaire de coudre entièrement tous les côtés. Vous pouvez réaliser certaines coutures avec des points droits, d'autres au point de croix. Ne tirez pas trop sur le fil à broder à chaque passage de l'aiguille pour ne pas déchirer le papier. Lorsque la couture est terminée, coupez le coton à broder et fixez les extrémités avec un double nœud ou du ruban adhésif repositionnable.

Le petit bonhomme

Encadrez de carrés de papier imprimé la photo d'un fier petit bonhomme et soulignez la composition par des coutures à la machine.

Avec l'aimable autorisation de Loisirs & Création, Ocito et L'Éclat de Verre. Peinture Ressource. Fournitures : Loisirs & Création.

NIVEAU
Facile

TEMPS
1 h

Les outils

- ✓ Massicot
- ✓ Pastilles adhésives
- ✓ Ruban adhésif double face
- ✓ Colle en bombe 505 d'Odif
- ✓ Ciseaux
- ✓ 1 aiguille
- ✓ Machine à coudre

Le modèle

- ✓ 1 photo (10 x 15 cm)
- ✓ 1 page A4 noire
- ✓ Papiers assortis double face (30 x 30 cm) : Leaf it et Grasshopper Cookie (Stacy Claire Boyd), Belleville White on Teal Dots (Scenic Route Paper).
- ✓ Fils à coudre vert et turquoise
- ✓ Lettrages : alphabet transfert Simply Stated et Chunky Lime (Making Memories), Hudson Valley (7 Gypsies) et Party Mix (Doodlebud Design)

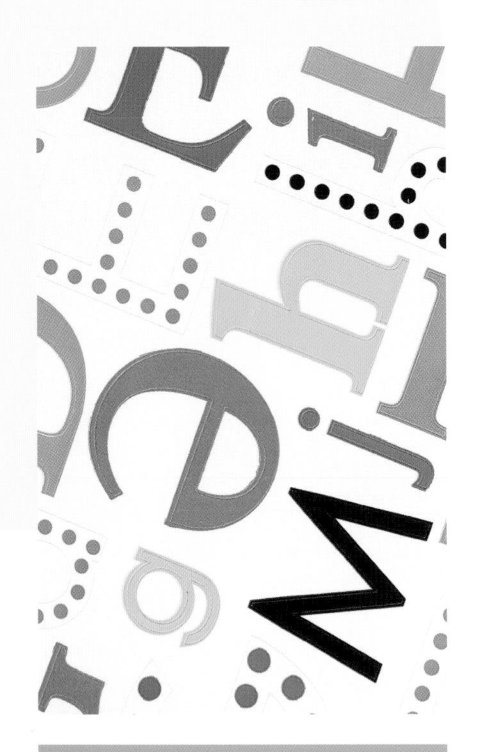

1- Découpez les papiers

Découpez les papiers au massicot pour obtenir des formats précis et identiques : 14 carrés de 5 cm de côté en mélangeant les 6 faces des 3 papiers et 2 bandes de 0,5 x 30 cm de papier turquoise (verso de Leaf it). Disposez les papiers et la photo sur la page noire pour déterminer le placement.

2- Collez les papiers

Collez la photo avec des pastilles adhésives et les 2 bandes turquoise avec le ruban adhésif double face. Déplacez les carrés de papier, vaporisez la colle en bombe au verso des papiers, fixez-les au fur et à mesure sur la page en les répartissant autour de la photo et en les espaçant régulièrement.

ASTUCE
Vous pouvez remplacer la couture à la machine par des fausses coutures (petit traits régulièrement espacés) réalisées avec des stylos-feutres vert et turquoise.

3- Placez les textes

Choisissez les textes et les chiffres en fonction de la taille du carré de papier uni, utilisez un même type d'alphabet dans le même carré, choisissez le coloris pour bien faire ressortir les lettrages et répartissez les typos de manière à ce qu'elles soient bien lisibles. Recoupez le bas de la page au ras des carrés.

ASTUCE
En ne cousant que 3 côtés d'un carré (et sans le coller auparavant), vous obtiendrez une pochette pour y glisser un petit texte.

COUSEZ LES CARRÉS

Piquez les bords des carrés de papier avec un point zigzag machine ou un point droit. Piquez certains carrés en mélangeant les 2 points, utilisez du fil vert sur les papiers turquoise et du fil turquoise sur les papiers verts pour bien faire ressortir les fils. Rentrez les fils apparents sur l'envers avec une aiguille et arrêtez-les.

Albums
et carnets

Des cartes bien rangées

Glissez ces pages dans votre agenda pour disposer efficacement et joliment vos cartes grâce à des cercles fixés par des œillets.

Avec l'aimable autorisation de Loisirs et Création. Fournitures : Loisirs et Création et Ocito.

NIVEAU
Moyen

TEMPS
1 h

Les outils

- ✓ Cutter
- ✓ Ciseaux
- ✓ Tapis de coupe
- ✓ Règle métallique
- ✓ Compas
- ✓ Bâton de colle
- ✓ Crayon

Le modèle

- ✓ 1 feuille de scrap à pois façon cravate
- ✓ 1 feuille de scrap à motifs jacquard
- ✓ 1 feuille de scrap bleue « blitz »
- ✓ 2 œillets bordeaux
- ✓ 1 kit pour la pose d'œillets, emporte-pièces et écraseur
- ✓ Marteau

ASTUCE
Adaptez les dimensions et l'emplacement des perforations en fonction de votre agenda et créez plusieurs pages pour ranger vos cartes de visite, cartes de fidélité ou cartes de crédit.

1- Préparez les papiers

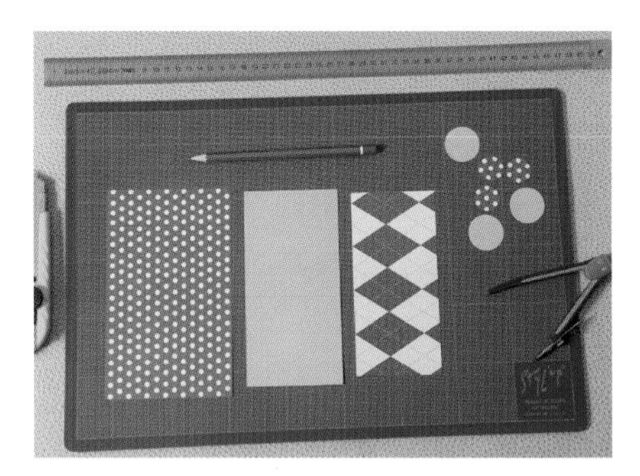

Découpez au cutter 1 rectangle de 11 x 18 cm dans la feuille de scrap à pois. Découpez dans la feuille bleue 1 rectangle de 8,5 x 17cm, puis un dernier rectangle de 7,5 x 16 cm dans la feuille à motifs jacquard. Tracez et découpez 3 cercles de 3,2 cm de diamètre dans la chute de papier bleu et 3 cercles de 2,3 cm de diamètre dans la feuille à pois.

2- Collez les rectangles

À l'aide du bâton de colle, collez le rectangle bleu à 0,5 cm du bord du rectangle à pois. Collez le rectangle à motifs jacquard sur les 2 autres en le décalant également de 0,5 cm. Collez les 3 cercles avec des pois au centre des 3 cercles bleus.

3- Perforez

Prenez 1 page perforée de votre agenda, posez-la au dos du grand rectangle à 0,5 cm du haut et du bas et à 1 cm du bord droit. Indiquez au crayon de papier le centre des trous à perforer. Perforez ces 6 petits trous sur le côté gauche. Tracez des petits repères au crayon pour indiquer la place des œillets (à 6 cm du haut pour le 1er œillet et à 12 cm du haut pour le 2e). Perforez la carte et le centre des 2 cercles avec l'emporte-pièces du kit pour la pose d'œillets.

4- Attachez les cercles

Glissez 1 œillet dans les 2 trous du centre de la carte et au centre des 2 cercles. Aplatissez les œillets à l'aide de l'écraseur et du marteau.

Écraseur du kit pour la pose d'œillets et œillets de différentes couleurs.

POSEZ DES ŒILLETS

Il existe 2 sortes de kits pour poser les œillets (Loisirs et Création). Le kit utilisé ici comporte un emporte-pièces, un écraseur et un petit marteau. Vous trouverez également un kit composé d'un mini-tapis et d'une poignée sur laquelle s'adaptent soit des emporte-pièces soit des embouts écraseurs. Il présente l'avantage de pouvoir travailler sans bruit : pour percer, puis écraser l'œillet, il faut tourner la poignée et non frapper avec un marteau.

Un album de récup'

Nouez deux liens de ficelle rouge pour assembler un album découpé dans du carton de récup' et muni de nombreuses pochettes.

Avec l'aimable autorisation de Loisirs & Création. Peinture Ressource. Fournitures : Loisirs & Création.

NIVEAU
Moyen

TEMPS
2 h 30

Les outils

- Cutter
- Tapis de coupe
- Ciseaux
- Crayon
- 1 emporte-pièces
- Kit pour la pose d'œillets
- Marteau
- Colle en bombe
- Ruban adhésif double face
- Pastilles adhésives
- 1 pointe
- Colle forte en tube

Le modèle

- 2 enveloppes kraft (162 x 229 mm)
- Papier imprimé Believe (Bohemia) et papier à rayures Charlotte (Scenic Route Paper)
- Papiers unis orange, marron et rose
- 2 cartons A4 souples (boîte de corn flakes)
- Lettres adhésives de 3 alphabets différents
- Papier kraft gommé, tissu, rubans et œillets aux couleurs assorties, capsules de bière et de champagne, feuilles et végétaux séchés, lien rouge, boutons...

Un album de récup'

1- Préparez l'album

Découpez 2 rectangles de carton de 16 x 22 cm dans la boîte de corn flakes, introduisez les cartons dans les enveloppes et collez le rabat. Réalisez le décor symétriquement, en miroir, sur chaque enveloppe. Découpez les papiers : 2 fois 16 x 30,5 cm dans le papier imprimé, 2 fois 6 x 22 cm dans le papier à rayures et 2 fois 16 x 22 cm dans le papier uni. Découpez 2 bandes de tissu de 10 x 16 cm.

2- Assemblez l'album

Encollez l'endroit de l'enveloppe avec la colle en bombe et collez le papier imprimé dessus, en repliant 7,5 cm sur l'envers de l'enveloppe. Vaporisez le papier uni et collez-le sur l'envers. Sur l'endroit, collez 1 bande de papier à rayures, puis le tissu en rabattant l'excédent sur l'envers de l'enveloppe. Percez le centre du rabat, glissez et fixez 1 lien rouge sur l'envers avec 1 bande de papier kraft gommé. Fixez le rabat laissé libre de chaque côté avec 1 œillet pour réaliser une poche et pouvoir y glisser des éléments. Collez 1 bande de papier uni de 40 x 162 mm par-dessus le retour du tissu.

3- Créez les intercalaires

Le montage de l'album permet d'y inclure 6 ou 7 intercalaires. La réalisation des intercalaires est identique, le rabat de l'enveloppe est laissé ouvert pour y glisser des photos. Dans un papier uni, découpez 1 rectangle de 16,2 x 23,6 cm et 1 de 16,2 x 22 cm, vaporisez de colle le plus petit format puis collez-le sur l'envers de l'enveloppe. Encollez le plus grand papier, collez-le au ras du rabat sur l'endroit de l'enveloppe et repliez l'excédent sur l'envers par-dessus le papier déjà fixé. Coupez les excédents de papier le long du rabat, puis doublez l'envers de papier uni. Collez des bandes de papier imprimé à chaque extrémité pour pouvoir y glisser les photos.

4- Formez la charnière

Faites 1 repère à 4 cm du haut et du bas et à 1 cm du bord sur chaque couverture et sur chaque intercalaire composant l'album puis faites 1 trou avec l'emporte-pièces (les trous doivent être rigoureusement perforés au même emplacement de manière à ce que les pages soient bien alignées). Glissez 1 lien rouge à l'intérieur de chaque trou de chaque page et nouez les ficelles à l'extérieur de l'album.

5- Décorez l'album

Décorez le centre du rabat des enveloppes avec 1 carré de papier imprimé, 1 anneau d'encadrement ou 1 capsule aplatie. Collez les lettres adhésives sur les bandes à rayures de couverture en mélangeant les alphabets. Fixez les photos sur les pages ou sous les bandeaux de papier, ajoutez des feuilles séchées puis un texte. Décorez-les de boutons et de feuilles séchées. Nouez des rubans à l'intérieur des œillets.

JOUEZ LA RECUP' !

Les cartons d'emballage (corn flakes, riz, gâteaux) peuvent servir à toutes vos créations. Utilisez-les comme ici pour des couvertures de carnet ou encore pour découper des pochoirs à peindre : leur surface pelliculée évitera à la peinture de « baver » le temps de l'application. Ficelle et capsules font de très intéressants éléments de décor : écrasez des capsules avec un marteau et colorez-les avec un encreur Stazon.

ASTUCE
Les titres peuvent être réalisés avec des tampons alphabet puis embossés.

Un album d'été

Nuancier de peinture, fines étoiles de mer et rubans légers habillent tout en douceur la couverture d'un album de photos d'été.

Avec l'aimable autorisation de Loisirs & Création. Peinture Ressource.

NIVEAU
Facile

TEMPS
1 h

Les outils

- ✓ Cutter
- ✓ Ciseaux
- ✓ Règle métallique
- ✓ Tapis de coupe
- ✓ Ruban adhésif
- ✓ Bâton de colle
- ✓ Ordinateur et imprimante

Le modèle

- ✓ 1 album photo (18 x 22,5 cm)
- ✓ 2 feuilles de scrap à pois « Be Mine » Basicgrey
- ✓ 1 feuille de scrap verte avec fausse couture blanche
- ✓ Stickers alphabet « cachemire » de Toga
- ✓ 2 mini-étoiles de mer
- ✓ 1 m de ruban d'organza bleu (larg. : 3,5 cm)
- ✓ 50 cm de ruban vichy vert (larg. : 1 cm)
- ✓ 1 photo (10 x 13 cm)
- ✓ Nuancier de peinture
- ✓ 1 feuille A4 de papier-calque bleu lavande
- ✓ 1 feuille A4 de papier bleu clair
- ✓ Ruban adhésif double face « Easy Liner » Glue Dots

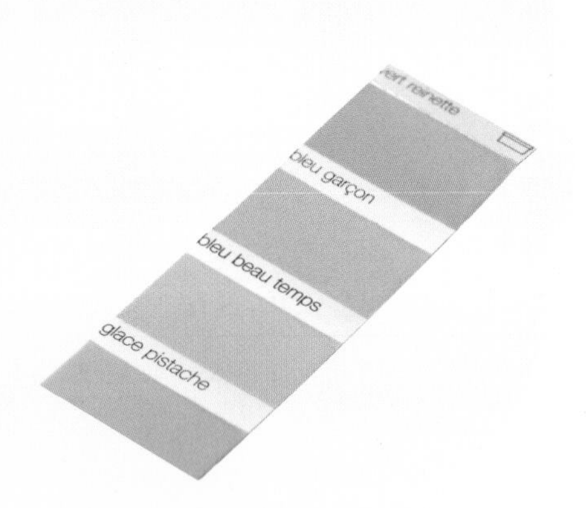

CONSEIL : Pour créer le titre sans ordinateur, vous pouvez l'imprimer avec des tampons alphabet et un encreur sur une feuille de papier blanc, ou coller directement des lettres en carton (chipboards) sur la couverture de l'album.

1- Préparez les éléments

Découpez 2 rectangles de 22,5 x 18 cm et 1 rectangle de 2,4 x 22,5 cm dans les feuilles de scrap à pois. Découpez le nuancier de peinture pour obtenir des bandes de 2,5 cm de largeur. Découpez dans la feuille de scrap verte 1 rectangle de 22,5 x 3,5 cm. Découpez dans la feuille de papier bleu clair 1 rectangle de 7 x 18 cm.

2- Mattez la photo

Collez la photo à l'angle de la feuille de papier-calque bleu lavande en laissant 2 mm de marge de part et d'autre. Recoupez les 2 côtés restants en laissant également une marge de 2 mm. Assemblez les bandes de nuancier pour obtenir 1 rectangle de 2,5 x 18 cm.

ASTUCE
Vous pouvez remplacer les mini-étoiles de mer par des étoiles réalisées avec une perforatrice.

3- Collez la bande

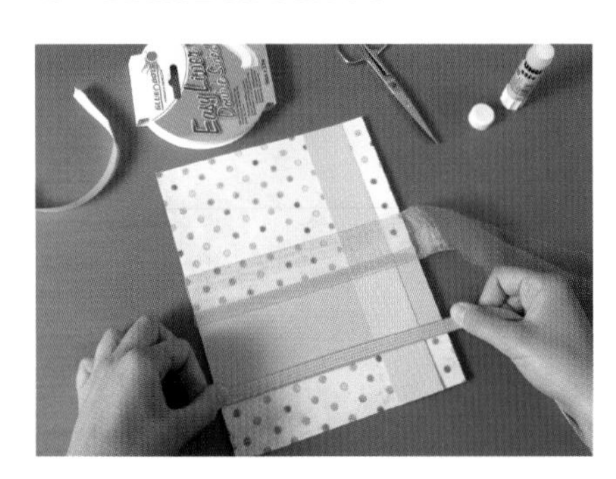

Collez le bandeau bleu clair sur la feuille à pois à l'horizontale et à 3,8 cm du bord inférieur. Collez la bande verte à rayures verticalement sur la partie droite à 1,8 cm du bord droit (elle chevauche la bande bleue). Collez le ruban vichy vert sous la bande horizontale bleu clair. Pliez le ruban d'organza en 2 et collez la moitié de celui-ci au milieu de l'album (il chevauche le papier bleu clair d'1,3 cm).

4- Collez les éléments

Collez le nuancier sur le papier à pois à 0,5 cm du bord inférieur. Placez les stickers alphabet. Collez la page sur l'album photo, collez le ruban (adhésif double face) puis collez le rectangle de papier à pois de 22,5 x 2,4 cm sur la tranche de l'album. Sur l'envers de l'album, collez la page de papier à pois puis le ruban. Collez la photo. Écrivez et imprimez le titre à l'ordinateur (police « Vtks Bandana » du site Dafont, corps 90, couleur bleu clair) sur une feuille blanche, découpez-le et collez-le. Collez les mini-étoiles de mer.

COLLEZ LES RUBANS

Pour coller des rubans, rien de tel que l'adhésif double face transparent : il suffit de poser le ruban adhésif à l'endroit souhaité sur le support et d'y apposer le ruban en le tendant bien entre les 2 mains. Le résultat est propre et efficace (le ruban ne gondole pas).

Le carnet d'automne

Plus vraies que nature, les feuilles de papier aux tonalités chaleureuses virevoltent sur un joli petit carnet.

Avec l'aimable autorisation de Loisirs et Création. Boîte : Bookbinders, plume et encre : Marie papier.

NIVEAU
Moyen

TEMPS
1 h 30

Les outils

- Crayon HB
- Petits ciseaux fins
- Colle en bombe repositionnable
- Papier-calque
- Carte souple
- Boîte à chaussures

Le modèle

- Un carnet à fenêtre
- Papier népalais jaune, orange, rouge et marron
- Feutres de couleur
- Stylo de calligraphie

2 modèles de feuilles à reproduire et à agrandir à 200 %.

1- Réalisez un gabarit

Décalquez le contour des 2 feuilles au crayon. Retournez le calque sur la carte et repassez au crayon sur le tracé des motifs pour les reproduire. Découpez soigneusement les 2 motifs en suivant les tracés.

2- Découpez

Réalisez 2 feuilles sur chaque coloris de papier : posez chaque gabarit sur un papier de couleur différente et tracez le contour de chaque feuille au crayon sur le papier de couleur. Découpez les motifs à l'intérieur du trait de crayon.

3- Modifiez les coloris

Si la couleur du papier est trop claire, repassez sur le motif avec un feutre de la même couleur pour obtenir un coloris plus soutenu.

4- Collez

Vaporisez de la colle repositionnable en bombe sur une face des feuilles découpées. Collez les feuilles dans les angles, puis au centre en intercalant les couleurs. Écrire le mot feuilles d'une jolie écriture avec le stylo de calligraphie, à l'intérieur d'un carré central dessiné sur la première page du carnet, de même format que la fenêtre.

ASSEMBLEZ AVEC DE LA COLLE EN BOMBE

Pour éviter de vaporiser de la colle dans toute la pièce et de salir votre plan de travail, déposez les motifs à coller au fond d'une boîte à chaussures. Vaporisez la colle légèrement en tenant la bombe à 25 cm de distance, laissez reposer 2 min, soulevez les feuilles et déposez-les sur une feuille de papier. Prenez chaque feuille l'une après l'autre pour les coller soigneusement sur la couverture du carnet.

Le carnet d'anniversaires

Notez l'anniversaire de chacun dans ce carnet qui comporte un intercalaire coloré pour chaque mois de l'année.

Avec l'aimable autorisation de Loisirs et Création. Fournitures : Loisirs et Création.

NIVEAU
Moyen

TEMPS
1 h

Les outils

- Cutter
- Tapis de coupe
- Ciseaux droits
- Règle métallique
- Crayon
- Bâton de colle
- Carrés adhésifs 3D
- Ordinateur

Le modèle

- 1 album carré à spirales
- 4 cartes de couleur de 160 g (papier Sandylion « Summer psychedelic »)
- 1 feuille de papier-calque champagne (80 g)
- Papiers Vivaldi A4 de 80 g (bleu-vert, jaune, orange, rouge et vert tendre)
- 2 fleurs en papier
- 50 cm de ruban bleu-vert (larg. : 3 mm)

1- Imprimez les textes

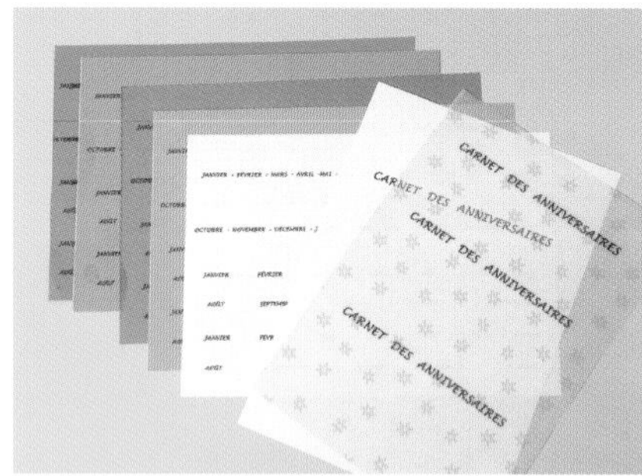

Écrivez les mois à la suite avec un tiret à l'ordinateur (police « Lucidahandwriting », taille 12, majuscules, gras). Plus bas, sur la même feuille, écrivez les mois en les espaçant de 5 cm et sans tiret. Espacez les lignes de 3 cm. Imprimez ces phrases sur une feuille dans les 5 coloris dans la hauteur de la page. Écrivez « Carnet des anniversaires » avec la même police en taille 24 et imprimez sur une feuille de papier-calque champagne.

2- Collez le fond

Découpez 1 bande (15 x 25 cm) de papier « Summer psychedelic » et 2 bandes (3,2 x 25 cm) de papier bleu-vert avec les mois. Centrez les textes. Découpez 1 bande de calque (3 x 18 cm) en centrant le texte. Découpez 1 bande (1 x 25 cm) de papier bleu-vert. Collez le papier de fond sur le carnet en créant une échancrure de 1 x 4,5 cm de chaque côté pour les spirales. Rabattez l'excédent sur l'intérieur du carnet.

3- Collez les bandes

Collez 1 bande de papier comportant les mois en haut et en bas sur le papier « Summer psychedelic » et rabattez l'excédent à l'intérieur. Collez le calque imprimé au centre de la fine bande bleu-vert, collez cette bande au centre du carnet et rabattez l'excédent à l'intérieur du carnet.

4- Créez les intercalaires

Découpez 12 rectangles de 3 x 5 cm dans les cartes de couleur. Découpez les mois en choisissant des couleurs différentes pour chaque mois dans les papiers avec les textes imprimés, afin de répartir 4 étiquettes de 4 mois sur 3 côtés du carnet.

5- Décorez le carnet

Recouvrez la 4e de couverture de la même façon et collez 25 cm de ruban à l'intérieur au centre de chaque couverture. Découpez et collez un papier uni pour recouvrir l'intérieur des pages de couverture et cacher le ruban. Collez 1 petite fleur de chaque côté du titre avec un carré adhésif 3D.

PLACEZ LES INTERCALAIRES

Découpez le nom du mois su le coloris de feuille choisi (texte à 2 mm du bord de la carte). Encollez le mois en le centrant sur la carte et découpez l'excédent aux ciseaux le long de la carte. Préparez ainsi les 12 mois de l'année en répartissant bien les couleurs. Partagez et repérez les pages du carnet en 12 parties. Encollez le bas de la carte « janvier », collez-la sur la 1ère page, sautez les pages, repérez et décalez l'emplacement de l'intercalaire de février, encollez l'envers et collez les cartes à la même hauteur. Collez les 4 premiers mois sur le haut du carnet, les 4 mois suivants sur le côté et les 4 derniers mois sur le bas du carnet en les collant avec le même espacement et à la même hauteur.

Le répertoire téléphonique

À partir d'un simple petit cahier, créez un répertoire téléphonique unique et indispensable pour classer tous vos numéros importants.

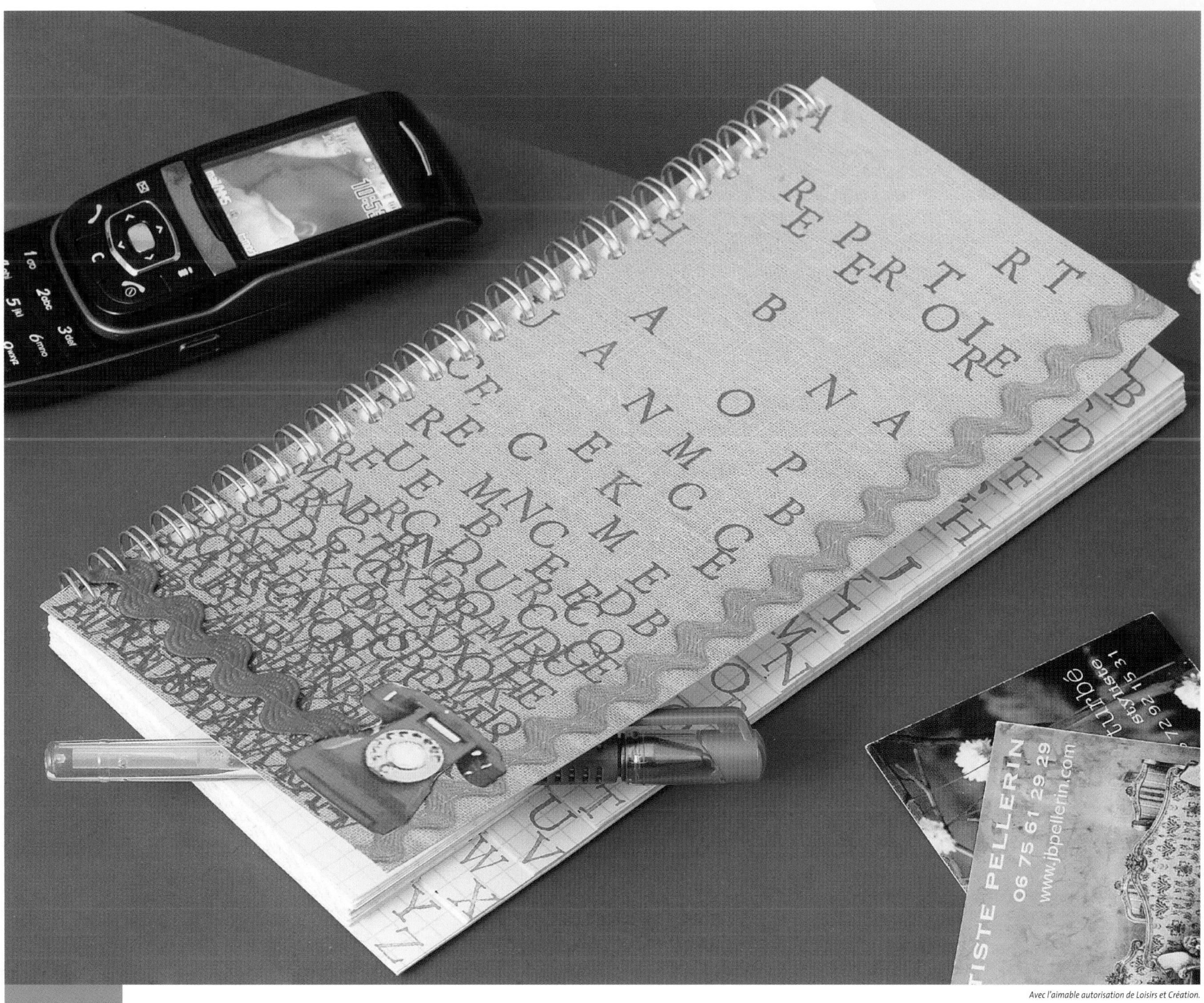

Avec l'aimable autorisation de Loisirs et Création.

NIVEAU
Moyen

TEMPS
2 h

Les outils

- Cutter
- Ciseaux
- Tapis de coupe
- Règle métallique
- Bâton de colle
- Colle forte en tube
- 1 perforatrice à 1 trou

Le modèle

- 1 petit cahier à spirales et à petits carreaux (17 x 22 cm)
- 1 feuille de scrap « à croquet » (OCITO)
- Tampons alphabet
- 2 encreurs (rouge et vert)
- 1 photo de téléphone
- Fil rouge
- Chute de ruban croquet rouge
- Machine à coudre ou aiguille

ASTUCE
Écrivez vos adresses et numéros de téléphone avec un stylo vert assorti aux graphismes de la couverture. Tamponnez l'alphabet sur les onglets découpés à l'étape 3.

1- Préparez les éléments

Tracez et découpez 2 rectangles de 11 x 22 cm dans la feuille de scrap. À l'aide de la règle et du cutter, découpez le cahier dans la largeur de manière à ce qu'il mesure une fois découpé 11 x 22 cm. Retirez les couvertures du cahier et coupez-les également à la même taille que le cahier. Détourez la photo de téléphone et coupez 1 morceau de 7,5 cm de ruban rouge.

2- Préparez le répertoire

Divisez la hauteur du carnet par 13 (2 lettres par case), marquez des repères pour la 1re case et découpez toute la colonne en dessous ; faites la même chose pour les séries de 6 pages suivantes. Indiquez la 2e case en dessous de la 1re et enlevez aux ciseaux la colonne en dessous de cette case.

3- Tamponnez

Sur les rectangles provenant de la page de scrap, tamponnez à l'encre verte des lettres de l'alphabet en tamponnant plus ou moins de manière à créer un effet de dégradé. Laissez bien sécher.

4- Perforez la couverture

Assemblez avec le bâton de colle les couvertures respectives. Avec la perforatrice, repassez à l'endroit des trous pour perforer l'ensemble. Collez le téléphone en bas à droite. Placez le ruban rouge à gauche du téléphone et cousez-le à la main ou à la machine. Remettez les couvertures sur le carnet à spirales.

FIXEZ LE RUBAN ROUGE

Vous pouvez fixer le ruban rouge de différentes façons. Si vous choisissez de le coudre, à la main ou à la machine, par une rangée de points droits, l'assemblage sera solide, ce qui est important pour un carnet qui est fréquemment manipulé. Vous pouvez également choisir de le coller au lieu de le coudre : dans ce cas, utilisez de la colle forte. Une autre solution consiste à photocopier et découper les contours du morceau de ruban et à coller cette silhouette de papier sur la couverture.

Une couverture tressée

Tressez les bandes de papier aux couleurs vives pour habiller votre carnet d'une couverture personnalisée.

Avec l'aimable autorisation de Loisirs et Création. Set de table: Conran Shop, plume en verre et tampon buvard : Marie-Papier.

NIVEAU
Facile

TEMPS
1 h

Les outils

- ✓ Cutter
- ✓ Ciseaux cranteurs
- ✓ Règle métallique
- ✓ Tapis de coupe
- ✓ Ruban adhésif transparent
- ✓ Ruban adhésif repositionnable
- ✓ Bâton de colle

Le modèle

- ✓ Page de magazine
- ✓ Feuilles de papier A4 (bordeaux, rouge, parme)

ASTUCE
Lorsque le carnet est recouvert, vous pouvez déposer un peu de colle sur les extrémités des bandes pour les fixer.

1- Découpez des bandes

Dans les feuilles de papier et la page de magazine, découpez au cutter et avec la règle métallique des bandes de 0,5 cm, de 1 cm et de 2 cm de largeur. Guidez-vous sur les tracés du tapis de coupe pour que les bandes soient bien parallèles.

2- Tressez les bandes

Avec des morceaux d'adhésif repositionnable, placez les bandes verticales côte à côte sur le tapis de coupe, sur une longueur légèrement supérieure aux dimensions du carnet. Tressez ensuite les bandes horizontales : passez sous une bande verticale, puis sur la suivante... Alternez le passage dessus/dessous de la bande suivante.

3- Découpez le contour

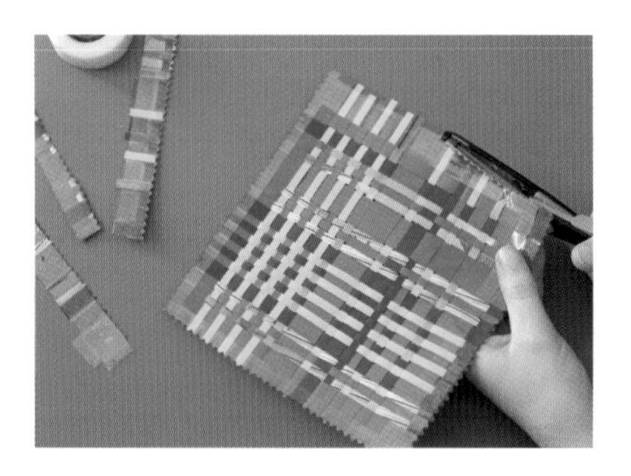

Collez du ruban adhésif transparent tout autour du rectangle tressé. Retournez le rectangle et collez de nouveau de l'adhésif transparent tout autour. Découpez les bords du tressage avec les ciseaux cranteurs en prenant soin de conserver une partie de l'adhésif ; sinon, collez une seconde bande de ruban adhésif pour maintenir le tressage à l'endroit de la découpe.

4- Collez la couverture

Pliez le tressage en 2. Encollez la couverture du carnet avec le bâton de colle et disposez-le dans le tressage. Appuyez bien et laissez sécher.

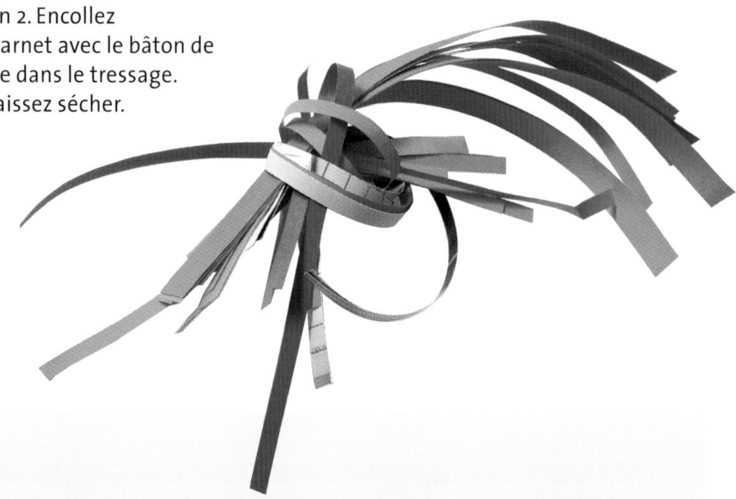

JOUEZ AVEC LES BANDES DE COULEUR !

Le motif écossais doit son originalité à l'insertion des bandes découpées dans un magazine. Vous trouverez facilement une page dans des dégradés de vert (publicité ou revue de jardin). Pour ce modèle, nous avons utilisé des bandes rouges de 0,5 cm, de 1 cm et de 2 cm, des bandes bordeaux de 0,5 cm et de 1 cm, des bandes parme de 0,5 cm et des bandes vertes de 0,5 cm.

Un carnet de partitions

Vos partitions prendront place dans un cahier habillé d'une couverture de papier affichant fortissimo votre violon d'Ingres !

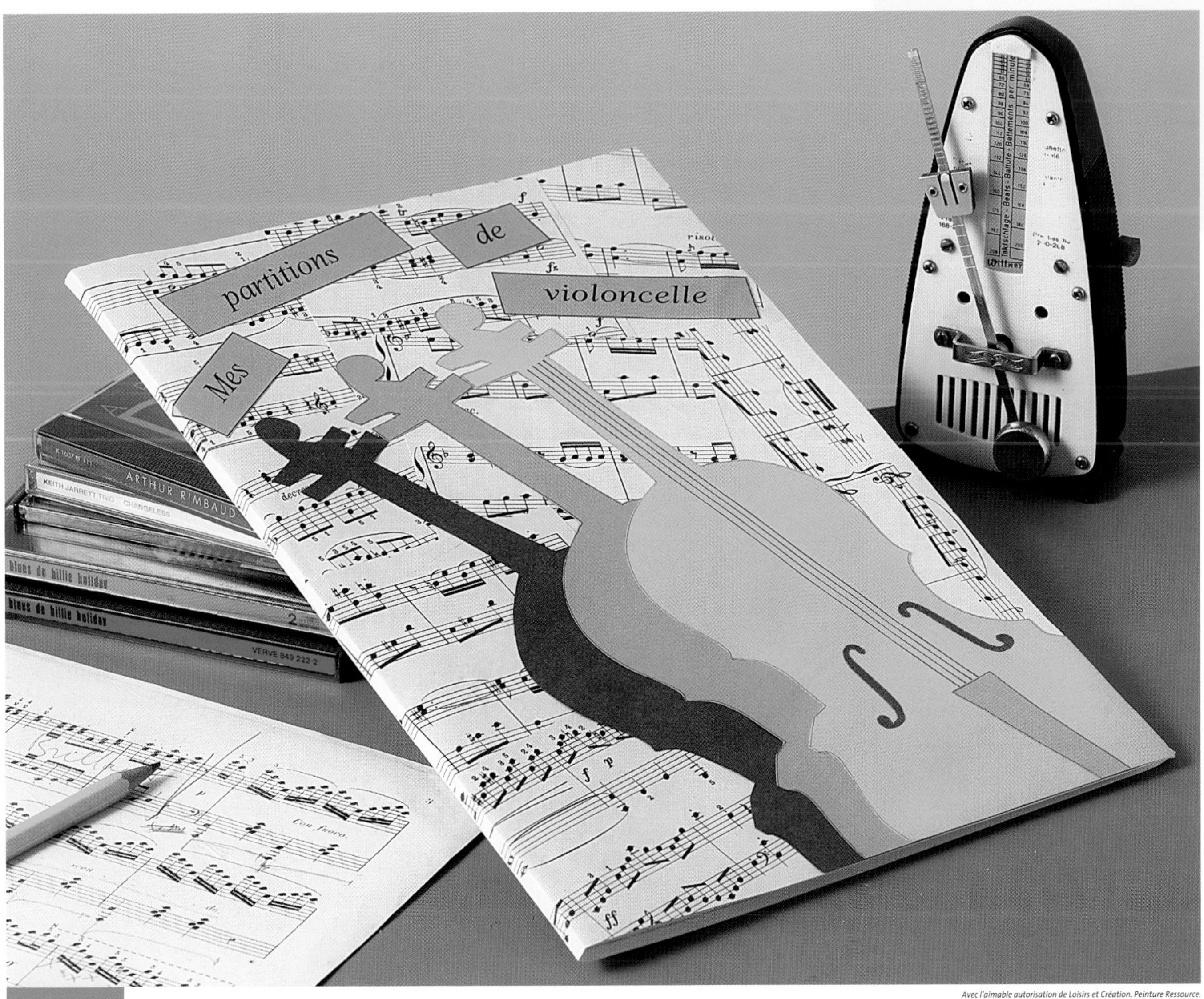

Avec l'aimable autorisation de Loisirs et Création. Peinture Ressource.

NIVEAU
Moyen

TEMPS
1 h 30

Les outils

- ✓ Crayon
- ✓ X-Acto
- ✓ Ciseaux
- ✓ Tapis de coupe
- ✓ Bâton de colle
- ✓ Règle métallique
- ✓ Gomme

Le modèle

- ✓ 1 cahier A4
- ✓ 1 feuille A4 de papier blanc
- ✓ 1 rectangle de papier Canson blanc (43 x 30 cm)
- ✓ Anciennes partitions de musique
- ✓ 3 rectangles de papier Ingres (18 x 30 cm) : vert foncé, beige et jaune
- ✓ Stylo noir à pointe fine
- ✓ Crayon blanc

Agrandissez le gabarit à la photocopieuse à 400 %.

1- Découpez les violoncelles

Photocopiez le gabarit sur le papier blanc et découpez le contour. Placez-le tour à tour sur les 3 rectangles de papier Ingres et tracez le contour du violoncelle au stylo noir à pointe fine. Découpez les 3 violoncelles à l'extérieur du tracé pour le conserver sur les silhouettes.

2- Préparez les décors

En suivant le schéma, tracez au crayon une ligne au bas des cordes et tracez les cordes au stylo noir fin et à la règle. Tracez le patron du cordier sur une chute de papier Ingres beige et découpez-le. Collez-le sous les cordes. Tracez le patron des ouïes sur des chutes de papier Ingres vert foncé au crayon blanc, découpez-les et collez-les de chaque côté des cordes.

ASTUCE
Si vous n'avez pas de partitions anciennes, photocopiez des partitions récentes sur du papier écru.

3- Préparez la couverture

Rainurez avec un léger trait d'X-Acto à 3 mm de part et d'autre du milieu du rectangle de papier Canson blanc et pliez-le. Dans les partitions, découpez 9 carrés d'environ 10 cm de côté. Placez-les sur la couverture pliée en 2 (pliure à gauche), en les faisant dépasser. Commencez par le haut et inclinez-les plus ou moins pour donner du mouvement. Placez les violoncelles dessus pour vérifier qu'il n'y a pas de blanc.

4- Assemblez le carnet

Enlevez les violoncelles et collez les carrés de partitions un par un. Découpez l'excédent le long du papier Canson blanc. Collez les violoncelles et recoupez ce qui dépasse en bas de la couverture. Collez les textes, puis la couverture sur le cahier.

PRÉPAREZ LE TITRE

Tracez 1 bande de 2 cm de largeur sur le papier Ingres beige. Tracez un léger trait de crayon pour vous guider et écrivez votre texte. Tracez le contour de chaque mot à la règle et au stylo noir à pointe fine. Gommez les traits de crayon. Le texte peut être écrit au stylo noir ou avec des lettres transfert.

Mon carnet de secrets

Tous les petits secrets sont bien gardés dans ce précieux carnet rose décoré de motifs au tampon et fermé par un cadenas doré.

Avec l'aimable autorisation de Loisirs et Création.

NIVEAU
Facile

TEMPS
30 mn

Les outils

- Cutter
- Règle graduée
- Bâton de colle
- Ruban adhésif repositionnable
- Tapis de coupe

Le modèle

- 1 petit carnet
- 1 feuille A4 rose
- 1 feuille A4 fushia
- Glitter rose
- 3 tampons (étoile, fleur et cœur)
- 3 encreurs différents (vert, rose...)
- 2 attaches en toile gommée
- 1 petit cadenas
- Lettres autoadhésives

ASTUCE
Décorez le centre de chaque étoile en faisant un petit point avec le tube de glitter (colle à paillettes).

1- Préparez la couverture

Tracez et découpez 1 rectangle de 17,6 x 24 cm dans la feuille A4 fushia, 1 rectangle de 17 x 23,4 cm dans la feuille A4 rose et, dans une de ses chutes, 1 bandeau de 1,2 x 23,4 cm.

2- Tamponnez les étoiles

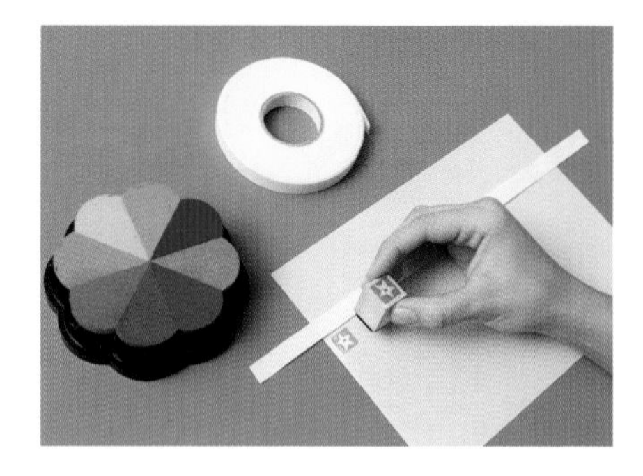

Tamponnez sur la feuille rose une double série d'étoiles en rechargeant bien le tampon sur l'encreur vert entre le tamponnage de chaque motif.

3- Tamponnez les motifs

Enlevez l'adhésif repositionnable et tamponnez les fleurs et les cœurs selon vos envies, de part et d'autre de la double rangée d'étoiles en vous entraînant au préalable sur une feuille de brouillon. Lorsque les motifs sont secs, collez le prénom avec les lettres autoadhésives.

4- Fixez les attaches

Pour que votre carnet soit secret, il lui faut une petite fermeture : collez à l'intérieur du carnet, au milieu de chaque couverture, une petite attache en toile gommée en humidifiant la partie gommée.

5- Collez la couverture

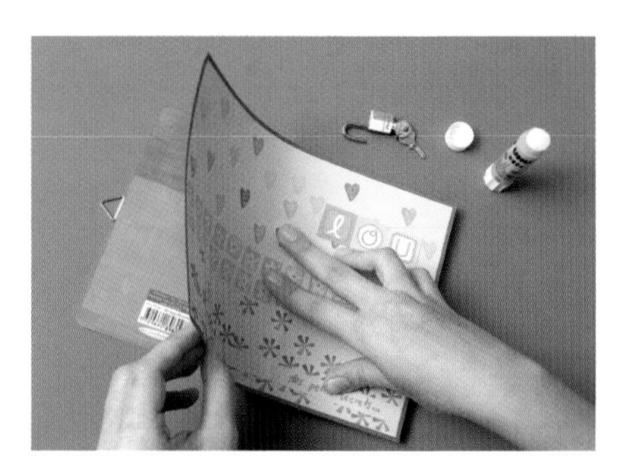

Avec le bâton de colle, collez la feuille rose tamponnée sur la feuille fushia en laissant 3 mm de marge de chaque côté. Collez le bandeau à 0,8 cm du bord de la feuille rose. Collez l'ensemble sur le petit carnet et lissez bien la couverture. Vous pouvez maintenant fermer votre carnet avec le petit cadenas.

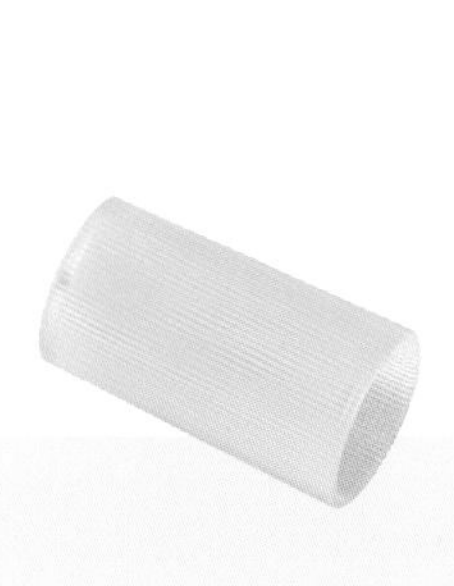

DÉLIMITEZ UNE ZONE DE TAMPONNAGE

La double rangée d'étoiles doit être positionnée horizontalement par rapport au bas de la feuille rose. Pour vous guider, collez horizontalement une bande d'adhésif repositionnable à 5,5 cm du bas de la feuille. Vous pouvez également tracer très légèrement au crayon à papier des lignes de repère. Lorsque les motifs seront tamponnés, laissez l'encre sécher et gommez délicatement les tracés.

L'album du poète

Décorez à la plume la couverture d'un album très romantique et assemblez les pages de papier fait main avec un nœud de ruban.

Avec l'aimable autorisation de Loisirs & Création. Peinture Ressource. Fournitures : Loisirs & Création.

NIVEAU
Difficle

TEMPS
1 h 30

Les outils

- X-Acto
- Tapis de coupe
- Crayon
- Règle métallique
- Crayon
- 1 feuille A4 de papier-calque
- Verre
- Palette
- Feuilles de papier machine

Le modèle

- Plume de calligraphie
- Encre noire
- 10 feuilles A4 de papier chiffon
- 1 pinceau n° 6
- Tampon « amour »
- Peinture acrylique noire
- Brosse
- 1 m de ruban de gros grain (larg. : 1,5 cm)

Mes Poésies

Agrandissez le gabarit à la photocopieuse à 400 %.

1- Décalquez les motifs

Décalquez le gabarit au crayon, légèrement, sur une feuille de papier chiffon. Attention : ne gommez pas, le papier s'arrache. Vous pouvez aussi imprimer le modèle sur le papier chiffon avec une imprimante à jet d'encre.

2- Passez le lavis

Mélangez un peu d'encre noire avec de l'eau pour obtenir une couleur diluée. Trempez le pinceau dans cette encre et passez-le sur les lettres pour les remplir et dans certains endroits de la plume, en laissant des blancs.
Attention : si vous passez sur les traits tracés à la plume, vous les diluez.

3- Tamponnez les décors

Avec la brosse, étalez de la peinture noire sur une palette ou une feuille de papier machine. Trempez le tampon dedans et appliquez-le plusieurs fois autour de la plume en vous inspirant du modèle. Protégez auparavant votre table avec une feuille de papier machine car le tampon déborde sur la gauche et en dessous. Faites des essais auparavant sur une autre feuille de papier.

4- Reliez l'album

Sur la couverture, marquez au crayon 2 fentes de 1,5 cm de long (la largeur du ruban) et de 1 mm de large à 1,5 cm du bord gauche (la 1re sera à 11 cm du bord supérieur et la 2e à 8 cm du bord supérieur). Superposez cette couverture et les autres feuilles de papier chiffon. Avec l'X-Acto, évidez les 2 fentes sur toutes les feuilles en même temps. Reliez toutes les feuilles avec le ruban en le glissant dans les fentes.

TRACEZ LES CONTOURS À LA PLUME

Avec la plume de calligraphie trempée dans l'encre noire, tracez les contours des lettres et de la plume en jouant sur les pleins et les déliés. Pour faire les pleins, appuyez sur la plume lorsque la main redescend. Effectuez le tracé à la plume en interrompant le trait de temps en temps. N'appuyez pas trop sur la plume pour ne pas arracher le papier (faites un essai sur une chute). À chaque fois que vous retrempez la plume dans l'encre, essayez-la sur une autre feuille pour évacuer l'éventuel surplus d'encre.

Bonne fête maman !

Quelle plus belle preuve d'amour qu'un album multicolore entièrement réalisé pour la fête des Mères par un artiste en herbe ?

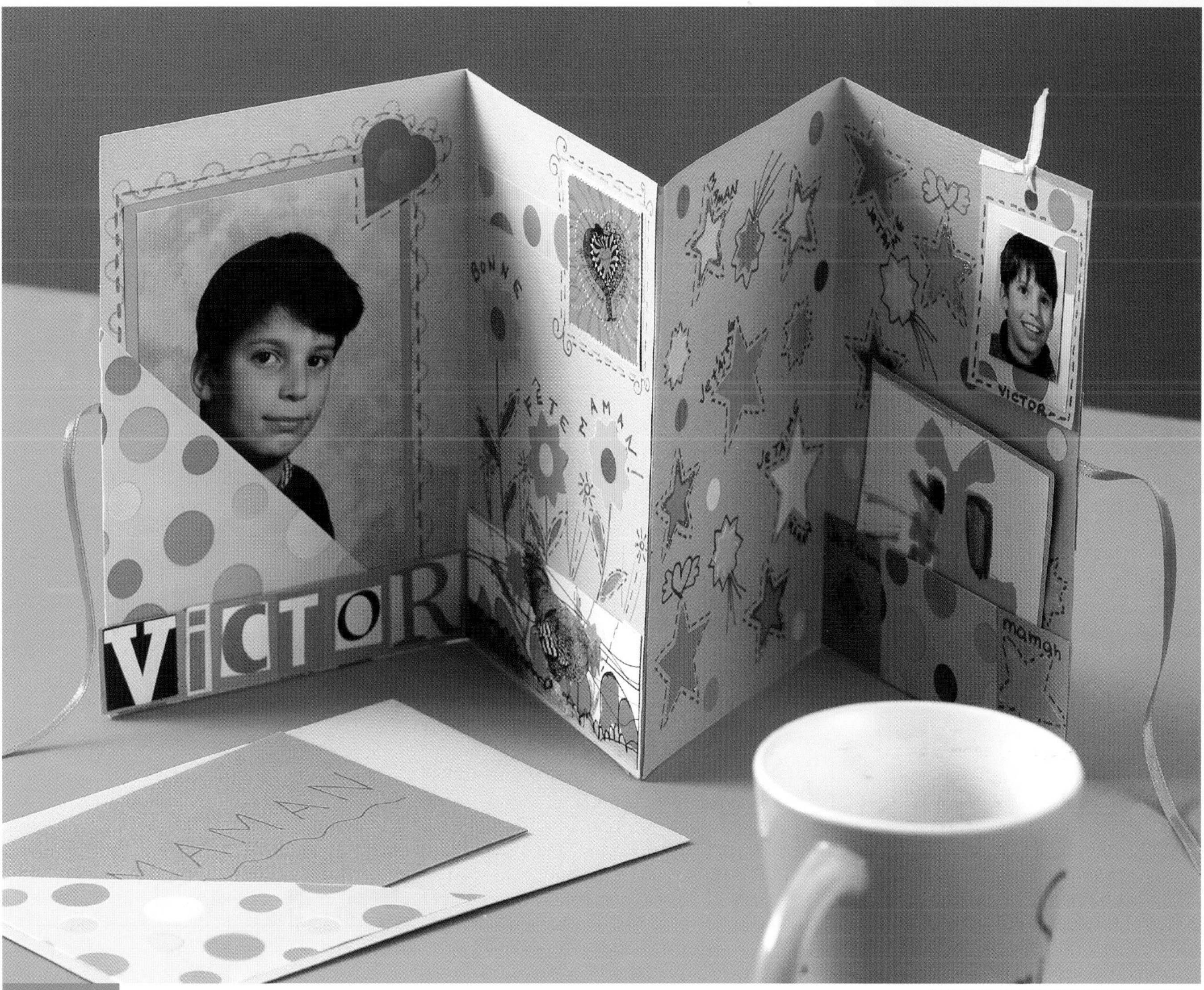

Avec l'aimable autorisation de Loisirs & Création. Peinture Ressource. Photo : DR.

NIVEAU
Facile

TEMPS
1 h

Les outils

- Ciseaux
- Règle métallique
- Perforatrice à copie
- Bâton de colle
- Ruban adhésif
- Ruban adhésif double face

Le modèle

- 2 photos (7,5 x 11,5 cm et 1 photo d'identité)
- 1 pochette de papier à lettres multicolore (14,7 x 21 cm)
- Enveloppe de couleur vive « Power Flower »
- Papier cadeau à pois
- Dessins et lettrages découpés dans des magazines et des journaux publicitaires
- Gommettes et stickers de couleurs et de formes diverses
- 30 cm de ruban
- Timbres cœurs
- Feutres de couleur
- Jolis papiers (ticket de cirque, dessins d'enfant, etc.)
- Stylos gel bleu et vert

L'album peut être réalisé par un enfant à partir de 6 ans

ASTUCE
L'album peut se replier aisément et être glissé dans une enveloppe.

1- Assemblez les feuilles

Pliez 2 feuilles de papier à lettres en 2 et assemblez les feuilles bord à bord avec une bande de ruban adhésif posée à cheval sur les 2 feuilles afin de réaliser un pliage en accordéon. Collez (bâton de colle ou ruban adhésif double face) 1 bande de papier à lettres de 2,5 cm de largeur sur toute la hauteur pour cacher le montage.

2- Décorez la 1re page

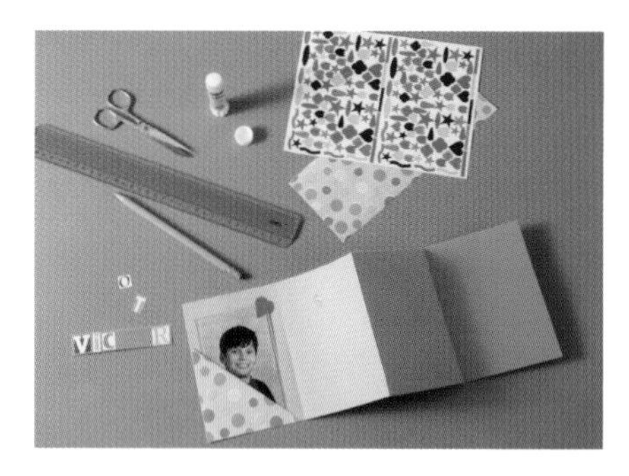

Découpez 1 carré de 10 cm de côté de papier cadeau à pois puis pliez-le en 2 dans la diagonale. Collez le bord des 2 côtés à angle droit le long de l'angle gauche de la page.
Collez la photo de 7,5 x 11,5 cm sur un papier orange, glissez la photo dans la poche et décorez l'angle de la photo d'un cœur en gommette. Coupez 1 bande de 2,2 x 16 cm dans le papier rose, pliez-la sur la page et repliez l'excédent sur la page avant. Collez les 2 extrémités. Découpez et collez les chiffres de l'année et le prénom de l'enfant.

CRÉEZ LE TITRE DE L'ALBUM

Découpez des lettres dans des magazines et des journaux publicitaires. Collez les lettres qui composent le texte successivement sur un papier vert puis sur un papier orange et découpez le tour des lettres inégalement en laissant une marge de couleur autour. Collez le texte monté sur la page de couverture avec le bâton de colle, collez 15 cm de ruban sous le ê découpé de « fête » au centre de la page.

3- Décorez les pages

Collez 1 frise de dessins faits par l'enfant en bas de page, puis 1 sticker et collez les bords d'une bande de papier à lettres pour réaliser une poche. Collez des gommettes fleurs et dessinez des tiges et des feuilles, collez des étoiles, des pastilles, des timbres, de jolis papiers et écrivez vos messages avec des stylos gel bleu et vert. Réalisez un portrait encadré de la photo d'identité en laissant une marge pour perforer le haut et y glisser un ruban pour l'attacher en angle de page. Dessinez sur les pages selon votre inspiration.

4- Décorez le dos

Collez 15 cm de ruban sous 1 timbre cœur découpé dans une enveloppe. Collez le cœur sur la page en vis-à-vis du ruban de la couverture puis collez 1 étoile et l'étiquette de la pochette de papier. Dessinez des traits de couture autour du cadre.

Un livre de mémoires

Lorsqu'un simple cahier s'habille d'une élégante couverture cartonnée, il est prêt à recueillir le récit de toute une vie.

Avec l'aimable autorisation de Loisirs & Création et L'Éclat de Verre. Peinture Ressource. Fournitures : Loisirs & Création et L'Éclat de Verre.

NIVEAU
Moyen

TEMPS
1 h 30

Les outils

- ✓ Cutter
- ✓ Règle métallique
- ✓ Crayon
- ✓ 2 pinceaux
- ✓ Ciseaux
- ✓ Plioir
- ✓ Tapis de coupe

Le modèle

- ✓ 1 chemise de bureau cartonnée grise à élastiques rouges
- ✓ 1 feuille format raisin de papier fort rouge
- ✓ 1 cahier épais (16,5 x 22 cm)
- ✓ Colle blanche à papier
- ✓ Peinture acrylique rouge et noire
- ✓ Tampon « papillon »

1- Coupez la chemise

Marquez la 2e pliure de la chemise. Découpez 1 rectangle (haut. : 23 cm ; larg. : 17 cm) de chaque côté des pliures. Arrondissez les angles aux ciseaux. Tracez 1 trait horizontal centré sur chaque face du rectangle.

2- Créez le marque-page

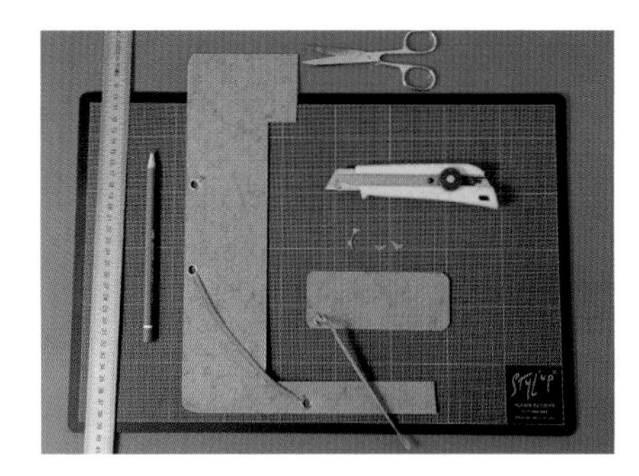

Dans la chute de la chemise, découpez 1 rectangle de 5 x 13 cm de manière à ce que l'œillet qui maintient l'élastique soit placé dans un angle.
Coupez l'élastique de l'autre côté.
Arrondissez les angles aux ciseaux.

3- Marquez les pliures

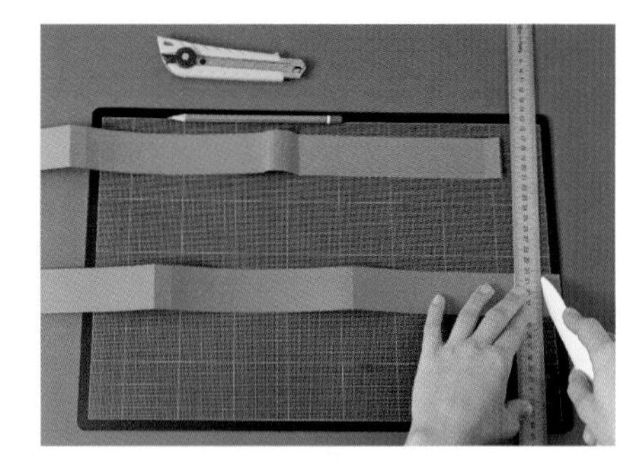

Découpez 2 bandes (4 x 65 cm) de papier fort rouge. Sur la 1re bande, tracez à partir du bord droit : 1 ligne à 1,5 cm, 1,4 cm, 17 cm (partie à l'intérieur de la couverture), 4 cm (l'arrondi où se place le stylo), 17 cm, 1,5 cm et 17 cm (partie à l'extérieur de la couverture). Rainurez les lignes au plioir et à la règle. Rainurez aussi tous les 5 mm dans la partie qui mesure 4 cm (pour former le logement du stylo). Faites la même chose sur la 2e bande, mais dans l'ordre suivant, à partir du bord droit : 1 ligne à 1,5 cm du bord, 1,4 cm, 17 cm (partie à l'intérieur de la couverture), 17 cm, 1,5 cm, 17 cm (partie à l'extérieur de la couverture) et 4 cm (l'arrondi où se place le stylo). Rainurez tous les 5 mm dans la partie qui mesure 4 cm.

4- Collez les bandes

Posez la couverture, extérieur dessus, et collez les 2 bandes rouges : 1 juste au-dessus et 1 juste en dessous du trait. Les arrondis pour le stylo sont placés différemment sur les 2 bandes : au-dessus sur la droite de la couverture et au-dessous sur la gauche. Enduisez l'envers de chaque bande de colle avec le pinceau.

5- Terminez le collage

Retournez la couverture et collez à l'intérieur les bandes qui dépassent, toujours au-dessus et au-dessous du trait. Les parties arrondies pour le stylo se replient sur elles-mêmes.
Collez l'extrémité de l'élastique du marque-page.

IMPRIMEZ LES TITRES

Vous pouvez imprimer le titre du livre (avec une typo style « Times ») : imprimez-le sur un format A4 de papier fort rouge en espaçant les lignes de 4 cm. Découpez 2 bandes de 4 x 17 cm en centrant les textes sur la hauteur et en les calant vers la gauche. Collez ces 2 bandes sur les bandes déjà collées sur la couverture. Pour le titre du cahier, imprimez-le sur un autre format A4. Redécoupez ensuite au bon format avant de le coller sur le cahier.

5- Recouvrez le cahier

Collez sur la face avant et la tranche du cahier 1 rectangle de papier fort rouge après l'avoir rainuré. Coupez les coins en arrondis. Collez le cahier sur l'intérieur de la couverture. Écrivez le titre sur l'extérieur de la couverture et sur le cahier. Décorez la couverture et le marque-page avec le tampon en l'encrant au pinceau avec la peinture acrylique. Refermez la couverture et glissez le stylo dans les parties arrondies.

Un livre de recettes

Pour rassembler vos recettes les plus gourmandes, habillez un simple cahier d'une couverture très appétissante.

Avec l'aimable autorisation de Loisirs et Création.

NIVEAU
Moyen

TEMPS
1 h

Les outils

- Cutter
- Tapis de coupe
- Ciseaux droits
- Ciseaux cranteurs
- Crayon
- Gomme
- Règle graduée
- Compas
- Bâton de colle
- Ordinateur

Le modèle

- Photo de salade
- Feuille de papier motif carreaux
- Feuille de bristol A4
- Carnet format A4 à spirales
- Perforatrice de bureau
- Gommettes autocollantes « dînette »
- Gommettes autocollantes rondes rouges diam. 8 mm

ASTUCE
Si vous écrivez vos recettes avec un traitement de texte, imprimez-les et collez-les dans votre livre. Stockez-les dans un fichier sur l'ordinateur : lorsqu'une amie vous demandera une recette, vous pourrez l'imprimer et lui offrir en un clin d'œil !

1- Découpez

Découpez 1 rectangle de 30 x 21,5 cm (format du cahier+marge) dans le papier à carreaux. Dans le bristol, découpez 1 bandeau de 6,7 x 21,5 cm et 1 cercle (diam. : 11,5 cm). Découpez le contour des éléments aux ciseaux cranteurs.

2- Perforez le papier

Enlevez une page du cahier, placez-la sur le rectangle de papier à carreaux et perforez sur toute la hauteur en vous servant de la page du cahier comme guide. Tracez 1 cercle de 8,5 cm de diamètre sur la photo et découpez le contour aux ciseaux.

3- Collez les gommettes

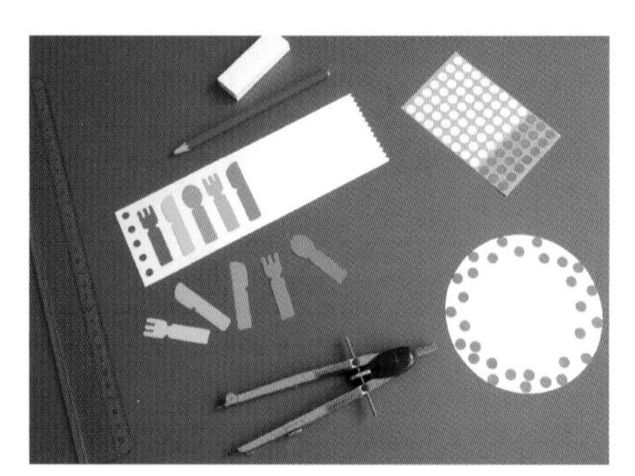

tracez 1 cercle intérieur au cercle blanc (diam. : 8,5 cm). Collez les gommettes rouges entre les 2 cercles. Sur le bandeau, tracez 2 traits à 0,7 cm de chaque bord pour vous guider et collez les gommettes « dînette ». Gommez les tracés.

4- Réalisez les textes

Imprimez les textes avec l'ordinateur (« recettes de tante Simone » : corps 36, police Bitchcakes. « À table ! » : corps 52, police Textile bold). Découpez les bandeaux. Perforez le côté gauche du bandeau « Recettes de tante Simone » et découpez le côté droit aux ciseaux cranteurs.

5- Placez les décors

Collez le cercle blanc, puis la photo et le bandeau « À table ! ». Engagez la couverture, puis le bandeau, dans les spirales du cahier. Vous pouvez fixer l'extrémité du bandeau rouge avec un point de colle en bâton.

CRÉEZ UN BANDEAU

Le format : dans « fichier », cliquez sur « mise en page », puis dans « format » et cliquez sur « paysage ». Le fond : dans « tableau », sélectionnez « trame de fond ». Choisissez la couleur et cliquez sur OK : le bandeau apparaît dans la couleur sélectionnée. Pour obtenir un bandeau plus large, placez la flèche dans le bandeau et tapez sur « entrée ». La typo : dans « format », cliquez sur « police », puis sélectionnez l'épaisseur et le corps.

Le cahier aux papillons

Laissez les papillons de papier tournoyer et se poser sur la couverture d'un cahier pour créer un décor raffiné.

Avec l'aimable autorisation de Loisirs et Création. Boîte : Bookbinders.

NIVEAU
Moyen

TEMPS
1 h

Les outils

- Ciseaux
- Crayon à papier
- Feuille de journal ou de papier (protection)
- Compas
- Papier-calque
- Ruban adhésif repositionnable
- Colle en bombe

Le modèle

- 3 feuilles de papier Décopatch (vert, fushia et violet)
- Cahier avec couverture transparente (en polypropylène)
- 1 feuille de calque de couleur parme

Agrandissez les dessins à gauche à la photocopieuse à 170 %.

1- Détourez les papillons

Agrandissez les motifs des papillons à la photocopieuse. Posez une feuille de calque sur la photocopie et détourez les papillons au crayon. Découpez les silhouettes aux ciseaux. Avec le compas, tracez un cercle de 9 cm de diamètre sur la feuille de calque parme et découpez soigneusement le cercle avec les ciseaux.

2- Découpez les papillons

Avec des morceaux d'adhésif repositionnable, collez les papillons de calque sur un petit rectangle de papier Décopatch. Découpez aux ciseaux le contour des 2 formes collées l'une sur l'autre.

ASTUCE
Pour protéger votre décor, collez les papillons et le cercle sous la couverture en plastique : le motif sera un peu moins vif, mais il ne s'abimera pas !

3- Positionnez les papillons sur la couverture

Disposez le cercle et les papillons sur la couverture. Placez les papillons et le cercle sur 1 feuille de protection (papier ou journal) et vaporisez la colle en bombe. Collez le cercle et tous les papillons.

RÉALISER UN GUIDE POUR BIEN DISPOSER VOTRE DÉCOR

Faites des essais pour répartir harmonieusement les papillons et bien placer le cercle. Lorsque la composition vous convient, placez une feuille de calque dessus et tracez les contours des motifs. Placez le calque sous la couverture transparente du cahier pour vous guider lors du collage. Conservez le calque si vous souhaitez décorer d'autres cahiers.

Un carnet de cave

Classez et répertoriez le contenu de votre cave dans un carnet à la silhouette explicite, découpée dans du papier… bordeaux !

Avec l'aimable autorisation de Loisirs & Création. Peinture Ressource.

NIVEAU
Moyen

TEMPS
30 mn

Les outils

- Cutter
- Ciseaux droits
- Tapis de coupe
- Bâton de colle
- Colle forte en tube
- Règle métallique
- Crayon
- Plioir
- Agrafeuse

Le modèle

- 1 pic à brochette en bois
- 1 feuille A4 de papier épais bordeaux (250 g)
- 6 feuilles A4 de papier machine blanc (70 ou 80 g)
- 1 feuille de papier cuivré (100 g)
- Tampons alphabet
- Tampon encreur
- Poudre à embosser
- 1 post-it

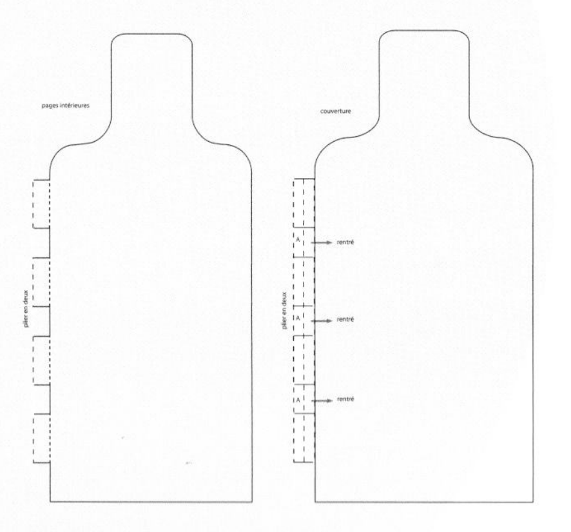

Agrandissez les gabarits à la photocopieuse à 400 %.

ASTUCE
Remplacez les feuilles blanches du carnet par des feuilles de couleurs différentes, et attribuez à chaque couleur une année ou un cépage...

1- Réalisez la couverture

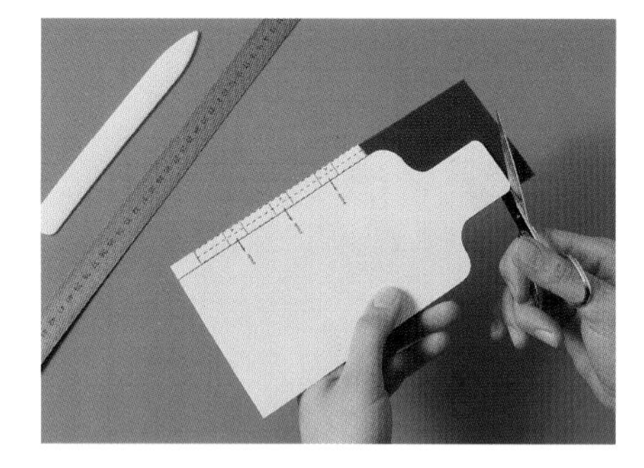

Photocopiez les gabarits et découpez-les. Avec le plioir et la règle, marquez 1 pli au milieu de la feuille de papier bordeaux. Marquez 2 autres plis de chaque côté, à 3 et 6 mm du premier. Pliez la feuille en 2 suivant chacun des plis et terminez par celui du milieu. Placez le patron sur le long du pli. Découpez le contour de la bouteille et les fentes. Repliez les parties « A » vers l'intérieur.

2- Découpez les feuilles

Pliez chaque feuille de papier en 2 et encartez-les les unes dans les autres. Placez le patron de l'intérieur le long du pli et découpez les feuilles au cutter en faisant attention à ce qu'elles ne se décalent pas. Ouvrez les pages et agrafez-les en leur milieu.

3- Assemblez le carnet

Encartez les feuilles blanches dans la couverture en faisant rentrer les parties « A » de la couverture dans les parties évidées des pages blanches. Ouvrez le carnet et glissez le pic en bois dans les parties « A ». Coupez l'excédent du pic en bois. Fixez-le aux feuilles blanches avec quelques gouttes de colle forte.

4- Préparez l'étiquette

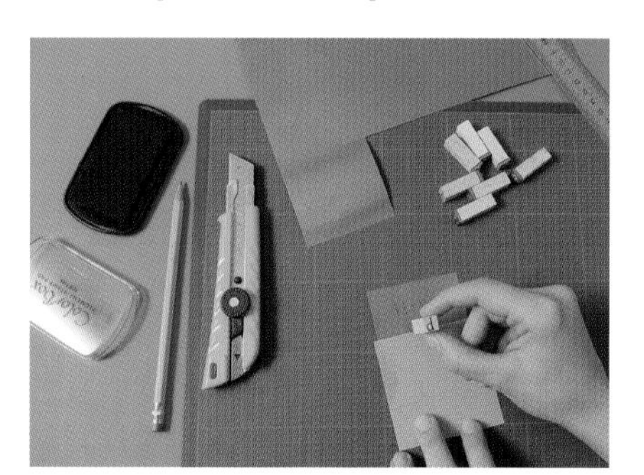

Dans le papier cuivré, découpez 1 rectangle de 65 x 60 mm. Placez 1 post-it pour vous servir de guide et tamponnez le mot « Livre » avec les tampons alphabet. Déplacez le post-it et tamponnez « de » puis « cave ».

5- Terminez le carnet

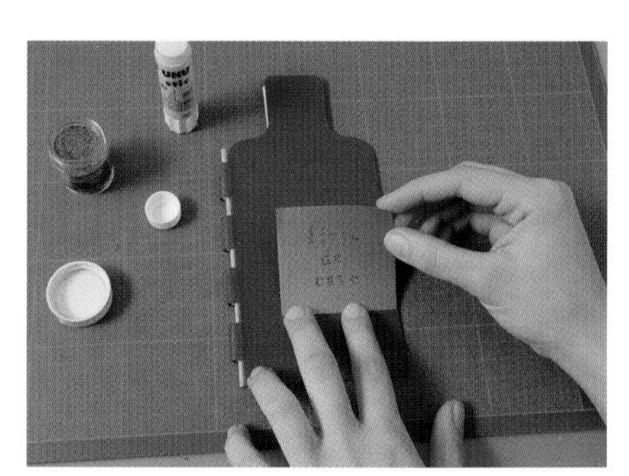

Saupoudrez généreusement la surface tamponnée de poudre à embosser. Évacuez l'excédent de façon à ce que les lettres apparaissent à nouveau nettement. Embossez le titre, puis collez l'étiquette avec le bâton de colle sur la couverture.

CHAUFFEZ LA POUDRE À EMBOSSER

Avant de chauffer la poudre, nettoyez les éventuels excédents avec un pinceau fin. Pour chauffer la poudre, vous pouvez placer l'étiquette au-dessus d'une plaque de cuisson électrique ou d'un grille-pain quelques instants jusqu'à ce que la poudre gonfle (la plaque peut-être remplacée par un fer à repasser ou mieux un pistolet à embosser).

Un album de famille

Les portraits anciens sont soulignés d'un cadre de papiers de couleur et cousus sur la couverture d'un album trompe-l'œil.

Avec l'aimable autorisation de Loisirs & Création. Peinture Ressource. Fournitures : Loisirs & Création.

NIVEAU
Moyen

TEMPS
1 h 30

Les outils

- Cutter ✓ Cutter circulaire
- Règle métallique
- Tapis de coupe
- 2 feuille A4 de papier-calque
- Papier machine
- Ciseaux ✓ Crayon
- Bâton de colle
- Marqueur noir
- Aiguille
- Machine à coudre
- Pochoir coluzzle cercles
- Ordinateur et imprimante

Le modèle

- 1 album photo (21 x 29,7 cm)
- 1 feuille de scrap rayée multicolore « Scarlet's Letter » (Basicgrey)
- 1 m de ruban d'extra-fort écru (larg. : 1,4 cm)
- Photocopies couleur de 4 photos
- 3 feuilles A4 de papier bleu clair, vert mousse et rouge
- Fils à coudre bleu, rouge et vert
- 4 mini-attaches parisiennes (1 bleue, 2 rouges et 1 verte)

ASTUCE
Les photos sont photocopiées pour ne pas abîmer les tirages originaux. En photocopiant en couleur des photos en noir et blanc, vous obtiendrez un résultat de meilleure qualité qu'une photocopie en noir et blanc.

1- Préparez les éléments

Découpez 1 rectangle de 21 x 29,7 cm dans la feuille de scrap rayée (rayures verticales). Découpez les photos : de gauche à droite, 9,3 x 7,3 cm, 7,9 x 5,3 cm, 8 x 3,3 cm et 4 cm de diamètre. Découpez au cutter les rectangles et découpez le cercle avec le pochoir coluzzle et le cutter circulaire. Découpez 1 bande de 0,5 x 29,7 cm dans le papier rouge.

2- Fixez les photos

Tracez des repères à 3 cm du bas du rectangle rayé (emplacement du ruban). Positionnez les photos, tracez des repères au crayon puis dessinez 1 attache de ficelle au-dessus de chaque photo. Cousez à la machine (point droit) le tour de chaque cadre et le tracé de la ficelle au crayon. Pliez le ruban en 2, placez la moitié droite sur les repères (à 3 cm du bord inférieur, pliure du ruban à gauche) et placez la bande rouge au milieu. Cousez le tout au point zigzag.

3- Décalquez le texte

Sur l'ordinateur, écrivez « Album de » avec la police Big Caslon (corps 48) et « famille » avec la police Hullunkruunu (corps 72). Imprimez « Album de » sur du calque et « famille » sur du papier machine. Découpez 1 rectangle de 1,7 x 7,7 cm pour le texte « Album de » et collez-le sous la 1re photo. Découpez une chute de papier-calque et posez-le sur le mot « famille ». Décalquez ce mot et reportez-le sous le ruban, sous le cadre vert mousse et le cadre rond, puis colorez les lettres en noir avec le marqueur.

4- Placez les attaches

Percez l'angle de chaque « attache » de cadre avec l'aiguille et placez dans chaque trou des mini-attaches parisiennes de la même couleur que le fil à coudre. Collez la couverture terminée sur la couverture de l'album photo.

MATEZ LES PHOTOS

Le matage souligne et met en valeur vos photos. Collez chaque photo sur une feuille de papier de couleur et découpez le contour en laissant une marge régulière tout autour. La marge peut varier pour chaque photo : ici, de gauche à droite, papier bleu clair : marge de 2 mm ; papier rouge : marge de 2 mm ; papier vert mousse : marge de 4 mm ; papier rouge : marge de 8 mm. Vous pouvez également découper le contour des papiers de couleur avec des ciseaux à lames décoratives.

Un herbier poétique

Soulignez d'une ombre de papier vos plus belles trouvailles botaniques et rassemblez-les dans un herbier décoré de frises.

NIVEAU
Facile

TEMPS
45 mn

Les outils

- X-Acto
- Tapis de coupe
- Petit pochoir de lettrages
- Ordinateur
- Colle latex
- Ruban adhésif double face
- Carrés adhésifs 3D
- Crayon et gomme
- Stylo-feutre fin vert foncé
- Stylo-feutre jaune d'or
- Ciseaux à lames décoratives « majestic »

Le modèle

- 1 carnet à spirales à pages vertes (18 x 18 cm)
- 2 feuilles A4 de papier turquoise
- 1 feuille d'arbre ou 1 fleur séchée (ici, 1 feuille de ginkgo)
- 1 tampon représentant une plante assortie
- Encres vertes pour tampon
- 1 porte-étiquette métallique ovale de 6 cm
- 2 attaches parisiennes jaunes
- 1 petite étiquette adhésive percée d'un trou
- 20 cm de fil argenté

ASTUCE
Le texte de la page de gauche peut raconter à quelle occasion vous avez ramassé la feuille, ou encore les particularités botaniques de la plante.

1- Découpez l'ombre

Positionnez la feuille dans un angle du papier turquoise et tracez le contour au crayon sans trop appuyer. Découpez cette ombre avec l'X-Acto. Laissez de côté.

2- Créez les étiquettes

a) Le porte-étiquette métallique : Prélevez 1 page dans le carnet et tracez au crayon l'intérieur du porte-étiquette. Avec le pochoir, tracez le nom de la plante au feutre fin vert foncé. Au besoin, écrivez à la main la 2e partie d'un nom composé si le lettrage du pochoir est trop grand. Coupez l'ovale et disposez-le dans le porte-étiquette. Fixez-le dans l'angle de « l'ombre » turquoise avec 2 attaches parisiennes.
b) La petite étiquette adhésive : Coloriez au feutre jaune d'or la petite étiquette et écrivez au feutre fin vert foncé le lieu et la date de la cueillette.

3- Composez la page

Collez dans l'angle droit « l'ombre » de la feuille avec son étiquette. Positionnez la feuille par-dessus, un peu décalée, et collez-la avec des petits morceaux de ruban adhésif double face. Passez le fil argenté dans l'étiquette jaune et collez-le au dos de la frise verte. Positionnez et collez la frise dans l'angle haut gauche.

4- Écrivez votre texte

Composez votre texte sur l'ordinateur (police « Bradley Hand », gras, taille 14, couleur verte, mode centré). Imprimez-le sur le papier turquoise. Tracez 1 marge de 2 à 3 cm autour du texte et découpez aux ciseaux à lames décoratives. Collez le texte sur la page opposée à l'aide de 4 carrés adhésifs 3D.

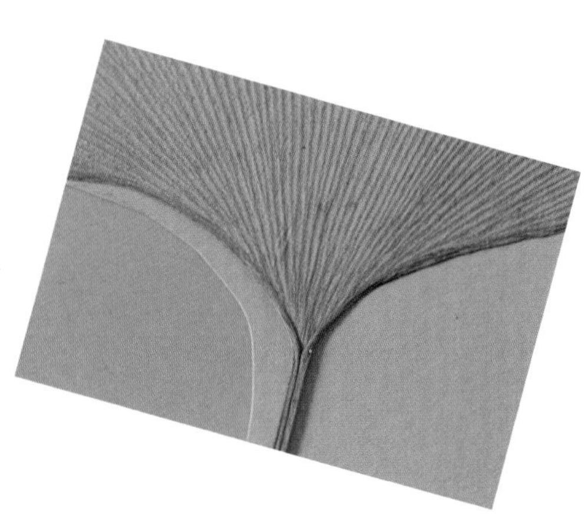

CRÉEZ UNE BORDURE DÉCORATIVE EN RELIEF

Commencez une frise au tampon dans un angle de la page verte prélevée dans le carnet. Frottez le tampon de 2 ou 3 verts différents et alignez soigneusement les motifs le long de 2 côtés en angle. Laissez sécher puis découpez la frise à 4 mm environ des feuillages. Collez sur l'envers 6 ou 7 carrés adhésifs 3D.

L'album de classe

Rassemblez les photos de classe de chaque enfant dans un album décoré de tous ses accessoires d'écolier photocopiés.

Avec l'aimable autorisation de Loisirs et Création. Photo : DR.

NIVEAU
Difficile

TEMPS
1 h 30

Les outils

- Cutter
- Crayon de papier
- Règle graduée
- Tapis de coupe
- Colle forte en tube
- Bâton de colle
- Ciseaux fins

Le modèle

- 32 feuilles de Canson blanc format raisin 200 g/m²
- 1 feuille de papier jaune d'or format raisin
- 2 cartons ; 22 x 27,5 cm (ép. : 2 mm)
- 1 feuille de cahier d'écolier
- plastique adhésif transparent d'écolier (70 x 30 cm)
- Accessoires d'écolier (crayons de couleur, feutres, scotch, etc.)

ASTUCE
Chaque génération d'écolier a ses outils fétiches. Personnalisez la couverture de l'album de chacun des enfants en photocopiant ses fournitures préférées.

1- Préparez les pages

Découpez 31 rectangles de 29 x 21 cm et 1 de 27 x 21 cm dans le Canson blanc. Rainurez les 31 feuilles de 29 x 21 cm à 2 cm du petit bord. Repliez cette bande vers l'intérieur de la feuille et collez-la sur la feuille suivante. Collez la dernière feuille au bord replié sur la feuille de 27 x 21 cm.

2- Reliez l'album

Découpez 1 bande de 6,3 x 21 cm et rainurez-la à 2,5 cm de chaque bord vertical pour plier les bords. Collez cette « barrette » sur la première et la dernière feuille pour les relier.

3- Créez la couverture

Découpez 1 bande de 22,5 x 65 cm de papier jaune. Collez-la sur 1 carton et rainurez-la. Faites une 2e rainure parallèlement à la 1e, espacée de 1,7 cm (l'épaisseur de l'album + les 2 épaisseurs de carton) et collez le 2e carton contre cette 2e rainure avec la colle forte. Découpez le papier jaune bien ajusté autour du carton.

4- Décorez la couverture

Photocopiez des accessoires d'écolier. Découpez soigneusement le contour des éléments photocopiés avec des ciseaux fins. Faites des essais de disposition sur la page, en plaçant en premier la page de cahier. Écrivez un titre sur la feuille de cahier. Posez le rectangle de plastique adhésif transparent sur le plan de travail et posez la couverture ouverte sur la face adhésive. Coupez les coins et repliez les bords sur l'intérieur de la couverture.

5- Couvrez l'album

Placez l'album au centre de la couverture et collez les 2 pages blanches du début et de la fin sur le carton avec la colle forte pour cacher les bords de l'adhésif.

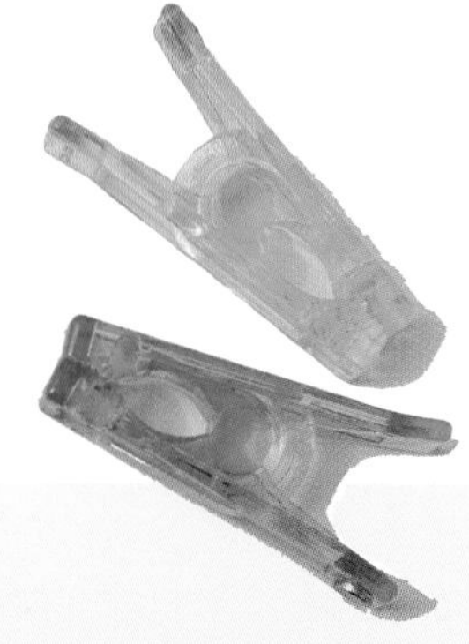

CRÉEZ UN DÉCOR EN TROMPE-L'ŒIL

Lorsque la composition vous convient, collez un à un les éléments avec de la colle en bâton (la colle forte en tube risque de former des épaisseurs et de baver). Découpez le surplus. Vous pouvez accentuer le trompe-l'œil en traçant l'ombre des objets avec un crayon de couleur gris. Pour bien dessiner l'ombre, posez les vrais objets sur le plan de travail, éclairez-les avec une lampe forte et dessinez sur la couverture d'album les ombres que vous voyez se reporter sur le plan de travail.

Une couverture d'album

Personnalisez la couverture de son album d'anniversaire en l'habillant de papiers graphiques et de motifs délicats.

Avec l'aimable autorisation de Loisirs et Création. Boîte : Bookbinders.

NIVEAU
Moyen

TEMPS
1 h 30

Les outils

- Cutter
- Tapis de coupe
- Crayon
- Règle métallique
- Gomme
- Ruban adhésif double face de 1 cm
- Ruban adhésif crêpe
- Ciseaux
- Colle en bombe
- Perforatrice à copie

Le modèle

- 1 classeur à fenêtre à recouvrir (Ethnik de Toga)
- 1 carnet de feuilles de scrap d'inspiration NICE Artemio avec étiquettes
- Lettres adhésives noires
- Planche de monogrammes stickers
- 1 lien noir
- Éléments de décor : fleur, jouet, photo

ASTUCE
Coordonnez la décoration de la couverture et des pages de l'album en collant un des décors du carnet d'inspiration sur chaque page.

1- Préparez les papiers

Choisissez des papiers assortis dans le carnet d'inspiration. Faites un montage des papiers sur la couverture, découpez-les pour les mettre au format et assemblez-les temporairement avec un petit adhésif crêpe. Repérez les trous de passage des vis sur le côté droit du montage et faites les trous avec la perforatrice à copie.

2- Habillez les fenêtres

Reportez le contour général des 4 fenêtres sur un papier ; ici, le choix s'est porté sur un décor de 4 grands carrés de couleurs différentes. Tracez le contour au crayon à l'intérieur des 4 ouvertures.

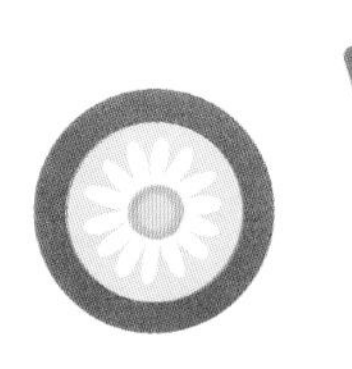

3- Collez les papiers

Collez le montage de l'étape 1 avec la colle en bombe. Enlevez les adhésifs et organisez l'ordre de collage. Collez bord à bord la partie haute de l'album. Collez le rectangle rayé en faisant coïncider les perforations. Terminez par le papier d'angle à damier. Collez 1 carré de papier de la taille de la fenêtre à l'intérieur de la couverture avec un adhésif double face posé autour du cadre.

4- Collez les étiquettes

Découpez 2 étiquettes dans le carnet d'inspiration. Collez 1 étiquette en hauteur sur du papier vert avec une marge de 0,7 cm, recoupez les angles, perforez un trou et passez le lien noir. Écrivez la date avec les lettres adhésives noires. Écrivez le lieu sur l'étiquette en largeur.

5- Décorez

Collez à l'intérieur des fenêtres, 1 monogramme, 1 photo, 1 fleur, 1 jouet, etc. Collez les lettres adhésives à l'intérieur des damiers de couleur, le prénom et l'âge. Numérotez l'album avec un chiffre de couleur découpé sur une planche de chiffres.

DÉCOREZ DES FENÊTRES ÉVIDÉES

Centrez la couverture d'album sur le papier choisi, tracez le contour des 4 ouvertures, enlevez la couverture et découpez précisément la croix au cutter sur le tapis de coupe. Gommez les traits de crayon. Encollez l'envers de la croix avec la colle en bombe sur un papier journal. Positionnez la découpe au centre de la couverture sur la croisée de la fenêtre. Lissez le papier pour qu'il adhère.

Un petit album en boîte

Niché au creux d'une boîte métallique, cet adorable album rond est composé de pages décorées et reliées par une petite manille.

Avec l'aimable autorisation de Loisirs & Création. Peinture Ressource. Fournitures : Loisirs & Création.

NIVEAU
Facile

TEMPS
1 h 30

Les outils

- Shape cutter
- Gabarit pour shape cutter « disques »
- Tapis de coupe
- Règle métallique
- Lettres tampons
- Emporte-pièces (diam. : 0,5 cm)
- Marteau
- Colle en bombe

Le modèle

- 1 boîte ronde en métal avec un couvercle
- 1 petite manille
- Feuilles de papier de couleurs unies et à motifs
- Photos en couleurs
- Gommettes rondes
- Encreur pour tampon
- Peinture en bombe

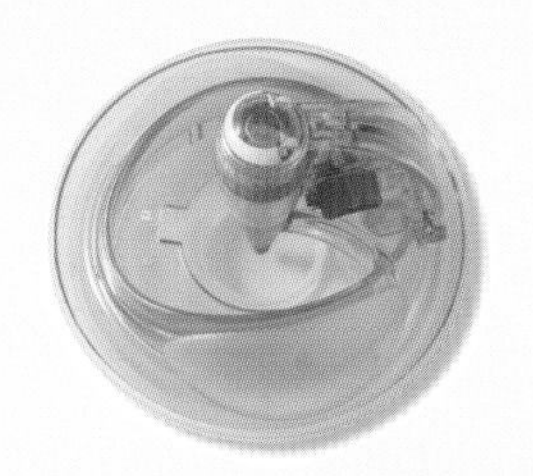

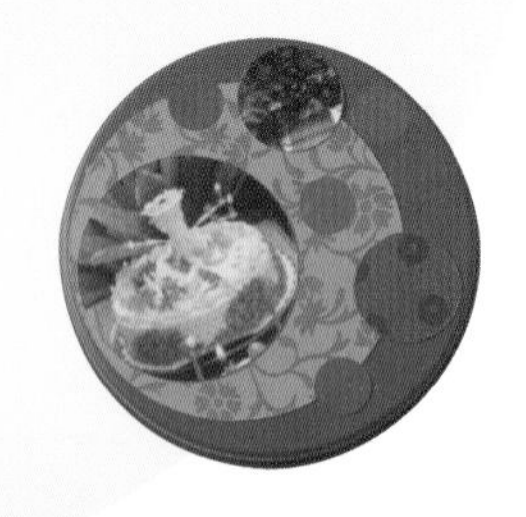

ASTUCE
Vous pouvez remplacer la manille par un ruban.

1- Peignez la boîte

Avec la peinture en bombe, peignez la boîte et son couvercle. Pour éviter les coulures, appliquez de fines couches de peinture en les laissant sécher entre chacune d'elles jusqu'à obtenir une opacité complète de la couleur.

2- Découpez les disques

Mesurez le diamètre intérieur de la boîte et découpez des disques avec le shappe cutter en choisissant sur le gabarit de découpe le diamètre de rond le plus adapté. Découpez autant de disques que vous voulez réaliser de pages dans les différentes feuilles de papier ainsi que dans certaines des photos. Découpez des ronds de tailles inférieures de la même manière dans les feuilles de papier comme dans les photos.

3- Collez les ronds

Vaporisez une fine couche de colle en bombe au dos des petits disques et fixez-les sur les grands disques en variant les couleurs et les motifs. Placez des gommettes de couleur de différentes tailles en veillant à donner du dynamisme à l'ensemble. Avec les lettres tampons et l'encreur, réalisez les différents lettrages sur chacune des pages. Écrivez le nom des personnes photographiées, la date de l'événement, le lieu...

4- Réalisez le couvercle

Fixez 1 des grands disques précédemment décorés avec de la colle en bombe sur le couvercle de la boîte. Choisissez l'image qui illustre le mieux votre carnet : elle servira de « couverture » à la manière d'un album photo.

5- Reliez les pages

Avec l'emporte-pièces frappé au marteau, réalisez 1 trou sur chacune des pages à 0,5 cm du bord. Reliez toutes les pages ensemble en les plaçant dans la tige de la manille. Fermez cette dernière pour maintenir l'ensemble.

UTILISEZ LE SHAPE CUTTER

Le shape cutter est un outil de précision utilisé pour la découpe. Ressemblant à une petite toupie, il est muni d'une toute petite lame de cutter qui pivote dans le sens de la coupe. Réglable en profondeur, il permet la découpe de différentes épaisseurs de papier. On peut l'utiliser pour découper des formes libres ou le combiner avec des gabarits de découpe en plastique rigide : ronds, carrés, feuilles d'arbres, lettres, cœurs... et tant d'autres. Beaucoup plus précis qu'un cutter, il vous permettra d'apporter une grande minutie à vos créations.

Un album chocolaté

Derrière sa couverture cartonnée plus vraie que nature,
ce carnet réunit les recettes de vos meilleurs desserts au chocolat.

Avec l'aimable autorisation de Loisirs et Création.

NIVEAU
Moyen

TEMPS
1 h

Les outils

- Cutter
- Crayon
- Bâton de colle
- Règle métallique
- Tapis de coupe

Le modèle

- 2 feuilles A4 de papier fort marron
- Carton micro-cannelures marron
- Papier kraft
- Feutre marron
- Papier d'aluminium de récup (enveloppe de tablettes de chocolat)
- 1 cahier d'écolier reliure tissu sans spirales (22 x 17 cm)

ASTUCE
Vous pouvez imprimer le titre du carnet avec l'ordinateur sur une feuille de papier kraft de format A4, avant de la découper.

1- Découpez les éléments

Découpez 2 rectangles de papier fort marron de 22 x 11 cm. Dans le carton micro-cannelures marron, découpez 1 rectangle de 10,4 x 9,5 cm, puis 12 rectangles de 4 x 2,5 cm (découpez 1 bande de 4 cm de haut et recoupez tous les 2,5 cm en coupant dans les striures).

2- Assemblez

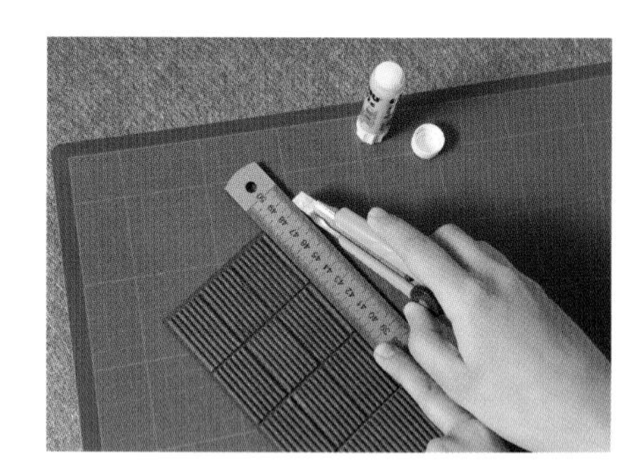

Collez les petits rectangles de carton micro-cannelures sur 1 rectangle de papier marron, en partant de 2 mm du bord gauche, et en les espaçant de 1,5 mm, soit 3 rangs de 4 rectangles. Collez en dessous le rectangle micro-cannelures de 10,4 x 9,5 cm. Recoupez le bord droit du fond de papier marron à 2 mm des rectangles de carton micro-cannelures.

3-Déchirez les papiers

Découpez 1 carré de 13 cm de côté de papier d'aluminium et posez-le devant vous, face mate dessus. Lissez-le à la main, puis déchirez-le en biais, en partant de la gauche, à 5 cm du bord supérieur, et en allant jusqu'au coin des bords droit et supérieur. Découpez 1 carré de papier kraft de 13 cm de côté et posez-le face mate dessus. Déchirez-le comme le papier d'aluminium.

4- Formez la couverture

Collez le papier d'aluminium sur le carton micro-cannelures en le calant sur le bord inférieur et en le centrant de manière à obtenir un rabat équivalent à droite et à gauche. Encollez les rabats et repliez-les au dos du papier marron. Collez le papier kraft sur le papier d'aluminium en le décalant vers le bas. Les bords dépassent sur les côtés et en bas. Recoupez les angles, encollez et repliez les rabats. Écrivez le titre sur le papier kraft au feutre marron.

5- Assemblez le carnet

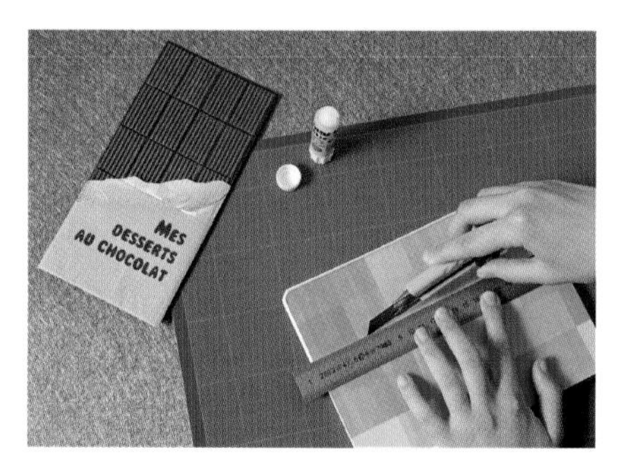

Découpez le cahier. Collez la couverture de chocolat sur la couverture du cahier, puis habillez le dos en collant le 2e rectangle de papier marron. Découpez l'excédent au cutter.

DÉCOUPEZ LE PAPIER

Alignez un côté de la couverture de « chocolat » le long de la reliure du cahier. Tracez l'autre côté sur la couverture du cahier. Découpez le cahier suivant ce tracé en vous guidant avec la règle métallique et en incisant quelques pages ensemble à chaque trait du cutter. Travaillez progressivement, en conservant l'appui sur la règle pour maintenir les feuilles restantes serrées. La lame du cutter prend alors appui le long de la découpe. Vous pouvez choisir de faire un carnet moins épais, à partir d'un cahier qui ne comportera donc pas d'épaisseur de reliure : dans ce cas, vous découperez d'un seul tenant un rectangle de papier marron, plié en son milieu, pour recouvrir l'avant et le dos du carnet.

Des carnets bleus et or

Fermés par un lien de satin, ces carnets précieux aux motifs abstraits sont réalisés à partir d'une harmonie de papiers cousus.

Avec l'aimable autorisation de Loisirs & Création. Peinture Ressource. Fournitures : Loisirs & Création.

NIVEAU
Facile

TEMPS
1 h

Les outils

- Cutter
- Tapis de coupe
- Ciseaux
- Règle métallique
- Compas avec cutter rotatif
- Bâton de colle
- Machine à coudre avec 1 aiguille n° 80 ou n° 90
- 1 aiguille à coudre
- 2 pinces à dessin

Le modèle

Pour 1 carnet

- Papier bleu (23 x 30 cm ; 160 g)
- Papier mûrier bleu (25 x 32 cm)
- Assortiment de chutes de papiers imprimés et unis dans une harmonie de bleus
- Chute de papier népalais or
- 12 feuilles A4 de papier esquisse
- 1 feuille A4 de papier-calque blanc à motifs ton sur ton
- 2 rubans de satin bleu (long. : 24 cm ; larg. : 1 cm)
- Fil à coudre polyester bleu et blanc

ASTUCE
Si votre compas ne dispose pas d'un adaptateur, vous pouvez découper les cercles au pochoir coluzzle.

1- Découpez les papiers

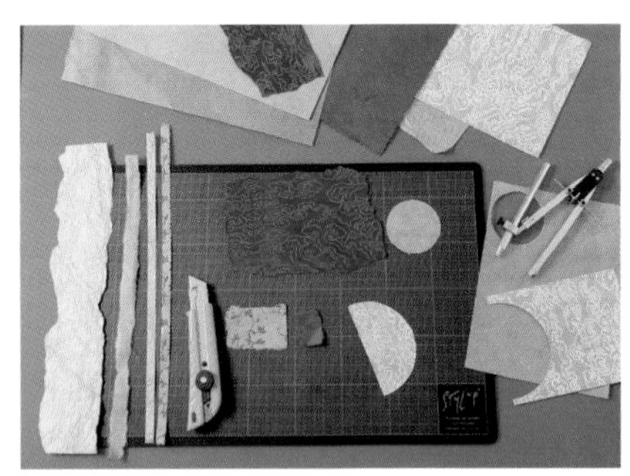

Découpez 1 cercle (diam. : 6 cm) de papier turquoise uni et 1 demi-cercle (diam. : 10 cm) de papier bleu clair imprimé. Déchirez 1 rectangle de 17 x 11 cm de papier marine imprimé, 1 petit carré turquoise uni et 1 petit rectangle turquoise imprimé. Déchirez 1 large bande de papier népalais or, de manière aléatoire, qui mesure toute la longueur du papier de fond de la couverture, puis découpez au cutter 1 fine bande de même longueur. Découpez 1 fine bande turquoise imprimée. Déchirez 1 bande bleu clair de 15 mm, en pliant le papier au préalable pour bien le déchirer.

2- Composez la couverture

Pliez en 2 la feuille de papier mûrier bleu de 25 x 32 cm pour marquer la moitié de la future composition. Reposez-la à plat et commencez par disposer le grand rectangle, le demi-cercle et la large bande or. Puis le cercle, les petits morceaux rectangulaires et les autres bandes.

3- Renforcez la couverture

Posez le papier bleu (160 g) sur l'envers de la couverture, repliez les bords. Collez les bords pliés sur l'intérieur et réduisez de 2 mm chaque bord du papier bleu à la règle et au cutter. Replacez ce papier retaillé à l'intérieur de la couverture. Glissez les rubans entre les 2 papiers, au milieu des bords droit et gauche, puis cousez-les sur leurs 4 côtés, à 3 ou 4 mm des bords.

4- Assemblez le carnet

Pliez en 2 les 12 feuilles de papier esquisse. Retaillez au cutter le bord qui a dû se décaler lors du pliage. Glissez l'ensemble dans le papier-calque blanc, lui aussi plié en 2. Marquez davantage le pli de la feuille centrale pour suivre sa ligne à la machine à coudre. Ouvrez les feuilles et placez-les, pli contre pli, dans la couverture. Maintenez-les avec les pinces à dessin. Sur la machine, conservez la canette bleue et installez le fil blanc sur la bobine. Cousez les feuilles et la couverture ensemble le long du pli au point droit réglé sur 4. Pratiquez cette fois 1 ou 2 allers-retours pour nouer les fils. Passez les fils à l'aiguille à l'intérieur du carnet, nouez et coupez. Nouez les rubans.

COUSEZ LES PAPIERS

« Décomposez » délicatement la feuille de couverture en posant les morceaux de papier à plat sur le plan de travail sur le même modèle de composition. Fixez avec quelques points de colle le 1er papier sur la feuille de couverture. Réglez la machine à coudre sur « 3 » au point droit, ou mieux, sur un point « doublé » que l'on trouve généralement dans les points stretch. Cousez la forme de papier à 3 ou 4 mm de ses bords avec le fil bleu. Coupez les fils à 10 cm de la couture et passez-les sur l'envers avec l'aiguille pour les nouer. Puis recomposez votre feuille de couverture en fixant chaque fois la pièce à coudre avec quelques points de colle. Cousez sur chaque bord les bandes les plus larges et les bandes les plus fines d'une seule couture au milieu.

Un carnet de santé

Personnalisez et protégez le carnet de santé de bébé en réalisant cette housse de papier décoré de fines coutures de fil orangé.

Avec l'aimable autorisation de Loisirs et Création.

NIVEAU
Moyen

TEMPS
1 h 30

Les outils

- Cutter
- Crayon de papier
- règle graduée
- bâton de colle
- compas
- machine à coudre
- gomme
- tapis de coupe
- ciseaux

Le modèle

- 1 tampon alphabet
- encre violette
- fil à coudre orangé assorti à la page de scrap
- 1 page de scrap à motifs orange
- 1 feuille blanche format raisin 180 g

1- Préparez la couverture

Tracez et découpez 1 rectangle de 50 x 36 cm dans la feuille blanche et tracez des repères au crayon de papier à 8 cm du bord de 50 cm. Rabattez le papier jusqu'à ce repère et pliez. Repliez la feuille en 2 dans l'autre sens (vous obtenez 1 rectangle de 25 x 22 cm).

2- Tracez des repères

Sur le grand rabat de la couverture de 16 cm, faites un point au compas tout en haut à 8 cm (au milieu), puis, toujours à partir du même centre, tracez des arcs de cercle de diamètre : 3,5 cm, 4,5 cm, 5,5 cm et 6,5 cm. Tracez des lignes verticales tous les 2 cm sur la couverture.

3- Cousez la couverture

Montez du fil orangé sur la machine à coudre et faites des rangées de points droits en suivant les lignes verticales tracées à l'étape 2.

4- Tamponnez

Tamponnez le texte avec le tampon–alphabet et l'encre violette en vous guidant sur les tracés des arcs de cercle. Une fois l'encre sèche, effacez soigneusement avec une gomme tous les repères tracés au crayon.

5- Collez la page de scrap

Découpez un rectangle de 25 x 10 cm dans le papier de scrap orange. Avec le bâton de colle, collez ce rectangle sur le haut de la page, en glissant la feuille légèrement sous le papier blanc cousu.

ARRÊTEZ UNE COUTURE

Lorsque vous arrivez à la fin d'une ligne de points droits, coupez les fils en laissant environ 5 cm de fil. Dégagez le papier de la machine. Sur l'envers de la couture, tirez le fil pour ramener le fil du dessus vers le dessous. Nouez les 2 fils et coupez l'excédent. Vous pouvez déposer un point de colle forte sur le nœud pour le renforcer.

Les carnets de l'océan

Avec une aiguillée de ficelle, cousez de charmants mini-carnets de papier recyclé à décorer de perles ou de jolis coquillages.

Avec l'aimable autorisation de Loisirs & Création. Peinture Ressource.

NIVEAU
Facile

TEMPS
45mn

Les outils

- Cutter
- Tapis de coupe
- Crayon
- Règle métallique
- 1 grosse aiguille
- 1 pince à dessin
- Poinçon
- Chute de papier blanc
- Ciseaux

Le modèle

- Papier matière
- Papier recyclé beige
- Ficelle
- Perles de verre

ASTUCE
En modifiant les dimensions, les papiers, les espaces entre les points de couture, les coloris de ficelle et les détails de finition (coquillages, perles), créez des carnets pour toutes les occasions !

1- Découpez les papiers

Découpez 1 rectangle de 22 x 7 cm dans le papier matière. Découpez 16 rectangles de papier recyclé beige de 21 x 7 cm et pliez-les en 2. Sur un morceau de papier blanc de 7 cm de côté, tracez 1 ligne à 1 cm d'un bord, puis 4 repères espacés de 1,4 cm pour créer un gabarit de perçage.

2- Percez les papiers

Percez les 16 rectangles pliés : superposez-les 2 par 2, posez dessus le gabarit et maintenez l'ensemble avec la pince à dessin. Percez 4 trous avec le poinçon. Faites de même pour les 16 feuilles. Placez le rectangle de papier matière sur l'ensemble des feuilles pliées. Placez le gabarit dessus puis la pince à dessin. Percez le papier matière et enlevez le gabarit.

3- Commencez la couture

Enfilez la ficelle (env. 50 cm) sur l'aiguille et passez-la, de dessus vers le dessous, dans le 2e trou. Ressortez dans le 1er trou, passez sur le côté des papiers et ressortez dans le 1er trou. Passez autour de la tranche et ressortez dans le 1er trou.

4- Cousez le carnet

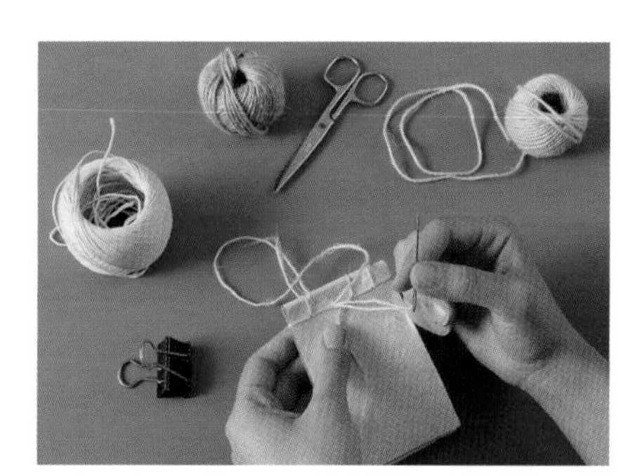

Passez l'aiguille dans le 2e trou (dessous vers dessous), dans le 3e trou (dessous vers dessus), puis dans le 4e trou (dessus vers dessous). Enlevez la pince. Revenez du dessous vers le dessus autour du côté des papiers. Passez autour de la tranche (dessus vers dessous) et piquez dans le 4e trou.

5- Terminez la couture

Poursuivez la couture en revenant jusqu'au fil du début. Nouez les 2 fils ensemble. Glissez des perles dans les fils en les maintenant par 1 petit nœud. Coupez l'excédent de ficelle et effilochez l'extrémité.

CHOISISSEZ VOTRE FICELLE

Vous pouvez coudre les carnets avec de la ficelle de cuisine, de la ficelle de chanvre colorée ou encore avec du coton à broder. Choisissez une ficelle solide pour pouvoir serrer les points de couture. Percez le papier en fonction du diamètre de la ficelle (vous devez pouvoir passer 3 fois la ficelle dans chaque trou).

Un mini-carnet de poche

Glissez dans votre sac ce petit carnet au design élégant, fermé par une languette de papier imprimé et marqué de vos initiales.

Avec l'aimable autorisation de Loisirs et Création.

NIVEAU
Moyen

TEMPS
1 h

Les outils

- Cutter
- Ciseaux
- Règle métallique
- Tapis de coupe
- Bâton de colle
- Ruban adhésif repositionnable
- Ruban adhésif
- Crayon

Le modèle

- 1 petit carnet (7,5 x 10,5 cm)
- 1 feuille A4 taupe
- 1 feuille A4 bleu lagon
- Tampons alphabet
- 1 feuille de scrap imprimée cercles (OCITO)
- 1 encreur rouge
- Machine à coudre

ASTUCE
Pour renforcer l'attache de papier imprimé, vous pouvez la recouvrir, avant de la découper, d'une bande de plastique adhésif transparent.

1- Préparez la couverture

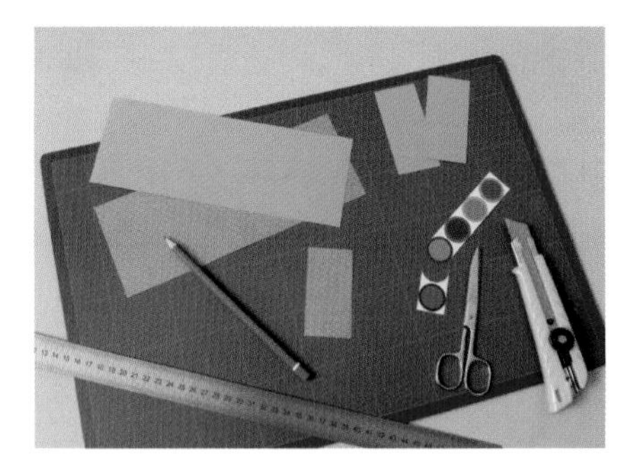

Tracez et découpez 1 rectangle de 23 x 8,5 cm dans les feuilles A4 taupe et bleu lagon, 1 bandeau de 4 x 7,5 cm dans la feuille A4 taupe et 2 rectangles de 4 x 8,5 cm dans la feuille bleu lagon. Découpez 1 bande incluant 4 cercles dans la page de scrap. Découpez aux ciseaux le dernier cercle en suivant l'arrondi.

2- Réalisez une attache

À l'aide du bâton de colle, assemblez les 2 rectangles bleu lagon et taupe de 23 x 8,5 cm. Pliez ce rectangle à 11 cm du bord en laissant un dos d'1 cm. Tracez 1 repère à 1,5 du bord droit et à 3 cm de chaque bord horizontal. Faites 2 fentes de 1,4 cm de large au cutter. Glissez le rectangle de 4 x 8,5 cm (plié sur lui-même en 3 dans le sens de la longueur) à travers les fentes. Rabattez au dos les 2 rubans pour qu'ils se superposent puis fixez-les avec du ruban adhésif.

3-Assemblez les éléments

Attachez à l'aide d'adhésif repositionnable les 2 rectangles de 4 x 8,5 cm à chaque extrémité de la couverture. Centrez et fixez la bande de cercles avec un adhésif repositionnable à 2,5 cm du bord qui ne contient pas l'attache. Cousez la couverture. Tamponnez vos initiales dans les ronds.

4- Placez le carnet

Glissez le carnet dans les petits rabats cousus à l'intérieur de la couverture.

COUSEZ LA COUVERTURE DU CARNET

Cousez à la machine à coudre le rebord de la couverture de l'album à 4 mm du bord au point droit, en commençant par le petit côté arrière. Vous pouvez utiliser un point plus sophistiqué et/ou fantaisie, vous pouvez également coudre plusieurs lignes côte à côte et même les entrecroiser. L'effet décoratif de la couture peut être modifié également selon la couleur du fil.

Cartes et enveloppes

Une invitation au soleil

Bouée, hublot et soleil sont reliés par une fine vague de papier-calque pour inviter vos amis à partager une croisière surprise.

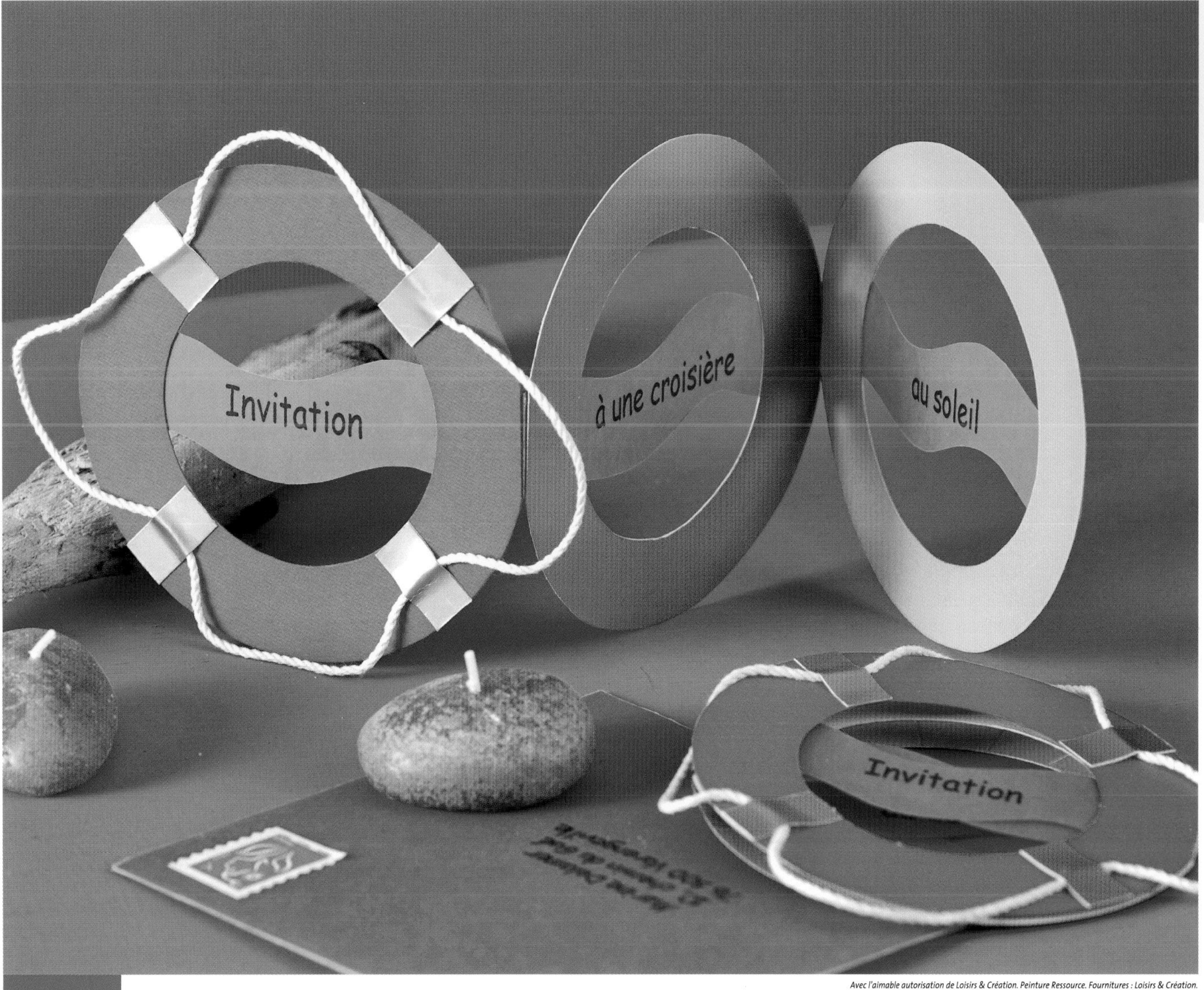

Avec l'aimable autorisation de Loisirs & Création. Peinture Ressource. Fournitures : Loisirs & Création.

NIVEAU
Facile

TEMPS
1 h

Les outils

- ✓ Ciseaux
- ✓ X-Acto
- ✓ Tapis de coupe
- ✓ Crayon
- ✓ Règle métallique
- ✓ Bâton de colle
- ✓ Kit pour la pose d'œillets

Le modèle

- ✓ Papiers forts jaune d'or, argenté et rouge
- ✓ 1 feuille A4 de papier-calque épais bleu
- ✓ Crayons de couleur orange et blanc
- ✓ 6 œillets (diam. : 4 mm)
- ✓ Perforatrice de bureau
- ✓ 36 cm de cordon blanc fin

1- Découpez le soleil

Découpez la forme extérieure du soleil dans le papier jaune d'or en suivant le gabarit. Avant d'évider l'intérieur, tracez les rayons aux crayons de couleur orange puis blanc. Évidez l'intérieur avec l'X-Acto.

2- Découpez le hublot

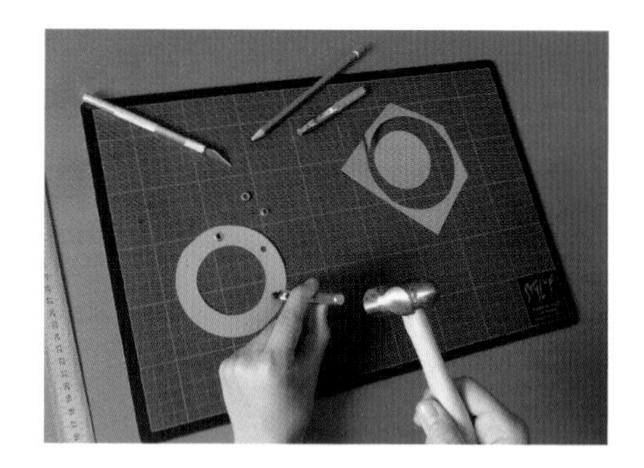

Découpez le hublot dans le papier argenté en suivant le gabarit. Évidez l'intérieur. Marquez au crayon l'emplacement des trous, percez puis posez 1 œillet dans chaque trou.

3- Découpez la bouée

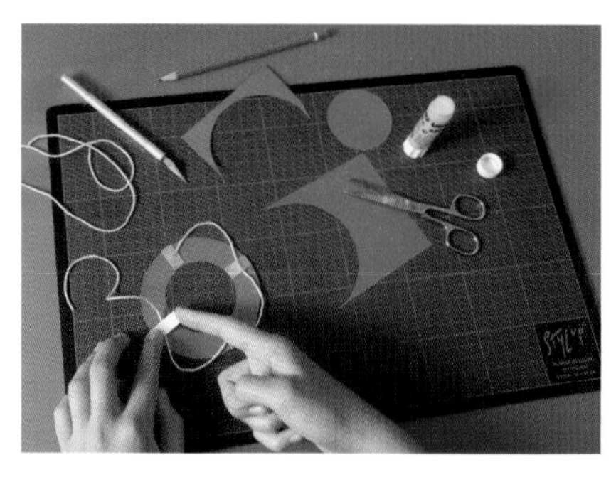

Découpez la bouée dans le papier rouge et évidez l'intérieur. Marquez au crayon les repères indiqués sur le gabarit. Collez dessus des rectangles de papier argenté de 2 x 1 cm en glissant dessous à chaque fois le cordon blanc. Les 2 extrémités du cordon sont cachées sous 1 rectangle de papier argenté.

4- Assemblez la carte

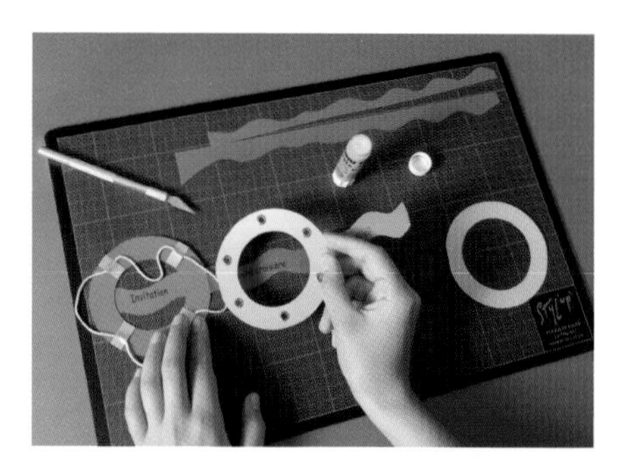

Photocopiez le texte sur la feuille de papier-calque bleu. Découpez-la et pliez-la en accordéon aux endroits indiqués sur le gabarit. Collez les 3 éléments sur la vague en commençant par celui du milieu (le hublot).

ASTUCE

Accrochez une étiquette sur le cordon de la bouée : vous écrirez dessus l'adresse et l'heure du point de rendez-vous.

Pour coller le calque, appliquez la colle, collez puis enlevez le papier-calque. Recollez-le, il colle tout de suite.

POSEZ LES ŒILLETS

Percez les trous sur les repères avec l'outil perforant du kit. Placez un œillet puis frappez avec l'outil sertisseur pour écraser la collerette sur l'envers du papier. Vérifiez la régularité du sertissage et frappez de nouveau au marteau si besoin : l'œillet ne doit pas bouger dans son logement. Vous pouvez remplacer les œillets métalliques par des œillets autocollants pour copie d'écolier placés autour de chaque perçage.

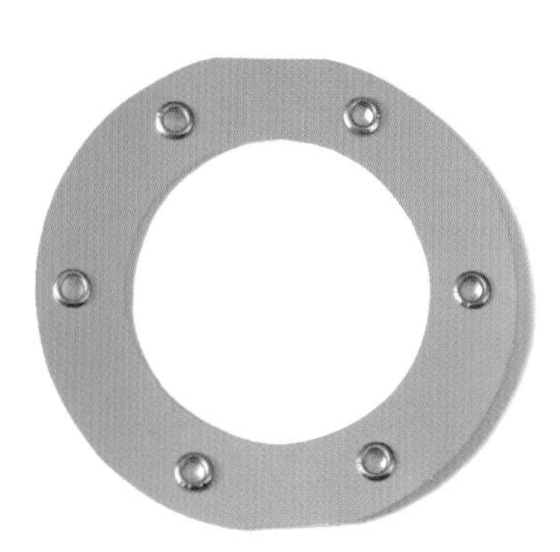

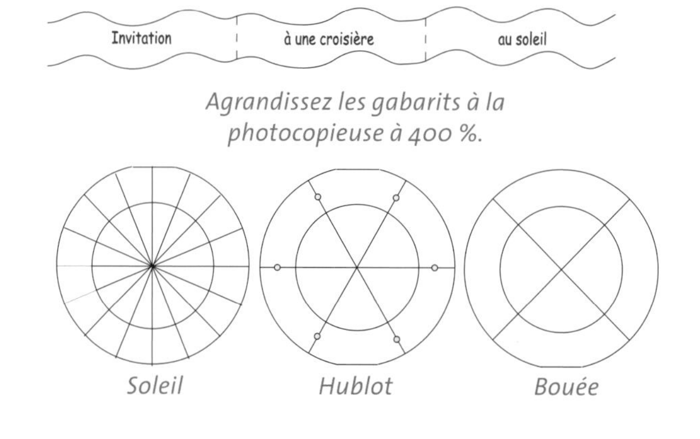

Un double edelweiss

Par un simple jeu de découpes de papiers de couleur, la silhouette de l'edelweiss se dédouble à l'intérieur de la carte.

Avec l'aimable autorisation de Loisirs & Création. Peinture Ressource. Fournitures : Loisirs & Création.

NIVEAU
Facile

TEMPS
1 h

Les outils

- ✓ Cutter
- ✓ Tapis de coupe
- ✓ Ciseaux
- ✓ Règle métallique
- ✓ Crayon
- ✓ 1 feuille A4 de papier-calque
- ✓ Emporte-pièces (diam. : 5 mm)
- ✓ Marteau
- ✓ Bâton de colle
- ✓ Colle en bombe

Le modèle

- ✓ 1 feuille A4 de papier blanc cassé (200 g)
- ✓ 1 feuille A4 de papier ficelle (120 g)
- ✓ 1 feuille A4 de papier gris (150 g)
- ✓ 1 feuille A4 de papier jaune (150 g)

Agrandissez le gabarit à la photocopieuse à 400 %.

ASTUCE
Nouez un ruban de couleur assortie sur la pliure de la carte.

1- Préparez les papiers

Dans le papier blanc cassé, découpez 1 rectangle de 12 x 24 cm. Pliez-le en 2 pour obtenir 1 carré de 12 cm de côté. Dans les papiers ficelle et gris, coupez 1 carré de 12 cm de côté.

2- Découpez les fleurs

Reproduisez le gabarit de la fleur à l'aide du papier-calque et du crayon sur le carré gris. Posez le carré de papier ficelle sous le carré gris et découpez aux ciseaux les contours de la fleur en prenant les 2 épaisseurs de papier en même temps.

3- Collez la fleur du dessus

Fermez la carte et collez la fleur en papier gris sur la première page avec la colle en bombe. Centrez bien le motif dans la page et évidez l'intérieur des pétales au cutter : ouvrez la carte afin de ne pas découper la page du dessous.

4- Collez la fleur du dessous

Ouvrez la carte et collez avec la colle en bombe la fleur en papier ficelle sur la page de droite en faisant bien attention à superposer ses pétales avec ceux de la fleur du dessus de la carte.

5- Réalisez les pistils

En laissant la carte ouverte, réalisez les pistils en plaçant une feuille de papier jaune sous la première page. Frappez l'emporte-pièces au marteau afin de perforer la fleur grise et obtenir en même temps des petits ronds jaunes.

6- Collez les pistils

Ramassez les petits ronds jaunes avec la pointe du cutter et appliquez de la colle en bâton dessus. Fermez la carte et collez les ronds sur la page intérieure au travers des perforations de la première page : de cette façon, vous êtes sûre de faire coïncider les trous avec les pistils jaunes.

COLLEZ LES PAPIERS

Si vous voulez encoller des feuilles de papier de faible grammage comme du papier de soie ou du papier de 80, 120 ou 200 g, vous pouvez utiliser de la colle en bombe. Plus le papier est fin, plus il absorbe l'humidité de la colle : il gondole et forme des plis. La colle en bombe étant « sèche », elle évitera ainsi toute déformation du papier. Si votre papier est de fort grammage (carton-bois, papier de 250, 300 g...), la colle en bombe ne sera pas suffisante. Utilisez de la colle vinylique qui pénètre dans les fibres du papier sans le faire gondoler et assure une bonne adhérence.

Des cartes arc-en-ciel

Créez des cartes et des enveloppes qui passent par toutes les couleurs de l'arc-en-ciel avec de fines bandes de papier de soie.

Avec l'aimable autorisation de Loisirs & Création. Peinture Ressource.

NIVEAU
Facile

TEMPS
30 mn

Les outils

- ✓ X-Acto
- ✓ Tapis de coupe
- ✓ Ciseaux
- ✓ Règle métallique
- ✓ Brosse plate
- ✓ Plioir
- ✓ 1 panneau de PVC ou d'altuglas (surface lisse)

Le modèle

pour 1 carte et 1 enveloppe :

- ✓ 1 feuille de papier de soie blanc
- ✓ Colle blanche pour textiles muraux diluée : 1 volume de colle pour 4 volumes d'eau
- ✓ Rectangles de papier de soie (23 x 10 cm) : rouge, orange (1 ou 2 nuances), jaune (1 ou 2 nuances), vert (1 ou 2 nuances), bleu cyan, bleu outremer, violet, rose vif et blanc

ASTUCE
Gardez tous les papiers de soie, même froissés, ils se retendent avec la colle.

1- Coupez des bandes

Pliez en 4 dans la longueur les rectangles de papier de soie. Avec les ciseaux, coupez des tronçons d'épaisseurs variables (entre 0,7 et 1,5 cm) pour obtenir des bandes de papier.

2- Faites un fond blanc

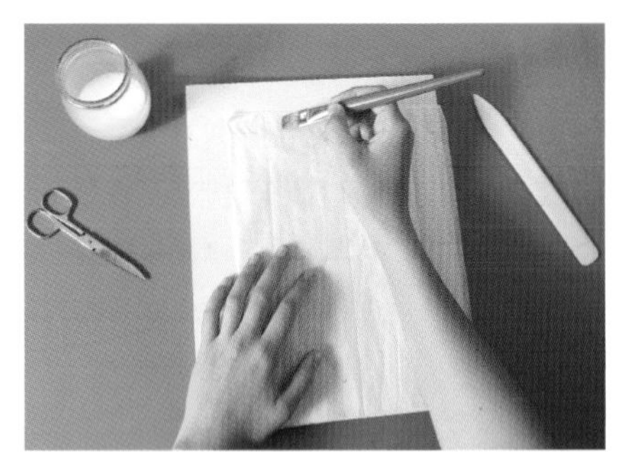

Coupez 1 rectangle de papier de soie blanc d'environ 17 x 25 cm. Étendez le papier de soie sur le panneau. Encollez-le de colle diluée avec la bosse plate puis chassez les bulles en repassant la brosse imbibée de colle diluée. Éventuellement, soulevez la feuille encollée et, avec la brosse plate, appliquez-la de nouveau sur le support. Écrasez les petits plis au plioir après séchage partiel.

3- Collez les bandes colorées

Toujours avec la brosse plate et la colle diluée, collez une à une les bandes de papier de soie de couleur en respectant la succession des couleurs du « spectre visible » : rouge, orange, jaune, vert, bleu et violet. Si vous en avez, ajoutez des demi-teintes.

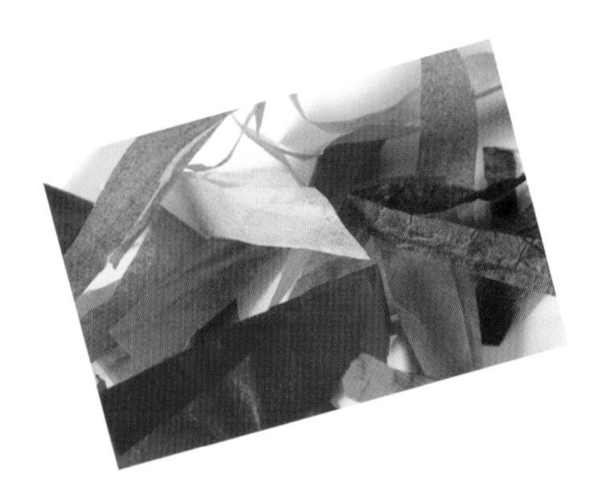

4- Variez les couleurs

Alternez des bandes blanches sur les couleurs vives. Vous pouvez aussi recouvrir partiellement la surface vive de papier de soie blanc puis de bandes colorées prolongeant les couleurs de l'autre moitié de la carte. Pour l'enveloppe. Collez côte à côte les 6 bandes du spectre sur la moitié du fond blanc. Recouvrez d'une 2e feuille blanche. Collez des bandes « mi-teintes » à cheval sur les bandes en place. Finissez cette couche avec 6 bandes vives côte à côte. Superposez des bandes obliques blanches. Ajoutez quelques morceaux de couleurs vives sur certaines parties des obliques blanches.

5- Formez les objets

Quand le papier est sec, décollez la feuille du panneau en soulevant un coin avec la pointe de l'X-Acto. Pliez les cartes en 2. Avec l'X-Acto et la règle métallique, coupez les bords droits ou laissez-les bruts. Réalisez des enveloppes sur mesure en vous inspirant du gabarit d'une enveloppe classique.

PLACEZ LES BANDES

Superposez 2 couches de même couleur. Jouez avec les transparences et placez des bandes à cheval sur 2 couleurs. Recouvrez ainsi toute la feuille de papier de soie blanche. Pour éviter les plis, soulevez et étirez précautionneusement la bande fraîchement encollée qui dispose alors d'une certaine élasticité (variable selon les couleurs). En cas de rupture, faites chevaucher les extrémités. La transparence varie également selon les couleurs et les papiers mouillés sont en général plus vifs. Laissez sécher. Passez le plioir sur la surface pour lisser et écraser les plis dès que les couleurs définitives apparaissent.

Une carte de cinéma

Comment faire plaisir à un cinéphile ? En lui offrant une carte d'abonnement glissée dans une carte imitant un clap de tournage !

Avec l'aimable autorisation de Loisirs & Création. Peinture Ressource. Fournitures : Loisirs & Création.

NIVEAU
Facile

TEMPS
1 h

Les outils

- ✓ Cutter
- ✓ Crayon
- ✓ Ciseaux
- ✓ Tapis de coupe
- ✓ Colle forte en tube
- ✓ Règle métallique
- ✓ 1 pièce de 2 euros

Le modèle

- ✓ 1 feuille A4 de Canson noir
- ✓ 1 chute de Canson blanc
- ✓ 1 mini-attache parisienne
- ✓ 1 grosse aiguille à coudre
- ✓ 1 crayon blanc

2,5 cm

bandes blanches rabat

bandes blanches pochette

Agrandissez les gabarits à la photocopieuse à 400 %.

1- Fabriquez la pochette

Découpez 1 rectangle de Canson noir de 22 x 20 cm puis pliez-le en 2 après l'avoir rainuré au cutter. Collez les 2 côtés avec la colle forte pour obtenir une pochette de 11 x 20 cm. Toujours dans le Canson noir, découpez 1 rectangle de 21 x 4,2 cm et pliez-le en 2 dans la longueur. Collez seulement 1 de ses côtés pour créer le rabat de la pochette.

2- Découpez les bandes

Dans 1 rectangle de Canson blanc de 4,2 cm de large, tracez 4 bandes blanches inclinées tous les 2,5 cm en suivant le schéma. Faites de même sur 1 rectangle de 2,1 cm de large. Attention, les bandes sont dans le sens opposé. Découpez les bandes.

3- Décorez la pochette

Sur la pochette, tracez au crayon des repères permettant de placer les bandes : 1 ligne horizontale à 4,2 cm du bord supérieur de la pochette, et des repères tous les 2,5 cm. Collez les bandes. Une bande dépasse sur le coin gauche de la pochette. Coupez-la et collez-la sur l'autre coin. Collez aussi les bandes sur le rabat après avoir tracé des repères tous les 2,5 cm.

4- Assemblez la carte

Avec 1 pièce de 2 euros, tracez 1 arrondi sur le coin gauche de la pochette. Découpez-le aux ciseaux. Emboîtez le rabat sur la pochette, partie collée sur la droite (elle dépasse) et partie ouverte sur la gauche. Tracez 1 point à environ 1 cm des bords supérieurs gauches du rabat. Avec l'aiguille, faites 1 trou traversant le rabat et la pochette et placez la mini-attache parisienne : la pochette s'ouvre en faisant tourner le rabat.

Mini-attaches parisiennes.

ASTUCE
Amusez-vous à adapter des titres de films célèbres en fonction du destinataire et de la circonstance du cadeau !

ÉCRIVEZ LES TEXTES

Avec le crayon blanc, tracez 1 ligne horizontale à 4 cm du bas de la pochette et, entre cette ligne et le bas, 1 ligne verticale à 7 cm du bord gauche. Écrivez les textes au crayon blanc dans les cases. Vous pouvez également tracer les lignes et écrire votre texte avec un stylo correcteur blanc à pointe fine.

Crêpe party

Avant de faire sauter les crêpes, photographiez-les !
Vous réaliserez en un clin d'œil une invitation amusante et originale !

Avec l'aimable autorisation de Loisirs & Création et Ocito. Peinture Ressource.

NIVEAU
Moyen

TEMPS
30 mn

Les outils

- ✓ Cutter
- ✓ Tapis de coupe
- ✓ Règle métallique
- ✓ Crayon
- ✓ Bâton de colle
- ✓ Compas
- ✓ Ciseaux
- ✓ Gomme
- ✓ Appareil photo numérique
- ✓ Ordinateur et imprimante

Le modèle

- ✓ 2 feuilles A4 de bristol blanc
- ✓ 2 feuilles A4 de papier photo
- ✓ 2 feuilles A4 de papier blanc
- ✓ Ciseaux fantaisie dentelés
- ✓ 1 cercle auto-agrippant adhésif Velcro (diam. : 2 cm) (magasins de bricolage)
- ✓ Feutres rose bonbon, fuchsia, jaune, orange et rouge

ASTUCE
Pour écrire les textes, vous pouvez utiliser l'ordinateur : imprimez le texte en noir sur un cercle, glissez le texte sous la carte et décalquez-le par transparence au feutre fuchsia.

1- Collez les photos

Collez les photos (la crêpe et la poêle) sur le bristol blanc. Posez un poids dessus (un livre par exemple) le temps que la colle sèche pour éviter que les papiers gondolent. Détourez la crêpe et la poêle aux ciseaux.

2- Préparez la carte

Tracez au compas 1 cercle de 14 cm de diamètre sur le papier blanc. Tracez des cercles concentriques selon les rayons suivants : 1 cm ; 2,3 cm ; 3,1 cm ; 4 cm ; 5 cm. Découpez le cercle extérieur à l'aide des ciseaux fantaisie. Évidez au cutter le cercle central de 2 cm de diamètre.

3- Coloriez la carte

Avec les feutres, coloriez le 1er cercle en jaune, le 2e en orange et le 3e en rose bonbon. Puis dessinez des petits ronds rouges sur le cercle orange et des ronds plus petits fuchsia sur le cercle rose bonbon.

4- Inscrivez le texte

Écrivez votre texte au crayon puis coloriez-le au feutre le long du cercle de 10 cm de diamètre, ainsi qu'au centre du cercle jaune.

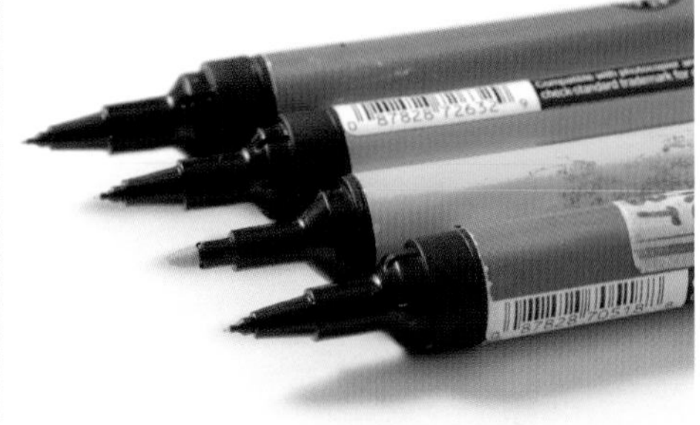

5- Assemblez

Collez 1 cercle auto-agrippant adhésif au centre de la poêle. Retournez la crêpe et collez au centre (côté blanc) l'autre pastille. Placez la carte au milieu de la poêle et recouvrez-la de la crêpe. Pliez le manche de la poêle sur la crêpe et glissez-la dans une enveloppe.

PHOTOGRAPHIEZ LA CRÊPE ET LA POÊLE

Avec un appareil photo numérique, photographiez une crêpe ainsi qu'une poêle. Transférez les photos sur l'ordinateur en réduisant leur taille respective pour que la crêpe mesure 14 cm de diamètre et la poêle 17,2 cm de diamètre. Vous n'êtes pas obligé de détourer les formes, vous les découperez à l'étape 2. Imprimez ces photos sur le papier photo.

Une carte graphique

Créez une carte aux motifs éclatants peints facilement à la gouache sans risque de déborder grâce à un filet de drawing-gum.

Avec l'aimable autorisation de Loisirs & Création. Peinture Ressource. Fournitures : Loisirs & Création.

NIVEAU
Facile

TEMPS
45 mn

Les outils

- ✓ Cutter ✓ Ciseaux
- ✓ Tapis de coupe
- ✓ Crayon
- ✓ Règle métallique
- ✓ Gomme
- ✓ Pinceaux (dont 1 vieux pinceau)
- ✓ Gouache orange et bleue
- ✓ Crayon
- ✓ 1 grosse aiguille
- ✓ Ruban adhésif repositionnable

Le modèle

- ✓ 2 feuilles A4 de bristol blanc
- ✓ 2 pages de scrap : 1 Adore collection « Blush » et 1 Season collection « Infuse » de Basicgrey
- ✓ Stylos nacrés vert et rouge
- ✓ 1 set de tampons alphabet antique (haut. : 0,5 cm)
- ✓ 1 étiquette adhésive ronde (diam. : 1,3 cm)
- ✓ 1 tampon cœur
- ✓ 1 set de tampons de chiffres (si possible de la même taille que les lettres)
- ✓ Mini-tampons encreurs turquoise et rouge

Agrandissez le gabarit à la photocopieuse à 280%.

1- Préparez la carte

Pliez en 2 la feuille de bristol et découpez-la pour obtenir 1 carte double de 14 cm de côté. Gardez les chutes. Décalquez sur la partie supérieure de la carte le contour des 2 fleurs bleues puis décalquez le reste des motifs. Collez du ruban adhésif repositionnable le long du trait qui délimite la partie supérieure de la carte (à l'emplacement de la bande bleue).

2- Peignez

À l'aide d'un vieux pinceau, déposez des petites taches de drawing-gum sur la partie supérieure de la carte ainsi que sur la chute de papier bristol puis tracez le contour intérieur des fleurs bleues (pour ne pas déborder). Laissez sécher le drawing-gum puis peignez sur les petites taches (autour des fleurs) en orange. Laissez de nouveau sécher.

PEIGNEZ SANS DÉBORDER

Le drawing-gum permet de créer des « réserves » qui empêchent la peinture d'adhérer sur le support ; il s'étale au pinceau (à réserver à cet usage). Une fois le produit sec, peignez la surface : la peinture n'adhère pas sur les motifs recouverts de drawing-gum. Gommez-le une fois la peinture sèche (vous pouvez également décoller les motifs très fins avec la lame d'un cutter). Le ruban adhésif repositionnable permet également de protéger une surface pendant sa mise en couleur, mais uniquement pour les lignes droites.

3- Retirez le drawing-gum

Avec la gomme, frottez sur les taches de drawing-gum pour le retirer. Décollez le ruban adhésif repositionnable. Décalquez les croix sur la partie peinte en orange et repassez-les au feutre bleu. Peignez les fleurs avec la gouache bleue. Avec le feutre bleu, coloriez les petits carrés de la bande centrale et repassez sur les motifs dessinés sur la partie inférieure de la carte. Décalquez les fleurs sur les chutes de papier peint en orange.

4- Attachez les fleurs

Découpez le contour des fleurs orange aux ciseaux. Coloriez les 2 étiquettes adhésives avec le marqueur bleu et collez-les au centre des fleurs orange. Placez chaque fleur orange sur 1 fleur bleue de la carte, percez le centre avec la grosse aiguille et posez 1 mini-attache parisienne.

ASTUCE
Découpez une 3e fleur orange et collez-la à l'intérieur de la carte !

Une carte humoristique

Lorsqu'une autruche 3D souhaite « bon anniversaire ! », l'étonnement est garanti ! Coloriez-la et parsemez la carte de confettis.

Avec l'aimable autorisation de Loisirs et Création.

NIVEAU
Moyen

TEMPS
1 h

Les outils

- ✓ Ciseaux
- ✓ Colle forte en tube
- ✓ Bâton de colle
- ✓ Feutres
- ✓ 1 pince à linge

Le modèle

- ✓ 3 feuilles bristol blanc A4
- ✓ 1 feuille orange A4
- ✓ Confettis

1- Préparez la carte

Photocopiez les schémas sur les feuilles de bristol blanc : 1 avec l'autruche, 1 avec « inutile de te cacher... » et 1 avec le bec.

2- Confectionnez le bec

Coloriez la photocopie du bec avec les feutres. Collez la feuille orange au dos du bec. Découpez les contours des 2 formes aux ciseaux. Pliez les becs en 2 ainsi que les petits rabats. Sur le bec le plus long, collez le petit rabat avec la colle forte en le maintenant fortement puis en le pinçant avec une pince à linge.

3- Coloriez les 2 cartes

Vous pouvez maintenant colorier la carte avec l'autruche ainsi que celle avec « inutile de te cacher ».

4- Collez les éléments

Pliez les 2 cartes en 2. Collez le bec avec la colle forte puis les confettis avec la colle en bâton. Collez les 2 cartes ensemble : à l'extérieur, « inutile de te cacher » et à l'intérieur, l'autruche avec « on t'a reconnu bon anniversaire ! ».

Agrandissez les schémas et les textes à la photocopieuse à 380 %.

UTILISEZ DES FEUTRES OU DES CRAYONS ?

Pour obtenir une surface parfaitement coloriée et uniforme, il est préférable d'utiliser des feutres avec alcool qui ne laissent pas de traces de raccord sur le papier bristol. Mais vous pouvez également utiliser des crayons aquarellables moins coûteux, et qui ne tachent pas ! Dans ce cas, le papier bristol ne convient pas, il est trop lisse : photocopiez les schémas sur du papier Canson à grain.

Un bal masqué

La soirée déguisée sera forcément une réussite : le loup, décoré de papier aux motifs baroques, est fourni avec l'invitation !

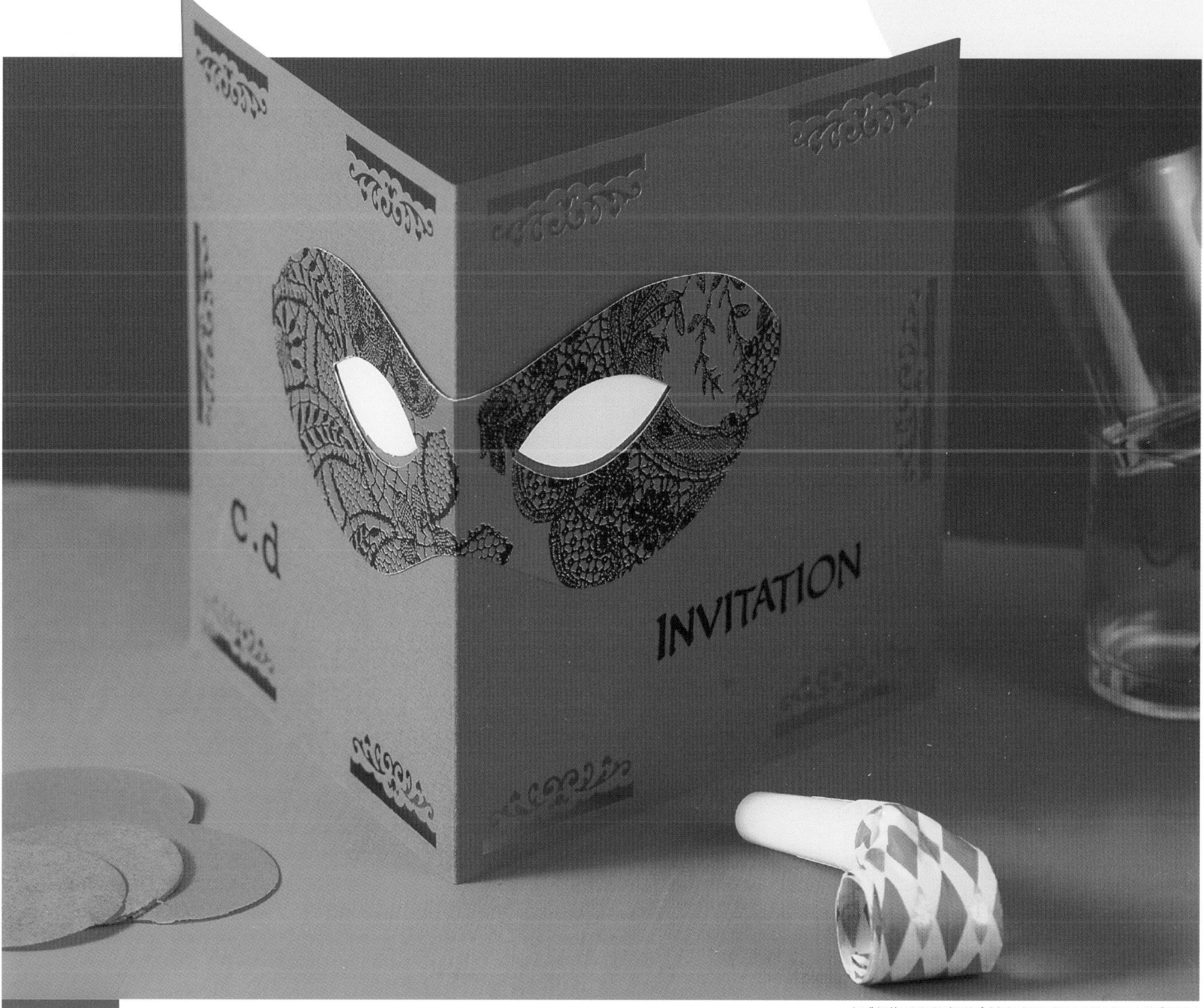

Avec l'aimable autorisation de Loisirs & Création. Peinture Ressource. Fournitures : Loisirs & Création.

NIVEAU
Facile

TEMPS
45 mn

Les outils

- ✓ X-Acto
- ✓ Colle en bombe
- ✓ Colle forte en tube
- ✓ Règle métallique
- ✓ Ciseaux
- ✓ Ruban adhésif
- ✓ Crayon

Le modèle

- ✓ 1 enveloppe rose (16 x 16 cm)
- ✓ 1 carte double rouge (16 x 16 cm)
- ✓ 1 carte double blanche (15 x 21 cm)
- ✓ 1 feuille A4 de Décopatch décors baroques
- ✓ Perforatrice bordure
- ✓ Tampon invitation
- ✓ Tampons alphabet
- ✓ Encreur noir

1- Perforez la carte

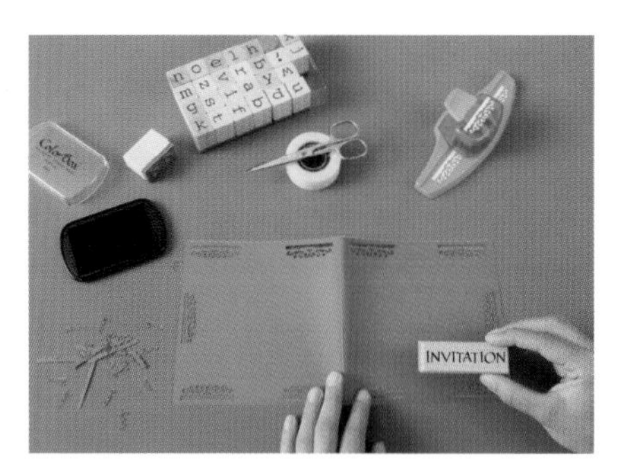

Perforez la carte rouge 10 fois et l'enveloppe 2 fois en utilisant les repères gradués de la perforatrice. Imprimez les textes.

2- Découpez le masque

Avec la colle en bombe, collez la carte blanche sur la feuille de Décopatch. Photocopiez et découpez le gabarit. Placez-le sur la pliure de la carte puis tracez le contour du gabarit. Découpez le masque et évidez les yeux avec l'X-Acto (conservez les chutes).

ASTUCE
Dans la carte blanche habillée de Décopatch, vous pouvez réaliser 2 masques en plaçant le gabarit au plus près des bords.

3- Assemblez la carte

Pliez la carte en 2, placez le masque au niveau de la pliure à 4 cm du bord haut et marquez les repères des languettes. Ouvrez la carte et, avec l'X-Acto, fendez-la sur 0,9 cm. Placez le masque dans les fentes. Collez les chutes des yeux (face blanche) avec la colle forte.

TAMPONNEZ LE TEXTE

Encrez le tampon invitation avec l'encreur noir et imprimez la carte à 3 cm du bas et du bord droit de la carte. Maintenez vos initiales avec un morceau de ruban adhésif, encrez-les et imprimez toujours à 3 cm du bas et du bord gauche de la carte.

Agrandissez le gabarit à la photocopieuse à 200%.

Le réveillon de Noël

Lancez les invitations pour un déjeuner festif grâce à ce petit sapin en relief, paré de boules au cœur de strass scintillants.

Avec l'aimable autorisation de Loisirs & Création. Peinture Ressource. Fournitures : Loisirs & Création.

NIVEAU
Facile

TEMPS
45 mn

Les outils

- X-Acto
- Tapis de coupe
- Colle forte en tube
- Règle métallique
- Crayon
- Ruban adhésif
- épingle
- Ciseaux
- Gomme

Le modèle

- 1 enveloppe verte (22,5 x 11,5 cm)
- 1 carte double verte (21 x 10,5 cm)
- 1 carte simple rouge et blanche (13,5 x 8,5 cm)
- Perforatrice cœur
- Tampon « invitation »
- Tampons alphabet
- Encreur noir
- Perforatrice cercle (diam. : 5 mm)
- Alphabet en strass

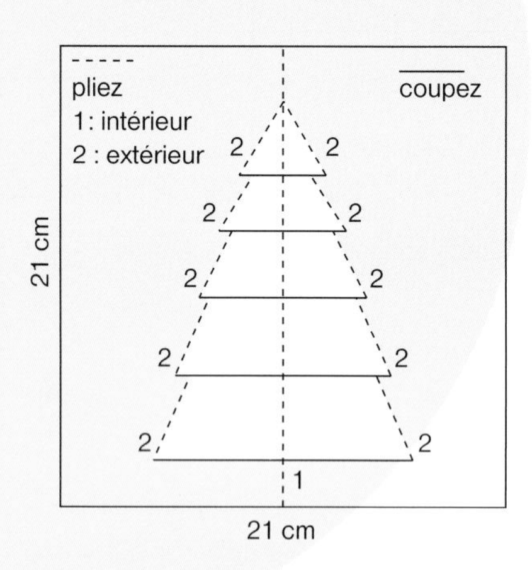

Agrandissez le gabarit à la photocopieuse à 450%.

1- Préparez le gabarit

Photocopiez le gabarit, découpez le contour et marquez avec l'épingle les repères de chaque extrémité des lignes en pointillés du sapin, le haut du sapin devant se situer à 2,5 cm du haut de la carte double verte.

2- Découpez le sapin

Sur l'envers de la carte, tracez au crayon les lignes de pliage et de coupe ainsi que les 2 lignes des côtés à 2,5 cm des bords. Ouvrez avec l'X-Acto les lignes de coupe.

3- Imprimez les textes

Sur la face de la carte (tracé non visible), imprimez les tampons. Composez le mot « joyeux » en maintenant l'ensemble des lettres entre elles avec du ruban adhésif. Tamponnez en centrant en haut avec l'encre noire. Faites de même pour le mot « Noël ». Laissez sécher.

4- Pliez le sapin

Perforez des confettis rouges et blancs et perforez des cercles sur le sapin. Pliez les pointillés du sapin vers vous (pliages extérieurs) ainsi que les bandes des cotés : utilisez la règle en la plaçant sur les pointillés pour obtenir des plis réguliers (pliages intérieurs). Découpez aux ciseaux les lettres en strass et collez-les sur les pois blancs. Collez les pois avec la colle forte.

ASTUCE
Réalisez l'enveloppe avec le tampon « invitation » et l'encre noire ainsi que la perforatrice cœur. Placez ces 2 motifs dans l'angle à gauche de l'enveloppe.

POSITIONNEZ LES TAMPONS

Pour vous guider au moment de l'impression, vous pouvez tracer un léger trait de crayon sur le papier vert (à gommer une fois l'encre sèche) ou placer une bande de ruban adhésif crêpe que vous décollerez une fois le texte imprimé. Faites des tests avec le tampon pour vous entraîner à bien centrer les motifs sur une feuille de papier machine. Utilisez un sèche-cheveux pour un séchage plus rapide.

Une invit' BD

Pour fêter l'anniversaire d'un fan de BD, bulle en relief et onomatopées se déploient sur une invitation digne de Superman !

Avec l'aimable autorisation de Loisirs & Création. Peinture Ressource. Fournitures : Loisirs & Création. Photo : DR.

NIVEAU
Facile

TEMPS
45 mn

Les outils

- ✓ Cutter ✓ X-Acto
- ✓ Tapis de coupe
- ✓ Ciseaux
- ✓ Compas avec adaptateur pour cutter
- ✓ Règle métallique
- ✓ Crayon ✓ Plioir
- ✓ Gomme
- ✓ Colle en bombe
- ✓ Colle forte en tube
- ✓ Papier machine
- ✓ Ordinateur et imprimante

Le modèle

- ✓ Papier rouge (15 x 50 cm ; 250 g)
- ✓ Papier jaune (10 x 21 cm ; 70 g)
- ✓ Papier vert vif (10 x 10 cm ; 70 g)
- ✓ Papier bleu (10 x 10 cm ; 70 g)
- ✓ Papier blanc (16 x 10 cm ; 250 g)
- ✓ Gommettes jaunes, bleues, vertes, blanches et noires (diam. : 2 cm)
- ✓ 1 photo en noir et blanc de l'enfant

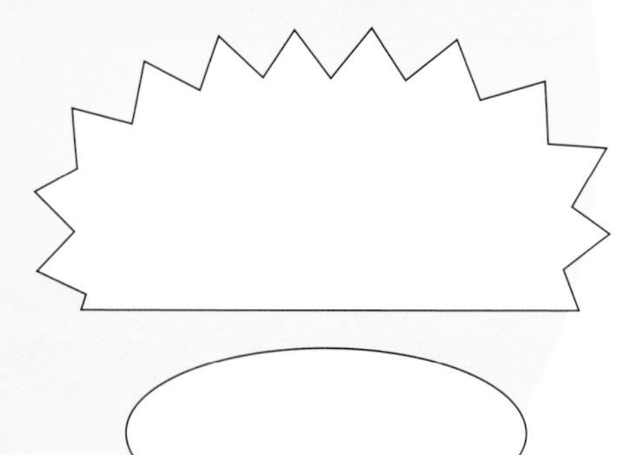

Photocopiez les gabarits à 100 %.

1- Préparez le support

Coupez 1 bande de 5 cm sur le côté du papier rouge et pliez-la tous les 3 cm. Collez 2 côtés de 3 cm l'un sur l'autre pour former un parallélépipède. Laissez en attente. Pliez en 3 la carte de papier rouge en mesurant 3 parties égales de 15 cm de côté. Marquez les plis d'un léger coup de cutter.

2- Découpez la photo

Découpez les contours de la photo de l'enfant avec l'X-Acto. Posez la découpe sur le papier vert vif et reproduisez le contour au crayon. Découpez le papier vert vif et collez l'une sur l'autre la photo et « l'ombre » sur la partie gauche de la carte.

3- Collez les textes

Avec l'X-Acto monté sur le compas, découpez autour de l'adresse 1 cercle de 4,5 cm de rayon. Collez-le (colle en bombe) dans le pli entre la 1re et la 2e partie de la carte. Coupez au cutter le long de la règle la partie du rond qui dépasse. Toujours au compas, découpez un « nuage » dans la trame avec des portions de cercle de 3 cm de rayon. Coupez 1 angle droit dans la forme obtenue et collez-la dans l'angle en haut à droite de la carte. Découpez le texte « Whaououou » selon le schéma et collez-le à cheval sur le pli entre la 2e et la 3e partie de la carte.

4- Terminez la carte

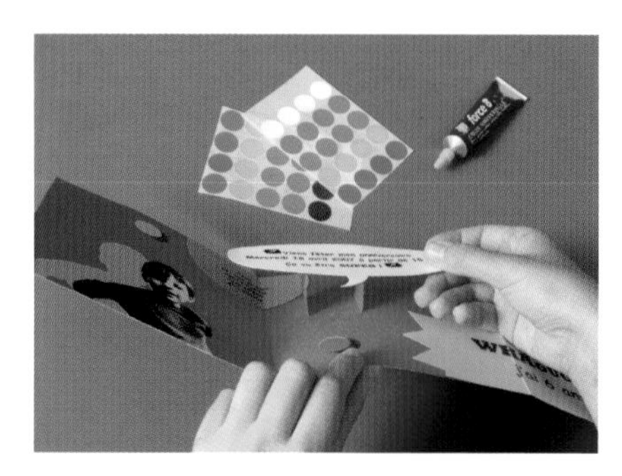

Contrecollez avec la colle en bombe le texte d'invitation sur le papier blanc puis découpez la forme de la bulle selon le gabarit. Collez-la sur le parallélépipède rouge avec la colle forte, puis collez l'ensemble au milieu de la partie centrale de la carte de façon à pouvoir replier la carte. Parsemez la carte de gommettes en collant d'abord une noire et ensuite une en couleur décalée.

IMPRIMEZ LA BULLE ET LES ONOMATOPÉES

« Whaououou ! J'ai 6 ans ! » (papier jaune) : typo Rockwell extra bold, gras et majuscule, taille 48 (« Wha »), taille 36 (« ououou »), taille 48 (« ! »). « J'ai 6 ans ! » (papier jaune) : typo Comic sans MS, gras et minuscule, taille 36. Texte d'invitation (papier blanc) : typo Comic, gras, taille 18 (sauf « Super » qui est en Arial Black). Les petits signes se trouvent dans « Webdings » en appuyant sur la touche +. Adresse (papier bleu) : typo Comic, gras, taille 14. Pour créer une trame de petits points (papier blanc), allez sur « Webdings » et appuyez sans relâche sur la touche =. Puis décalez 1 ligne sur 2 avec 1 espace au début de chaque ligne.

Un très grand merci

Ce message de remerciement, qui mêle petits carrés imprimés, lettres en relief et rubans, ira droit au cœur de son destinataire.

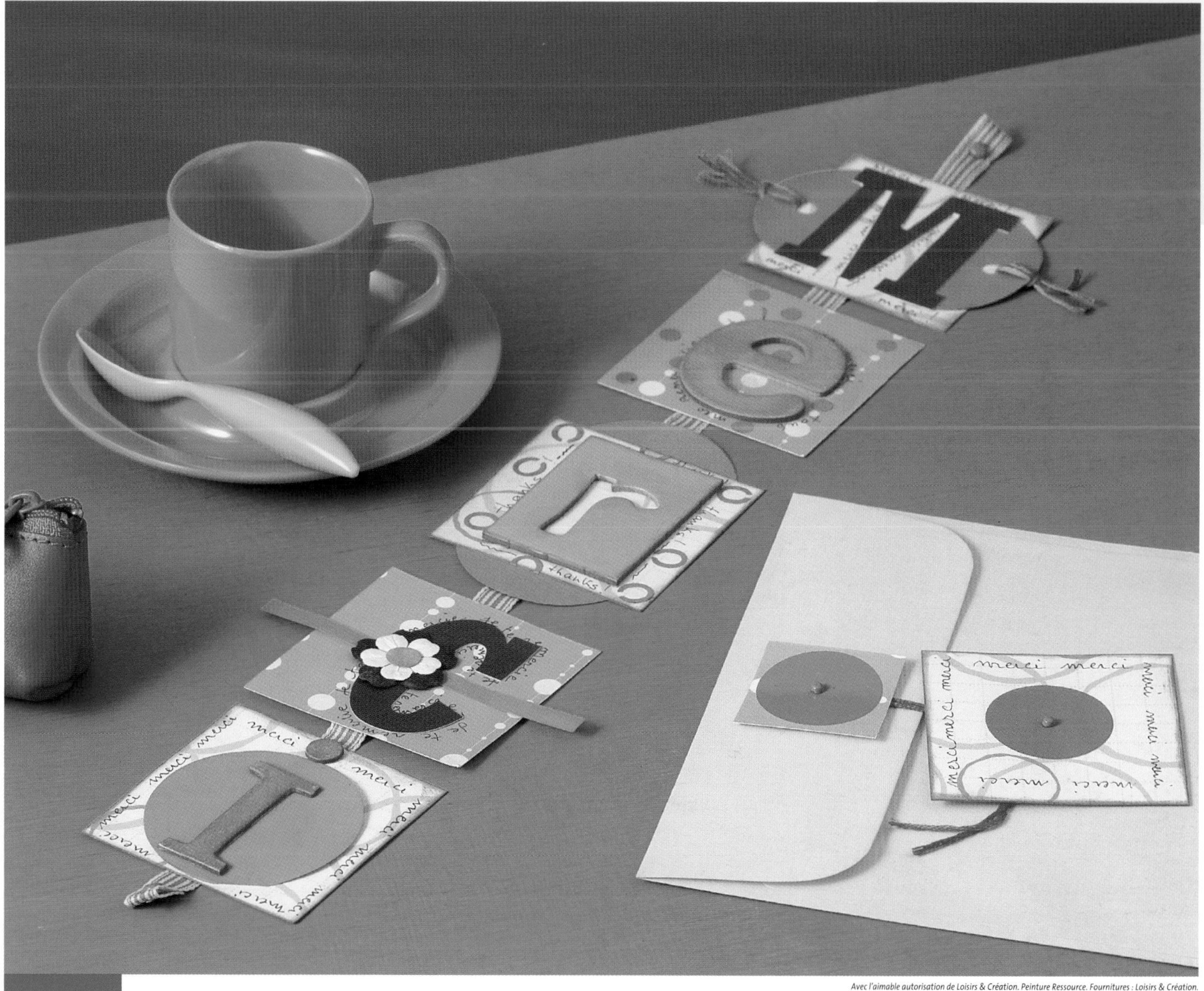

Avec l'aimable autorisation de Loisirs & Création. Peinture Ressource. Fournitures : Loisirs & Création.

NIVEAU
Moyen

TEMPS
30 mn

Les outils

- ✓ Cutter ✓ Ciseaux
- ✓ Tapis de coupe
- ✓ Règle métallique
- ✓ Crayon ✓ Stylo fin
- ✓ Stylo colle (ou pastilles adhésives)
- ✓ 1 feuille de brouillon
- ✓ Ruban adhésif
- ✓ Perforatrice à copie
- ✓ Perforatrice cercle (diam. : 5 cm)
- ✓ 1 perforatrice chiffre 0

Le modèle

- ✓ 1 enveloppe jaune pâle
- ✓ 1 papier imprimé recto verso « Hampton/ Kendall Circle Pink » de Scenic Route
- ✓ 1 feuille A4 orange
- ✓ 1 page de monogrammes stickers Flip Flop
- ✓ 2 lettres en carton blanc
- ✓ 1 lettre chipboard évidée orange
- ✓ 4 mini-attaches parisiennes orange (2 pour la carte, 2 pour l'enveloppe)
- ✓ Fil à broder orange
- ✓ 42 cm de ruban à rayures
- ✓ Encreur vermillon
- ✓ 1 fleur en papier

ASTUCE
Repliez le message de remerciement et glissez-le dans une enveloppe décorée de 2 carrés de papier fixés par une attache parisienne et reliés par 20 cm de fil à broder.

1- Découpez les papiers

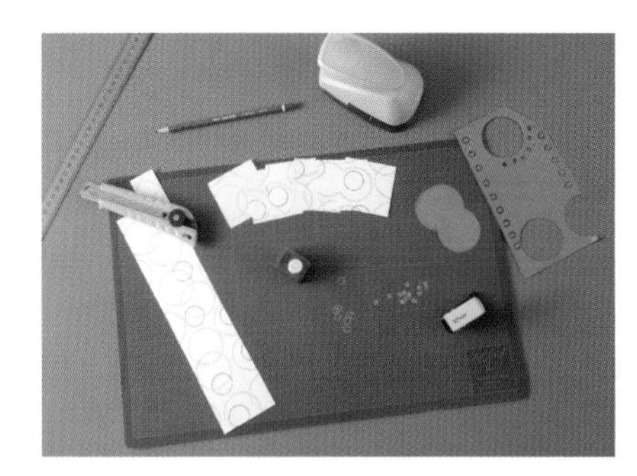

Tracez et découpez 5 carrés de 6 cm de côté dans le papier imprimé. Découpez dans le papier orange des cercles avec les différentes perforatrices : 3 cercles de 5 cm de diamètre, des petits ronds avec la perforatrice à copie et des chiffres 0. Découpez 1 lamelle orange de 8 x 0,5 cm. Laissez les découpes en attente.

2- Préparez les lettres

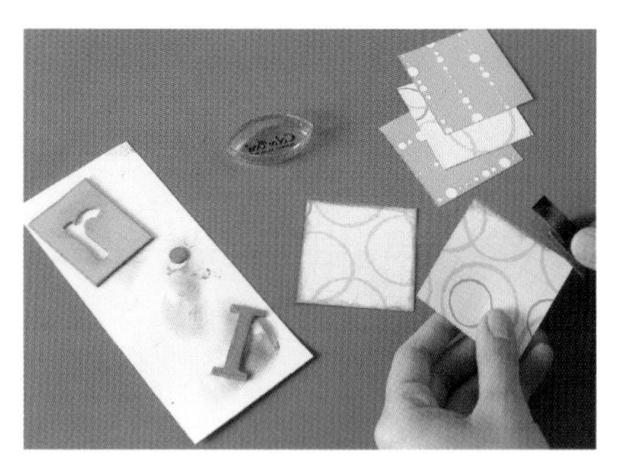

Choisissez les lettres composant le mot « merci », posez-les sur les carrés de papier pour inverser les fonds imprimés (cetains seront retournés), espacez les carrés d'environ 1 cm et positionnez-les verticalement. Décorez le fond des carrés avec les découpes de cercles réalisées dans le papier orange et collez-les avec le stylo colle.

3- Collez les carrés

Placez les lettres sur les carrés de papier décorés, ajoutez des décors supplémentaires avant de les coller : 1 demi-cercle perforé le long des branches du M, 1 demi-cercle au-dessus et au-dessous du R. Collez le I sur 1 cercle orange. Une fois le montage finalisé, collez les carrés de papier avec du ruban adhésif sur le ruban à rayures en les espaçant d'1 cm.

4- Écrivez votre message

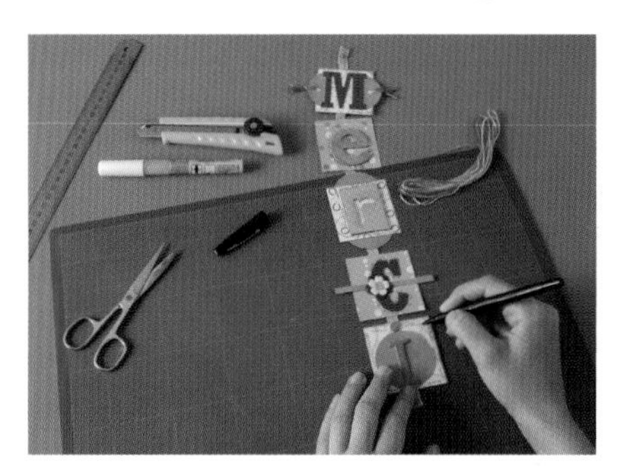

Maintenez chaque extrémité du ruban plié sur 1 cm avec une attache parisienne orange. Collez 1 fleur en papier sur la fine lamelle orange au centre du C. Liez des fils à broder orange dans les perforations du M. Écrivez au stylo fin sur chaque carré un remerciement personnalisé : autour de la lettre, autour du carré.

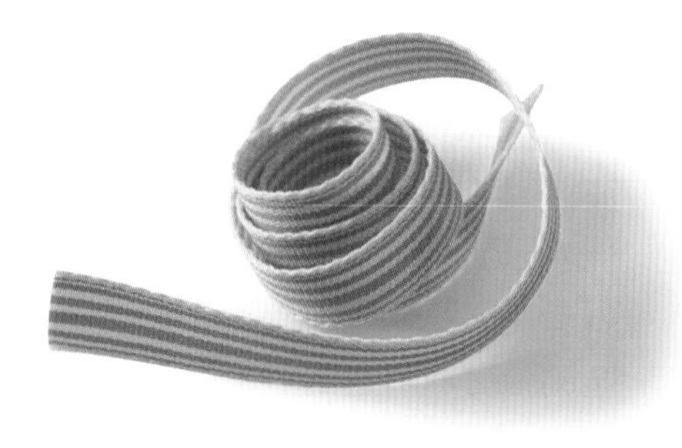

ENCREZ LES LETTRES

Colorez les tranches des carrés de papier en frottant l'encreur sur les bords et encrez le bord de la lettre chipboard évidée. Colorez les lettres blanches posées sur un papier de brouillon en imprimant la couleur directement avec le tampon. Laissez bien sécher les lettres et les carrés de papier encrés avant de les manipuler.

Heureuse année !

Sous chaque chiffre se cachera une silhouette pailletée affichant tous vos vœux pour l'année à venir.

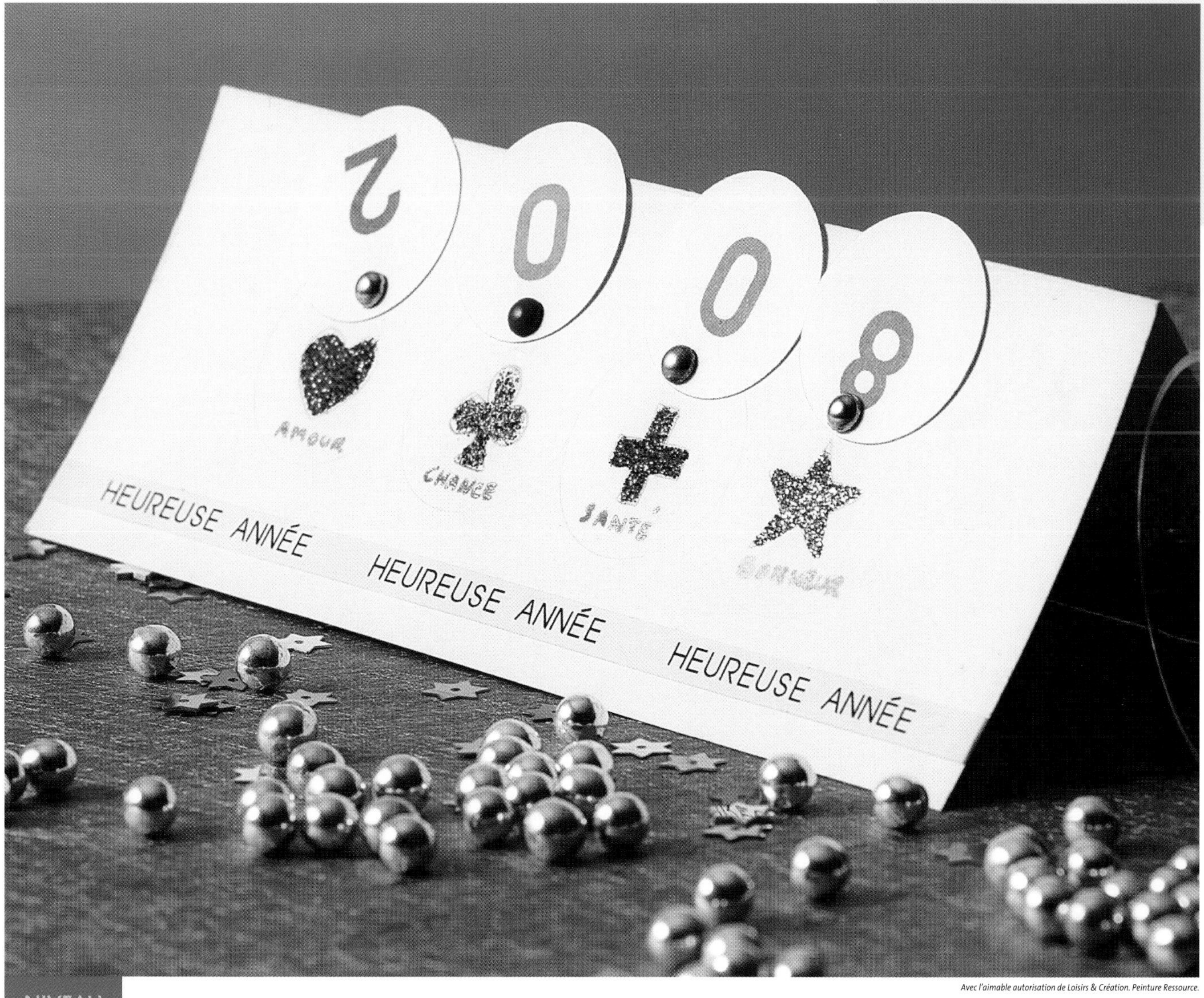

Avec l'aimable autorisation de Loisirs & Création. Peinture Ressource.

NIVEAU
Moyen

TEMPS
45 mn

Les outils

- ✓ Cutter ✓ Crayon
- ✓ Tapis de coupe
- ✓ Tube de colle avec embout très fin (spécial paillettes)
- ✓ Bâton de colle
- ✓ Règle métallique
- ✓ Ruban adhésif repositionnable
- ✓ 1 feuille A4 de papier machine blanc
- ✓ Ordinateur ✓ Gomme
- ✓ 1 chute de papier-calque

Le modèle

- ✓ 1 poinçon décoratif « punch » (diam. : 2,6 cm)
- ✓ 1 perforatrice en pince pour cercle de 3 mm (facultatif)
- ✓ 1 emporte-pièces ou un poinçon
- ✓ Stylo doré
- ✓ Stylos gel pailletés rouge et vert
- ✓ 2 feuilles A4 de bristol blanc
- ✓ Paillettes extra-fines rouges, vertes et or
- ✓ 4 mini-attaches parisiennes

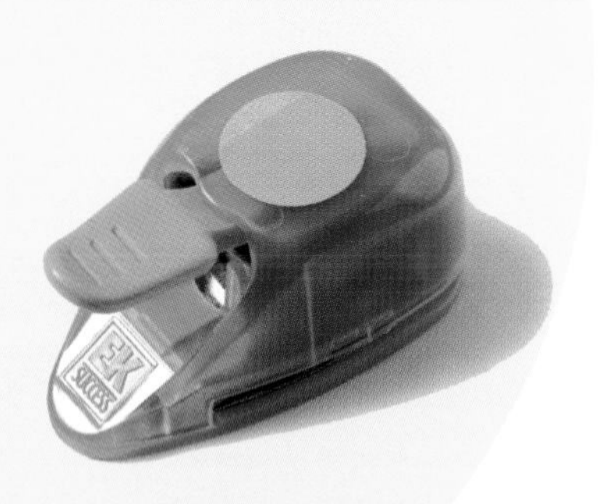

ASTUCE
Pour maîtriser parfaitement l'emplacement des découpes à la perforatrice, retournez-la : vous verrez exactement la position du cercle par rapport au chiffre.

1- Préparez la carte

Dans une feuille de bristol blanc, découpez 1 rectangle de 12 x 16 cm. Attention, le papier a un sens ! Placez la feuille devant vous à l'italienne, c'est-à-dire le plus grand côté à l'horizontale, puis découpez le rectangle de manière à ce que le plus grand côté du rectangle soit aussi à l'horizontale. Pliez la feuille en 2 pour obtenir 1 rectangle de 6 x 16 cm.

2- Créez le texte

Sur l'ordinateur, préparez et imprimez les textes. À l'aide de la règle et du cutter, découpez le papier grossièrement de manière à approcher la perforatrice au plus près. Découpez à l'aide du poinçon « punch » chaque chiffre en le centrant plus ou moins pour créer du rythme.

3- Tracez des repères

Pour bien positionner le texte, tracez 1 trait horizontal de 16 cm de long à 1,5 cm du bord plié et 1 autre trait à 2,5 cm du bord gauche. Fixez les cercles avec du ruban adhésif repositionnable, en commençant dans le coin par le cercle avec le chiffre 2. Collez le bandeau « Heureuse année » à l'aide du bâton de colle à 0,5 cm du bas de la carte.

4- Perforez les cercles

Gommez les traits. Glissez la perforatrice sur la carte et faites 1 trou au sommet de chaque cercle (si vous n'avez pas de perforatrice, utilisez un poinçon ou un petit emporte-pièces). Placez 1 mini-attache parisienne dans chaque trou et écartez les tiges au dos de la carte.

5- Décalquez les motifs

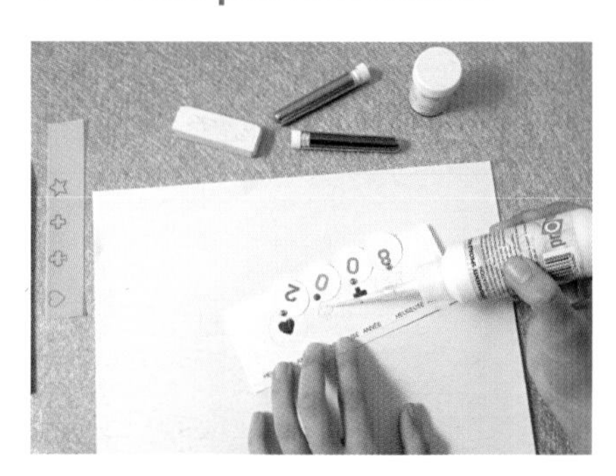

Tracez très légèrement au crayon le contour des cercles. Faites pivoter les cercles en haut et décalquez les petits motifs. Placez la carte sur une feuille de papier. Recouvrez les motifs de colle à paillettes puis saupoudrez de paillettes. Lorsque la colle n'est plus visible, secouez la carte pour éliminer le surplus de paillettes. Laissez sécher et gommez les traits. Écrivez « amour », « chance », « santé » et « bonheur » avec les stylos gel pailletés et doré.

IMPRIMEZ LE TEXTE

À l'aide d'un logiciel de traitement de texte, écrivez « Heureuse année » en corps 12 sur la largeur de la page. Si vous voulez écrire plusieurs cartes, copiez-collez ce texte sur toute la page. Imprimez cette page sur la feuille de papier machine blanc. Découpez à 1 mm tout autour du texte pour créer une bandelette. Sur l'ordinateur, préparez une autre page avec des chiffres correspondant à l'année à venir. Espacez le plus possible les chiffres entre eux et variez les couleurs. Imprimez cette page sur 1 feuille de papier bristol blanc.

Une invitation pour ses 20 ans

Cette invitation de papier-calque, en forme de CD, annonce clairement la couleur : la soirée d'anniversaire sera dansante !

Avec l'aimable autorisation de Loisirs et Création. Range-CD : MUJI.

NIVEAU
Facile

TEMPS
30 mn

Les outils

- ✓ Crayon
- ✓ Ciseaux ou X-Acto
- ✓ Bâton de colle
- ✓ Gomme
- ✓ Tapis de coupe

Le modèle

- ✓ Papier argenté passant à la photocopieuse
- ✓ Papier-calque épais orange et gris
- ✓ Paillettes à saupoudrer
- ✓ Feutre fluo orange
- ✓ Feutre fin gris

Invitation recto : diamètre 12,5 cm.

Invitation verso.

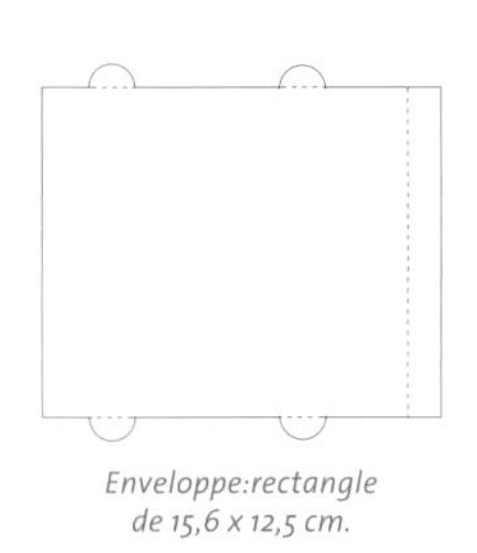

Enveloppe:rectangle de 15,6 x 12,5 cm.

Agrandissez les 2 dessins à la photocopieuse à 570 %.

1- Découpez le CD

Imprimez le recto de l'invitation sur le papier argenté. Vous pouvez imprimer 2 rectos sur 1 feuille A4. Découpez le cercle et évidez le cercle intérieur.

2- Écrivez le texte

Décalquez la spirale et le cercle central sur 1 morceau de calque orange un peu plus grand que le CD.
Écrivez au feutre fin gris le texte à la main sur la spirale, en commençant par le haut. Quand le texte est sec, gommez la spirale.

3- Collez les 2 faces

Collez le verso au dos du recto avec le bâton de colle, en centrant le cercle du milieu. Découpez le papier-calque gris en suivant le contour du CD. Évidez le cercle central du calque.

4- Fabriquez l'enveloppe

Découpez 1 morceau de calque orange en suivant le patron, puis 1 morceau de calque gris en suivant le même patron, mais sans les rabats arrondis du dessus et du dessous, et en enlevant 1 mm sur la hauteur. Marquez les plis et imbriquez les 2 parties de l'enveloppe par les bandes pliées. Collez-les. Glissez le CD dans l'enveloppe. Pliez les rabats sur la partie en calque et collez-les.

DÉCOREZ LA TYPOGRAPHIE

Colorez l'intérieur du chiffre et des lettres avec le feutre fluo orange. Laissez sécher et étendez de la colle dessus. Saupoudrez les paillettes. Laissez sécher puis tapotez l'invitation pour faire tomber le surplus des paillettes sur une feuille de papier. S'il n'y a pas assez de paillettes, recommencez l'opération.

Bonne fête maman !

Les pétales découpés de la carte-marguerite se déplient pour souhaiter joyeusement une bonne fête à la plus belle des mamans.

Avec l'aimable autorisation de Loisirs et Création.

NIVEAU
Facile

TEMPS
1 h

Les outils

- ✓ Ciseaux fins
- ✓ Bâton de colle
- ✓ Crayon
- ✓ Stylo-bille violet

Le modèle

- ✓ 1 feuille A4 de bristol
- ✓ 1 feuille A4 blanche
- ✓ 1 perforatrice fleur
- ✓ 1 feuille de papier-calque vert
- ✓ Ordinateur (ou pages de magazine)

ASTUCE
Pliez la marguerite pour la glisser dans son enveloppe: la destinataire ne découvrira le message qu'une fois la carte dépliée!

1- Pliez la carte

Tracez et découpez 1 carré de 21 cm de côté dans la feuille A4 blanche. Pliez-la en 8 : pliez la feuille dans les 2 sens par le milieu puis pliez-la sur les 2 diagonales. Pliez la feuille pliure contre pliure pour obtenir 8 pliures (voir gabarit).

2- Détourez la forme

Détourez aux ciseaux fins sur le bristol le gabarit des 2 pétales. Placez cette forme sur la feuille pliée en triangle (l'axe de symétrie de la forme doit se trouver sur une pliure du triangle). Détourez « ce cœur » au crayon.

3- Découpez les contours

Découpez aux ciseaux les contours de la forme semblable à un « cœur ». Dépliez le papier : vous obtenez alors une silhouette qui ressemble à une marguerite.

4- Écrivez un message

Inscrivez votre message au stylo-bille violet. Pour ce modèle, le choix s'est porté sur un texte célèbre que l'on récite en effeuillant une marguerite... puis en faisant un vœu : « Maman, je t'aime, un peu, beaucoup, passionnément, à la folie ! »

5- Collez votre texte sur les pétales

Sur l'ordinateur, choisissez une typographie et une couleur différentes pour chaque mot. Détourez-les avec les ciseaux fins. Collez 1 lettre par pétale. Séparez les mots du message par des fleurs perforées dans la feuille de calque vert.

CRÉEZ UN TEXTE MULTICOLORE

Pour créer le texte de la carte, vous avez plusieurs possibilités : découpe de lettres imprimées sur l'ordinateur, découpe de lettres de magazines, impression directement sur les pétales avec des tampons alphabet et des tampons de différents coloris, détourage aux feutres d'un pochoir alphabet, ou encore embossage avec un pochoir alphabet et un stylo à embosser.

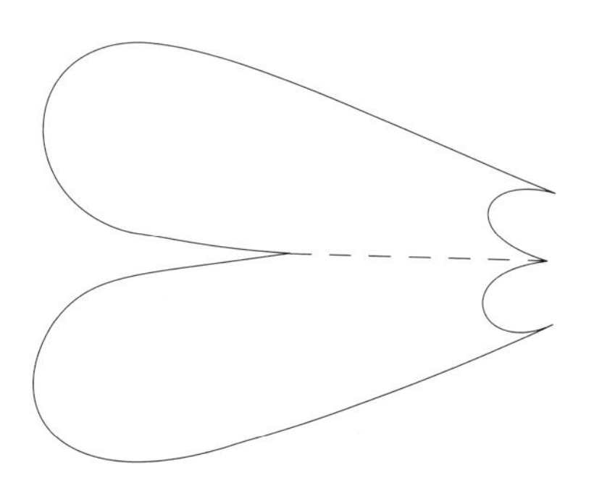

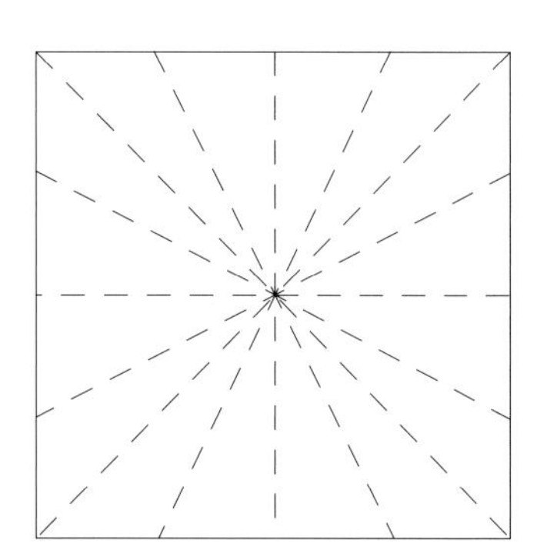

Agrandissez les 2 gabarits à la photocopieuse à 450 %.

Un faire-part multicolore

La superposition de textes imprimés sur l'ordinateur se ponctue de petites mains colorées et s'assemble avec une attache-fleur.

Avec l'aimable autorisation de Loisirs et Création. Photo : DR.

NIVEAU
Difficile

TEMPS
1 h 30 pour la préparation
5 mn par faire-part

Les outils

- ✓ Cutter
- ✓ Règle métallique
- ✓ Crayon
- ✓ Tapis de coupe
- ✓ Essuie-tout
- ✓ Ordinateur
- ✓ Bâton de colle

Le modèle

- ✓ Bristol blanc
- ✓ Papier glacé pour tirage photo
- ✓ Papier à lettres (vert printemps, jaune d'or, turquoise et fuchsia)
- ✓ Tampon « empreinte de main »
- ✓ Encreurs à séchage rapide (vert printemps, jaune d'or, turquoise et fuchsia)
- ✓ Mini-attaches parisiennes de couleurs vives en forme de fleurs
- ✓ Mini-perforatrice pince pour trou de 1 à 2 mm

1- Tamponnez les mains

Posez le bristol blanc sur de l'essuie-tout. Tapotez l'encreur fuchsia sur le tampon puis tamponnez plusieurs fois sur la feuille en ré-encrant le tampon à chaque fois et en l'orientant différemment. Essuyez le tampon avec de l'essuie-tout et changez de couleur pour obtenir une page avec 4 couleurs d'empreintes de main. Laissez sécher. Marquez des repères au crayon tous les 10,5 cm et découpez des carrés au cutter.

2- Préparez le texte de l'annonce

Avec un logiciel de type Word, créez une page en format « paysage » avec la police « Teenage Girl 1 » (téléchargeable gratuitement sur le site dafont.com) en taille 16, couleur verte. Dans le menu « outils », sélectionnez « lettres et publipostage » puis « enveloppes et étiquettes ». Créez 1 étiquette avec les paramètres suivants : marge supérieure 1,3 cm, marge latérale 1,3 cm, pas vertical 10,55 cm, pas horizontal 11,58 cm, hauteur d'étiquette 7,95 cm, largeur d'étiquette 9,02 cm, nombre horizontal 2 et nombre vertical 2. Inscrivez à l'intérieur d'une étiquette le texte puis copiez-collez-le dans les autres. Imprimez le texte du faire-part sur le papier vert et découpez des rectangles de 10,5 x 11,58 cm.

3- Préparez les photos

Imprimez les photos et découpez-les. Tracez des repères au crayon sur le papier jaune pour obtenir des rectangles de 10,5 x 12,67 cm et découpez-les. Mettez un peu de colle au dos de chaque photo et collez-les sur les rectangles de papier jaune.

4- Préparez le texte

Dans Word, créez une page en format « paysage » avec la police « Teenage Girl 1 » en taille 16, couleur turquoise. Dans le menu « outils », sélectionnez « lettres et publipostage » puis « enveloppes et étiquettes ». Paramétrez : marges supérieure et latérale 1,3 cm, pas vertical 10,55 cm, pas horizontal 13,77 cm, hauteur d'étiquette 7,95 cm, largeur d'étiquette 10,08 cm, nombre horizontal 2, nombre vertical 2. Écrivez le texte (prénom, poids, date de naissance). Imprimez sur le papier turquoise et découpez (10,5 x 13,77 cm).

5- Imprimez

Dans Word, réalisez une page en format « paysage » avec 2 colonnes texte centré avec la police « Comic sans ms »taille 12, couleur bordeaux. Indiquez les adresses des parents et copiez-collez ce texte (4 fois par page). Placez-le au bas de chaque 1/4 de page pour pouvoir ajouter un petit mot manuscrit. Imprimez sur le papier fuchsia et découpez en 4.

6- Assemblez

Placez les papiers les uns sur les autres, maintenez-les d'une main et perforez le coin supérieur gauche à environ 1 cm des bords avec la pince perforatrice. Rentrez l'attache parisienne dans le trou et ouvrez les branches au dos du faire-part.

TRAVAILLEZ LES PHOTOS

Avec un logiciel de type PowerPoint, allez dans le menu « insertion » puis « image » et « à partir du fichier ». Sélectionnez et insérez la photo, puis réglez la taille de l'image (env. 8,5 cm de largeur et 7,5 cm de hauteur). Faites pivoter l'image. Copiez-collez (6 photos doivent tenir dans 1 page). Imprimez le nombre de pages nécessaires puis laissez sécher.

Une carte libellule

Imprimez un champs d'herbes folles sur une carte de calque et laissez les libellules de papier léger se promener au gré du vent.

Avec l'aimable autorisation de Loisirs & Création. Peinture Ressource. Fournitures : Loisirs & Création.

NIVEAU
Facile

TEMPS
30 mn

Les outils

- ✓ Ciseaux
- ✓ Bâton de colle
- ✓ Crayon
- ✓ Règle métallique
- ✓ Stylo gel vert
- ✓ Cure-dents
- ✓ Colle en bombe
- ✓ Mini-pastilles adhésives Glue Dots
- ✓ 1 plaque transparente pour tampon clear
- ✓ 1 feuille A4 de calque

Le modèle

- ✓ 1 carte et 1 enveloppe carrée en calque bleu-vert
- ✓ 1 emballage en carton vert
- ✓ 1 feuille de Décopatch rayée bleue et rose réf. 406
- ✓ 1 tampon herbes et 1 tampon feuillage clearstamps
- ✓ 1 tampon encreur vert et prune
- ✓ Papier végétal violet
- ✓ 1 tube de cern relief noir
- ✓ 1 tube de cern Tulip pearl
- ✓ Des fleurs (adhésives ou non) dans diverses matières et dans les tons blancs et mauves

ASTUCE
Vous pouvez souligner le fin graphisme des feuilles réalisées avec les tampons par des touches d'aquarelle ou de feutre.

1- Préparez les papiers

Découpez 1 bande de papier Décopatch en suivant le tracé d'une rayure et le pli de la feuille. Vaporisez l'envers avec la colle en bombe. Collez le papier au milieu de la carte en calque en lissant le papier avec la main pour éviter les plis. Découpez l'excédent de papier en suivant le bord de la carte en calque.

2- Encrez les herbes

Posez le tampon herbes sur la plaque transparente, encrez le tampon en vert et tamponnez les herbes sur la feuille rayée en ré-encrant à chaque fois. Enlevez l'herbe, posez le tampon feuillage sur la plaque. Encrez les feuillages en prune, tamponnez-les légèrement par-dessus les herbes vertes. Imprimez également 1 herbe et 1 feuillage sur une bande de Décopatch de 4,5 x 10 cm pour décorer l'enveloppe. Nettoyez soigneusement les tampons et la plaque avec de l'eau savonneuse, séchez-les puis replacez les tampons sur le papier protecteur.

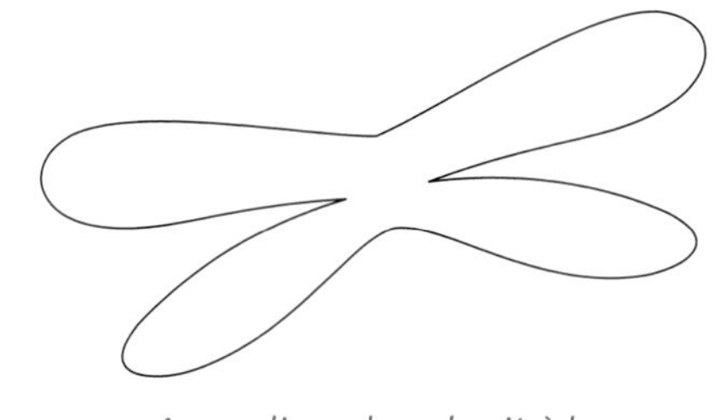

Agrandissez le gabarit à la photocopieuse à 100 %.

3- Créez les libellules

Reproduisez le gabarit des ailes au crayon sur du calque, posez le tracé sur le carton vert afin de repérer la partie colorée sans inscription à découper, retournez le carton et posez le calque sur l'envers sur le repère. Reportez le dessin et découpez les ailes.

ASTUCE
Vous pouvez créer vous-même les fleurs avec des perforatrices et des chutes de papier dans les tons blancs et mauves.

4- Assemblez la carte

Collez des fleurs adhésives directement et des non adhésives avec des mini-pastilles entre les feuillages imprimés puis tracez des tiges vertes avec le stylo gel vert. Collez une mini-pastille adhésive sous le corps de chaque libellule puis collez les 2 libellules sur la carte. Décorez l'enveloppe avec la bande de Décopatch (voir l'étape 2) et collez 2 fleurs sur les feuillages.

RÉALISEZ LE CORPS DES LIBELLULES

Coupez 1 extrémité d'un cure-dents, découpez 1 rectangle de papier végétal de même longueur, encollez le papier puis enroulez le cure-dents légèrement en biais dans le papier pour faire une pointe à un bout et une partie évasée à l'autre bout du cure-dents. Roulez le cure-dents recouvert entre les doigts. Collez le corps au centre des ailes puis déposez 2 points de cern relief noir de chaque côté de la tête puis 2 points clairs par-dessus pour réaliser les yeux. Laissez sécher.

Une carte pour un grand merci

Une petite carte finement dentelée et ponctuée de quelques coquelicots apportera le plus beau des messages : merci !

Avec l'aimable autorisation de Loisirs et Création. Vase : Conran Shop.

NIVEAU
Facile

TEMPS
30 mn

Les outils

- ✓ Cutter
- ✓ Règle graduée
- ✓ Tube de colle forte
- ✓ Bâton de colle
- ✓ Tapis de coupe

Le modèle

- ✓ 1 carte rouge 13 x 13 cm (Loisirs et Création)
- ✓ 1 carte « napperon » (ou un napperon en papier rectangulaire)
- ✓ Ciseaux cranteurs
- ✓ Emporte pièces frise fleur
- ✓ 1 sachet de coquelicots autocollants
- ✓ Feuille de papier blanc
- ✓ 1 mini pince à linge

ASTUCE
Choisissez les fleurs préférées du destinataire pour décorer votre carte

1- Préparez la carte

Recoupez la carte rouge : à l'aide de la règle et du cutter, enlevez 3 cm pour que la carte fasse 10 cm de hauteur. Ouvrez la carte et, à partir de la pliure centrale, enlevez 3 cm à gauche et 2 cm à droite.

2- Réalisez la frise et la bordure

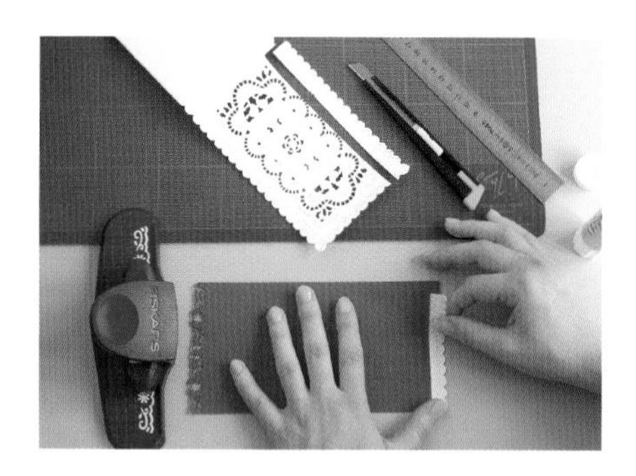

À l'aide de l'emporte-pièce frise fleur, découpez le bord du côté droit sur toute sa longueur. À l'aide du cutter et de la règle, découpez une bordure de dentelle dans la carte « napperon » ou du napperon. Collez-la le long de la carte avec le bâton de colle et découpez l'excédent au cutter.

3- Décorez la carte

Collez les gommettes autocollantes coquelicots sur la carte. Collez la minipince à linge avec de la colle forte. Laissez sécher quelques minutes.

4- Rédigez votre message

Sur le papier blanc, rédigez votre message (à la main ou à l'ordinateur). Découpez les contours aux ciseaux cranteurs et placez-le dans la pince à linge.

PLACEZ DES DÉCORS AUTOCOLLANTS

Attention certains décors peuvent être très fragiles à manipuler ! Plus le décor choisi comporte de pièces fines, moins il supporte les manipulations. Ici, les tiges de coquelicots sont particulièrement délicates : veillez à les décoller soigneusement à l'aide d'une pointe de cutter pour les poser définitivement sur la carte. Pour coller parfaitement le décor, placez dessus un morceau de papier fin et lissez doucement avec l'ongle.

Des cartes de Noël

Découpez le papier-calque translucide et créez des motifs et des textes en relief pour fêter Noël en douceur et en couleur.

Avec l'aimable autorisation de Loisirs et Création. Boîtes : Marie Papier.

NIVEAU
Moyen

TEMPS
2 h 30

Les outils

- ✓ Cutter
- ✓ Stylo et tapis à embosser
- ✓ Colle en bombe repositionnable
- ✓ Bâton de colle
- ✓ Règle
- ✓ Tapis de coupe
- ✓ Ciseaux

Le modèle

- ✓ Jeu de pochoirs métalliques, lettres et chiffres de 5 mm
- ✓ Pochoir métallique feuilles de lierre
- ✓ Perforatrice étoile des neiges
- ✓ Cartes, feuilles A4 et enveloppes en calque de couleur jaune, orange, rouge et fuschia (Cromatico)

ASTUCE
Utilisez du papier-calque 100 ou 200 g pour obtenir un beau résultat à l'embossage. Vous pouvez également utiliser cette technique sur du papier bristol, de la carte et du papier vélin : faites des essais.

1- Embossez les motifs

Posez le papier-calque sur le tapis à embosser, positionnez le pochoir métallique sur le papier, tracez le contour du motif avec le stylo, marquez les aplats en frottant doucement le papier avec la grosse boule du stylo. Réalisez le gaufrage du rabat de l'enveloppe sur l'envers du rabat. Pensez à retourner systématiquement les lettres métalliques pour obtenir le texte à l'endroit.

2- Perforez le calque

Glissez le papier-calque dans la fente de la perforatrice posée sur la table, exercez une pression, perforez le papier, gardez les motifs perforés. Pour perforer un endroit précis, faites des repères au crayon. Il existe toutes sortes de perforatrices qui s'utilisent sur toutes sortes de papier : faites des essais et exercez toujours la pression à plat sur un support stable.

3- Découpez le calque

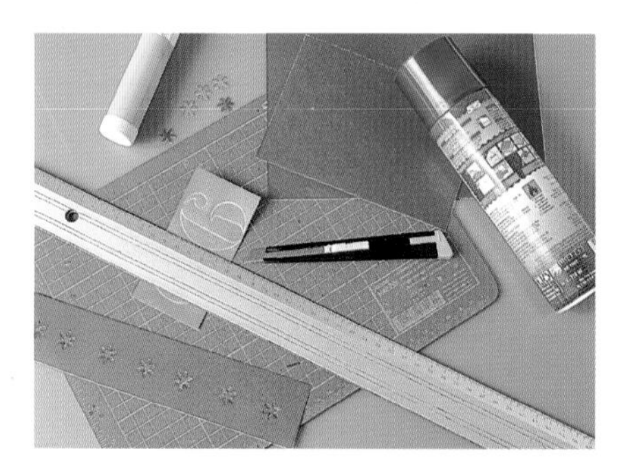

Découpez le papier-calque avec la règle et le cutter sur le tapis de coupe. Utilisez une lame neuve pour obtenir une découpe nette. Collez les éléments découpés et les montages de papier avec la colle en bombe, en vaporisant légèrement sur du papier journal pour protéger le plan de travail. Collez les motifs perforés avec le bâton de colle sur un papier brouillon.

4- Décorez les cartes

Superposez les différents coloris de papier, découpez les papiers au format du support et de l'enveloppe. Faites différents découpages et montages avant de coller. Écrivez le texte ou la date à l'embossage et découpez le papier autour du texte, ou bien embossez directement la carte ou la feuille. Perforez des bandes de papier et utilisez les motifs évidés pour décorer les enveloppes et les cartes.

L'EMBOSSAGE

L'embossage est une technique qui permet de gaufrer le papier. Il se réalise avec un stylo spécial, un tapis et un pochoir métallique. Vous pouvez remplacer le tapis à embosser (plaque de linoléum épais) par un morceau de feutre épais ou de liège. Sur l'endroit, l'embossage est creux, sur l'envers, il est bombé : vous pouvez l'utiliser des 2 côtés en fonction de l'effet voulu.

Du papier à lettres décoré

À partir de pages de cahier, un écolier peut créer son papier à lettres avec de la gouache, des tampons et des perforatrices.

Avec l'aimable autorisation de Loisirs & Création. Peinture Ressource. Fournitures : Loisirs & Création.

NIVEAU
Facile

TEMPS
30 mn

Les outils

- ✓ Gouache de couleurs vives
- ✓ Brosse plate
- ✓ Palette (ou feuille de papier)
- ✓ Ciseaux cranteurs

Le modèle

- ✓ Feuilles de cahier d'écolier petit format grands carreaux
- ✓ Encreurs de couleurs vives
- ✓ Tampons variés (fleur, cœur, lettres, timbre et tampons « set du postier »)
- ✓ Perforatrices (fleur, cœur, feuille, nounours...)

1- Découpez la feuille

Découpez les 4 bords de la feuille avec les ciseaux cranteurs à environ 1 cm du bord.

2- Peignez le cadre

Étalez de la gouache sur une palette ou une feuille de papier et trempez la brosse plate dans la peinture. Si la peinture est très épaisse, diluez-la légèrement avec de l'eau. Appliquez la peinture le long des 4 bords en vous guidant sur les lignes du papier pour peindre un cadre de largeur à peu près régulière. Laissez sécher avant d'imprimer les motifs.

ASTUCE
Les enfants seront ravis d'utiliser des petits encreurs multicolores ! Montrez-leur le bon geste : tenez le tampon d'une main, côté motif vers vous, et déplacez l'encreur avec l'autre main sur tous les reliefs du motif.

3- Perforez des motifs

Perforez des motifs à votre guise, de préférence dans la partie peinte de la feuille, ils seront plus visibles. Attention, la peinture doit être bien sèche, sinon le papier est un peu mou et risque de se déchirer.

ASTUCE
Vous pouvez coller les motifs perforés sur l'enveloppe pour l'assortir au papier.

IMPRIMEZ LES MOTIFS AUX TAMPONS

Déposez de l'encre sur les tampons. Appliquez-les sur le papier. Attention : si les encres sont plus claires que la bande de peinture, appliquez-les sur le blanc du papier car elles ne sont pas toujours couvrantes. N'appuyez pas trop avec le tampon, ses bords risquent de déposer de la peinture sur le papier. Encrez de nouveau avant de tamponner un nouveau motif. Nettoyez les tampons entre chaque couleur. Refermez bien les encreurs pour que l'encre ne sèche pas.

De joyeuses enveloppes

En réalisant vous-même une enveloppe décorée, votre courrier ne passera pas inaperçu dans la boîte aux lettres.

Avec l'aimable autorisation de Loisirs et Création. Gomme : Marie Papier.

NIVEAU
Favile

TEMPS
15 mn

Les outils

- ✓ Cutter droit
- ✓ Tapis de coupe
- ✓ Cutter circulaire
- ✓ Crayon
- ✓ Gomme
- ✓ Colle en bombe
- ✓ Ruban adhésif double face 1 cm
- ✓ 1 grosse aiguille
- ✓ Ordinateur
- ✓ Ciseaux droits

Le modèle

- ✓ Pochoir coluzzle cercles et son tapis de mousse
- ✓ 1 pochette assortiment de papier 30 x 30 cm (Rob et Bob Studio)
- ✓ 1 attache parisienne verte
- ✓ 1 fleur en tissu

ASTUCE
Pour que la fleur de tissu ne s'abime pas durant l'acheminement du courrier, encollez délicatement l'envers des pétales avec un bâton de colle.

1- Pliez la feuille

Découpez la feuille de fond au format 21 x 29 cm. Partagez la feuille en 3 par 1 trait léger au crayon à 8,5, 10,5 et 10 cm d'intervalle. Marquez légèrement les 2 traits au cutter sur le tapis de coupe. Repliez les 2 parties l'une sur l'autre sur la partie centrale pour former l'enveloppe.

2- Tracez et découpez

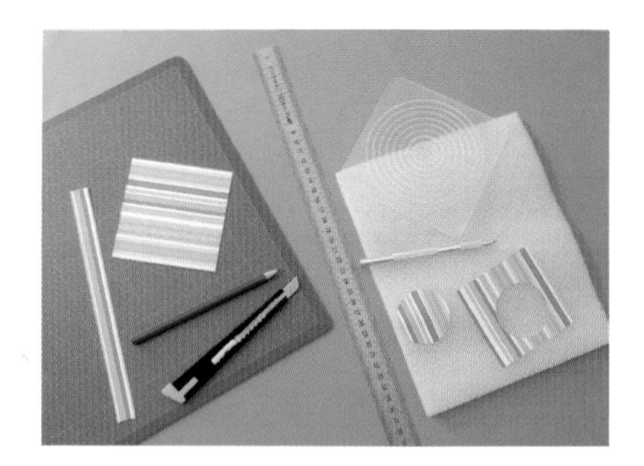

Sur le papier imprimé, tracez et découpez 1 bande de 1,5 x 29 cm et 1 carré de 9,5 cm de côté. Avec le pochoir cercles et le cutter circulaire, découpez 1 cercle de 4,8 cm dans le papier imprimé, en plaçant le papier sur le tapis de mousse fourni avec le pochoir. Terminez la découpe aux ciseaux pour les points d'attache du cercle.

3- Ecrivez l'adresse

Sur 1 papier rouge uni, imprimez les coordonnées du destinataire à l'ordinateur (police « arial rounded », taille 20, couleur noir) de manière à pouvoir les découper sur 1 carré de papier de 8 cm de côté. Découpez le carré de l'adresse avec le cutter droit et la règle sur le tapis de coupe.

4- Assemblez

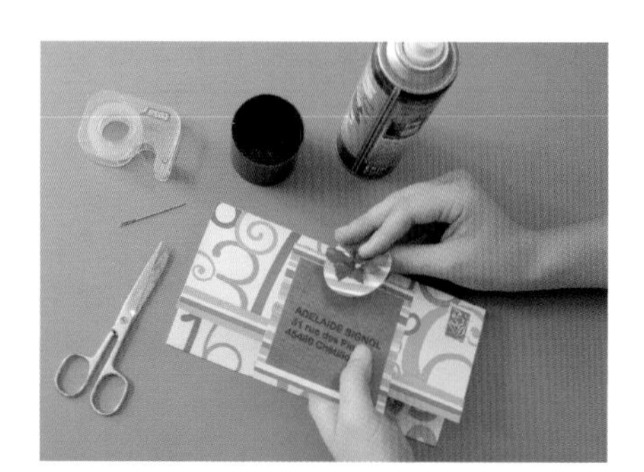

Avec la colle en bombe, collez la bande de 1,5 cm sur le bord du rabat extérieur et l'adresse sur le carré imprimé ; collez les 2 carrés au centre du rabat. Collez le cercle imprimé en haut de l'étiquette de l'adresse. Percez le centre du cercle à l'aiguille et fixez la fleur de tissu avec l'attache parisienne.

PLIEZ NETTEMENT LE PAPIER

Pour réaliser un pliage net et précis sur un papier, tracez les traits très légèrement au crayon sur la partie à replier, avec un cutter à lame émoussée. Tracez un léger trait de cutter sur le trait de crayon, gommez les traits et repliez chaque partie sur le trait incisé. Le papier utilisé est un papier de 100 g/m², si vous utilisez un papier plus épais, le trait au cutter pourra être plus marqué.

Une carte porte-bonheur

Pour présenter vos vœux, offrez un trèfle à quatre feuilles qui portera bonheur à son destinataire jusqu'à l'année suivante.

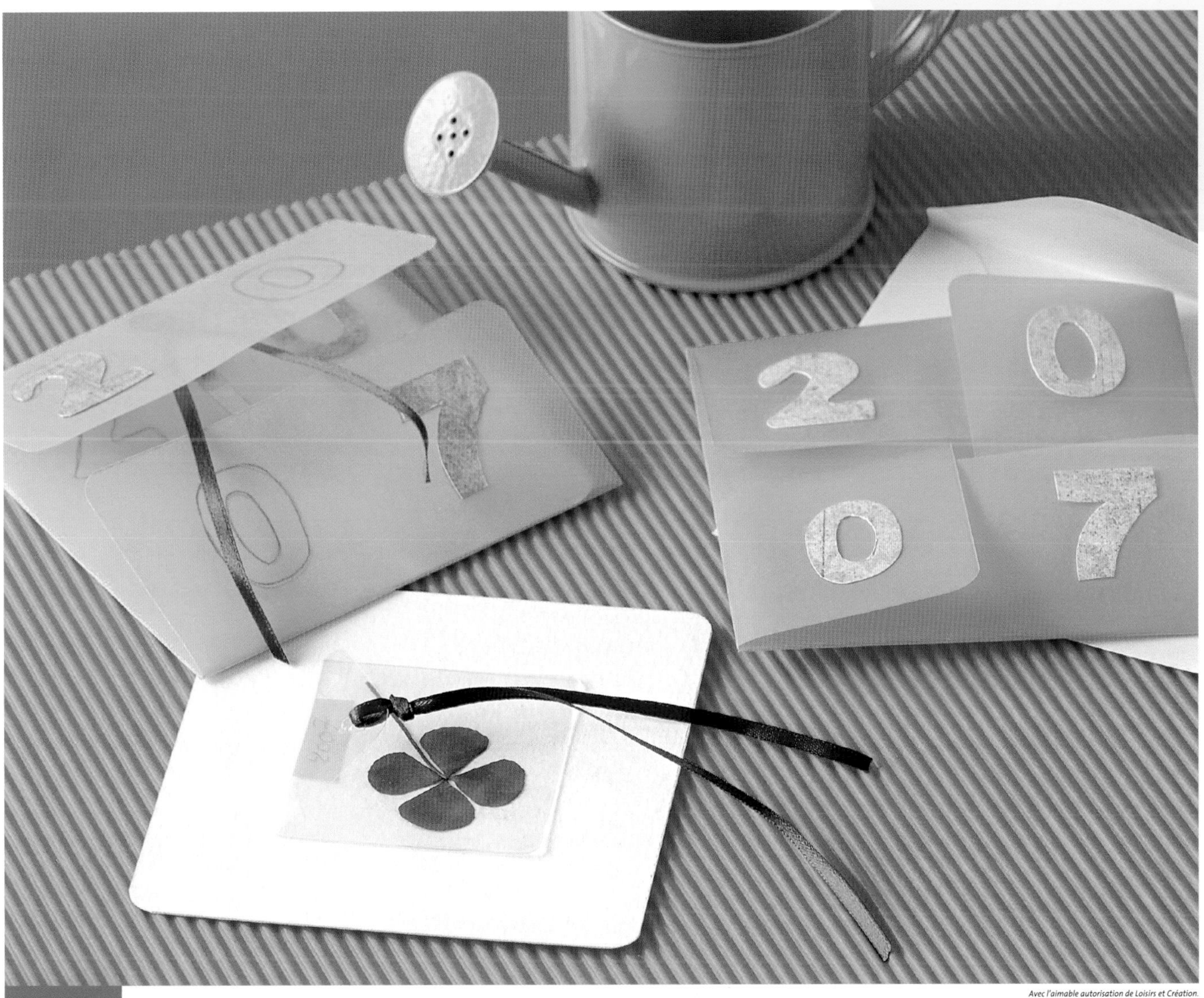

Avec l'aimable autorisation de Loisirs et Création.

NIVEAU
Facile

TEMPS
45 mn

Les outils

- ✓ Cutter
- ✓ Crayon
- ✓ Tapis de coupe
- ✓ Règle métallique
- ✓ Magazines ou journaux
- ✓ Bâton de colle
- ✓ 1 feuille de papier-calque

Le modèle

- ✓ 1 feuille de papier-calque vert A4
- ✓ 1 feuille de papier aquarelle A4
- ✓ 20 cm de ruban vert
- ✓ 1 trèfle séché
- ✓ 1 pochette transparente (5 x 5 cm)
- ✓ Chute de papier imprimé vert
- ✓ Stylo argent
- ✓ Perforatrice de bureau
- ✓ Perforatrice pour angle arrondi

ASTUCE
Dissimulez l'adhésif de la pochette transparente en collant dessus un petit rectangle de papier-calque vert sur lequel vous pourrez inscrire l'année ou vos initiales.

1- Découpez le calque

Dans la feuille de papier-calque vert, découpez 1 carré de 20 cm de côté et tracez 1 trait à 5 cm de chaque bord pour former les rabats. Découpez les 4 carrés aux angles. Arrondissez les angles à la perforatrice.

2- Préparez les chiffres

Dans des magazines ou des journaux, décalquez les chiffres de l'année. Reportez-les sur les 4 rabats et sur l'envers du papier imprimé vert.

3- Collez les chiffres

Découpez le contour des chiffres de papier imprimé vert et collez-les sur le papier-calque. Tracez le contour des 4 chiffres restants avec le stylo argent.

4- Créez la pochette

Découpez 1 carré de papier aquarelle de 9,5 cm de côté. Arrondissez les angles à la perforatrice. Glissez 1 trèfle séché ans la pochette et collez-la au centre du carré. Perforez le rabat de la pochette et nouez le ruban.

5- Fermez la carte

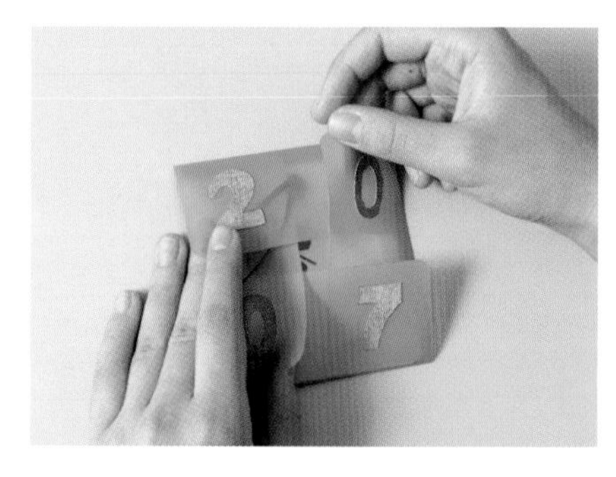

Marquez le pli des 4 rabats de papier-calque. Glissez la pochette dans la carte et repliez les rabats en laissant sur le dessus les chiffres de papier imprimé vert, comme pour fermer un carton d'emballage.

CRÉEZ DES PORTE-BONHEUR

Les trèfles à 4 feuilles séchés se trouvent dans les magasins de loisirs créatifs. Vous pouvez les remplacer par des trèfles (à 3 feuilles !) ramassés dans la nature et mis à sécher entre des feuilles de journaux sous des livres assez lourds durant une semaine. En glissant 1 feuille supplémentaire parmi les 3 autres avec un point de colle, vous aurez créé vous-même vos porte-bonheur... Vous pouvez également dessiner un trèfle sur du papier à dessin, ou encore le broder sur une chute de toile Aïda.

Dans la prairie

Les coquelicots de l'été se sont posés sur une carte de calque aux allures d'herbes folles fermée par un lien de fil orangé.

Avec l'aimable autorisation de Loisirs & Création. Peinture Ressource.

NIVEAU
Facile

TEMPS
20 mn

Les outils

- ✓ Cutter
- ✓ Ciseaux
- ✓ Tapis de coupe
- ✓ Règle métallique
- ✓ Crayon
- ✓ Kit pour la pose d'œillets
- ✓ Gomme
- ✓ Compas

Le modèle

- ✓ 1 feuille A4 de calque vert (100 g)
- ✓ 1 chute de carte orange (250 g)
- ✓ Fil à broder orangé
- ✓ Coquelicots autocollants
- ✓ 2 œillets dorés
- ✓ 1 enveloppe rouge orangé (14 x 9 cm)
- ✓ 1 pot de yaourt en verre (facultatif)
- ✓ 1 bougie chauffe-plat (facultatif)

ASTUCE
Vous pouvez plier la carte de manière à former un cube dans lequel vous pourrez placer un pot en verre contenant une bougie. La carte se transforme ainsi en photophore.

1- Préparez la feuille

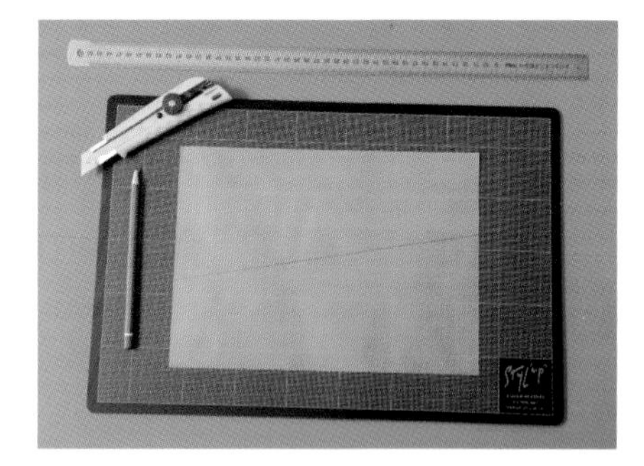

Dans la feuille de calque placée horizontalement devant vous, marquez 1 repère à 8 cm du bas sur le côté droit et 1 repère à 13 cm (schéma). Placez la règle d'un point à l'autre et découpez. Vous obtenez 2 formes identiques qui vous permettront de réaliser 2 cartes dans une feuille.

2- Tracez le motif

Pliez cette forme en 4, en accordéon. Dépliez-la puis reportez très légèrement au crayon sur la partie haute le motif à découper. Découpez en suivant ce tracé puis continuez sur le même principe en suivant la pente du papier et votre inspiration. Gommez les traits de crayon en prenant garde à ne pas déchirer le papier.

3- Posez les œillets

Tracez le repère de chaque œillet, placez-vous sur le tapis de coupe et percez les trous en frappant au marteau sur l'emporte-pièces. Dans la carte orange, tracez et découpez 2 cercles (diam. : 1,6 cm). Perforez le centre de ces 2 cercles et placez-les sur la carte en faisant coïncider les trous. Glissez les œillets dans les trous (double épaisseur). Placez le poinçon sur l'envers de chaque œillet et écrasez-les au marteau.

4- Décorez la carte

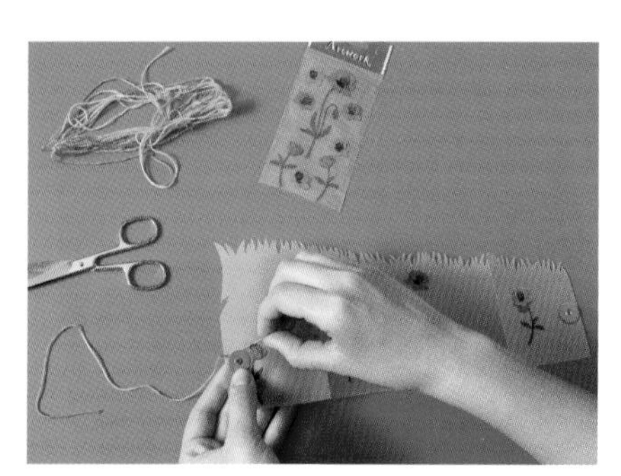

Décorez chaque volet de la carte avec les coquelicots. Coupez 45 cm de fil à broder et fermez la carte en l'entourant 2 fois puis en bloquant le fil entre les rondelles et la carte.

DÉCOUPEZ DES CERCLES

Les 2 cercles peuvent être tracés au compas et découpés aux ciseaux ou au cutter. Si vous devez réaliser plusieurs cartes, vous pouvez gagner du temps en les découpant avec un pochoir coluzzle cercles et un cutter rotatif. Pour les découpes en grande série, l'idéal est d'utiliser une perforatrice cercle.

0 1 2 3 4 5

Pastille

Agrandissez le gabarit à la photocopieuse à 400 %.

Une carte de naissance

Dites-lui votre tendresse et votre bonheur d'être grand-mère avec cette carte qui l'accompagnera tout au long de sa vie.

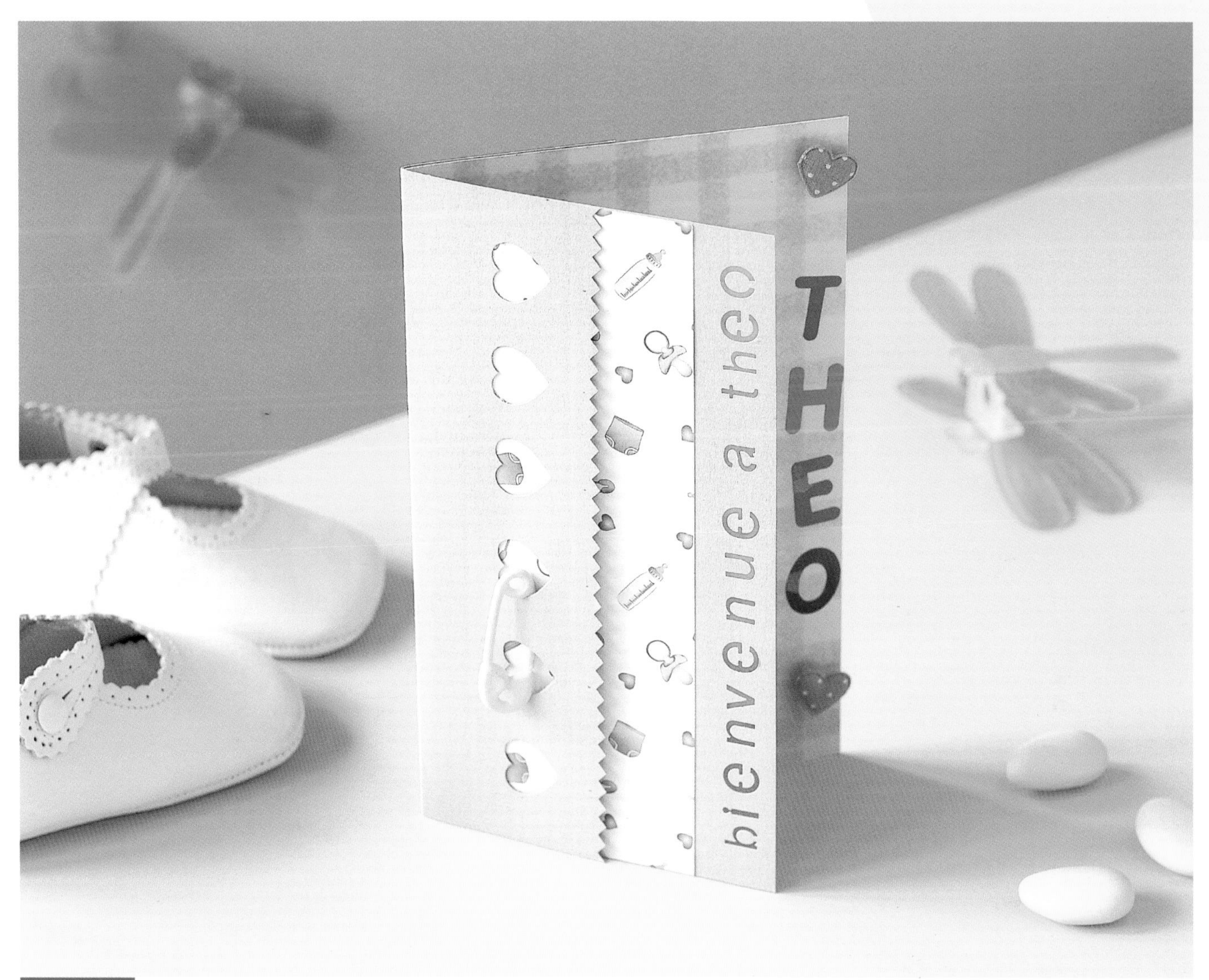

NIVEAU
Facile

TEMPS
45 mn

Les outils

- ✓ Cutter
- ✓ Règle graduée
- ✓ Crayon
- ✓ Ciseaux droits
- ✓ Ciseaux cranteurs
- ✓ Bâton de colle

Le modèle

- ✓ 2 cartes 10,5 x 21 cm bleues
- ✓ 2 feuilles de papier fantaisie « sweet baby » (Loisirs et Création)
- ✓ Perforatrice fantaisie « cœur »
- ✓ 1 pince à nourrice en plastique
- ✓ Cœurs autocollants en relief
- ✓ Coffret de perforatrices lettres (Loisirs et Création)
- ✓ Lettres en gommettes autocollantes

> **ASTUCE**
> **Les gommettes formant le prénom peuvent être remplacées par des lettres perforées dans différents papiers de couleur, tout comme les cœurs perforés peuvent prendre la place des cœurs en relief.**

1- Découpez les cartes et les papiers

Avec la règle et le cutter, découpez la première carte à 5 cm de largeur et 17 cm de hauteur. Découpez la seconde carte à 17 cm de hauteur et enlevez 1 cm sur le 1e feuillet. Découpez les papiers fantaisie : l'imprimé biberons (7 x 17 cm) et le quadrillage bleu (10,5 x 17 cm).

2- Perforez les cœurs et le texte

Sur la première carte, faites une rangée de perforations en forme de cœur (environ tous les 2 cm). À l'aide des ciseaux cranteurs, découpez le bord de la carte. Dans la deuxième carte perforez le texte sur le premier feuillet.

3- Collez les papiers sur la carte

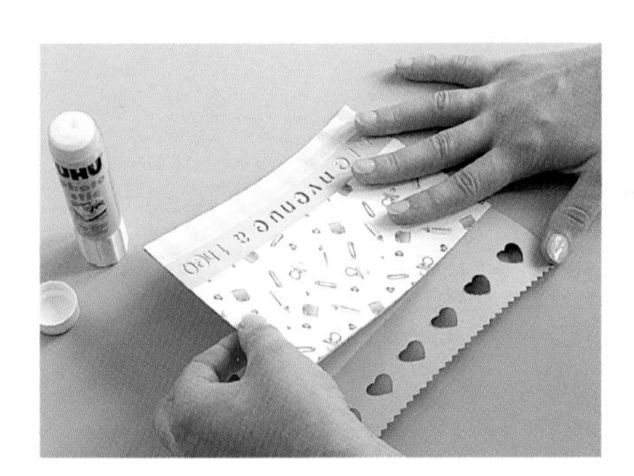

À l'aide du bâton de colle, fixez le papier imprimé biberons de 7 x 17 cm à gauche du message perforé, puis collez le papier quadrillé bleu de 10,5 x 17 cm à l'intérieur. Collez le dos de la carte perforée de cœurs sur le dos de l'autre carte.

4- Disposez les décorations

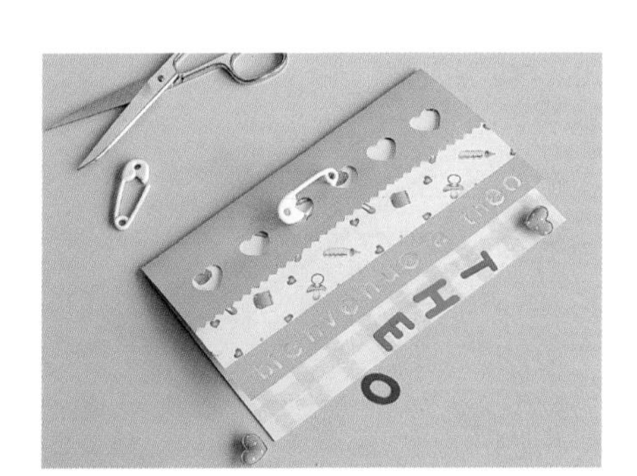

À côté du message perforé, collez les gommettes pour former le prénom, puis les petits cœurs en relief. Faites une encoche aux ciseaux sur une branche de l'épingle à nourrice pour pouvoir la glisser dans 2 cœurs perforés.

PERFOREZ UN TEXTE AVEC PRÉCISION

Avant tout, exercez-vous à perforer quelques lettres sur une feuille simple : certaines lettres demandent plus de force d'appui que d'autres. Pour adapter votre texte à la dimension de la carte, faites un brouillon sur lequel vous écrirez votre message. Perforez le brouillon et utilisez-le comme guide. Fixez-le avec des trombones sur la carte : vous pouvez ainsi ajuster l'emplacement de la perforatrice en vous guidant sur les parties évidées.

Les cartes aux poissons

Tout frais pêchés, les poissons bleus se sont sagement posés sur des cartes de papier pour raconter vos vacances au bord de l'eau.

Avec l'aimable autorisation de Loisirs et Création. Pot à crayons : Bookbinders, plumes et encre : Marie Papier.

NIVEAU
Facile

TEMPS
30 mn

Les outils

- ✓ Cutter
- ✓ Ciseaux à lames vague, (Fiskars)
- ✓ Ciseaux droits
- ✓ Crayon
- ✓ Colle en bombe

Le modèle

- ✓ Carton souple (par exemple : emballage de corn flakes)
- ✓ Papier bleu à pois et à rayures
- ✓ Carton micro-cannelures bleu
- ✓ Cartes longues 10,5 x 21 cm blanches et enveloppes bleues (Loisirs et Création)
- ✓ Colle Twist & Glue (Uhu)
- ✓ Œillets pour copie
- ✓ Fil de coton bleu

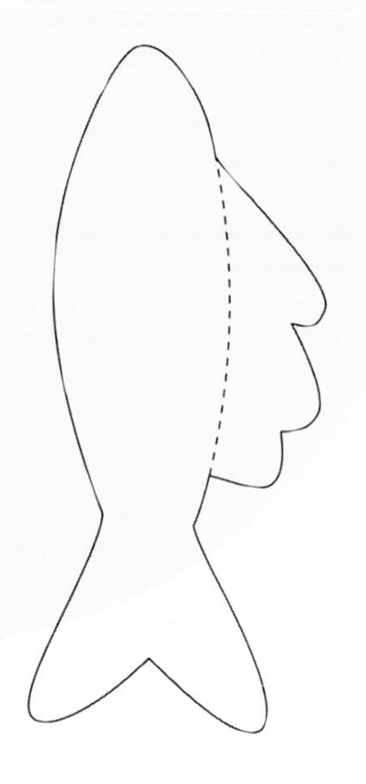

Modèle à reproduire à 200 %.

1- Découpez les papiers

Sur 1 morceau de carton souple, reportez le dessin du poisson agrandi à la photocopieuse et de la nageoire pour faire un gabarit. Découpez les 2 motifs. Posez le gabarit du poisson sur l'envers des différents papiers et cartons découpés au format 10,5 x 21 cm. Tracez le contour au crayon, évidez la forme avec le cutter. Tracez et découpez les nageoires.

2- Fixez la boucle

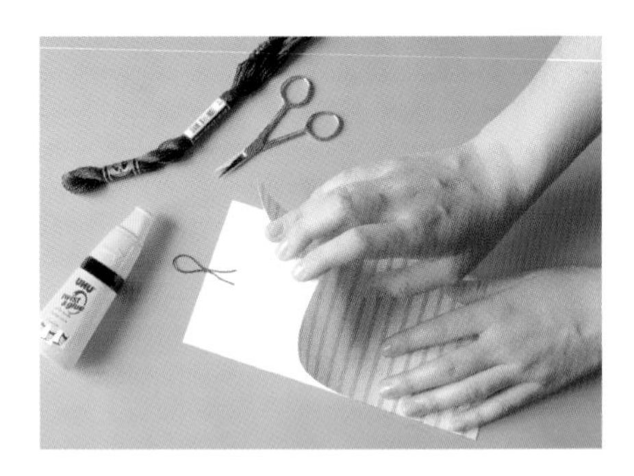

Fixez 1 boucle de fil de coton bleu avec 1 point de colle au milieu d'un petit côté d'une carte (vous pourrez ainsi la suspendre). Collez avec la colle Twist & Glue (Uhu) 1 rectangle de papier bleu de 10,5 x 21 cm sur cette carte. Lissez bien avec la main.

ASTUCE
Vous pouvez découper le bord du papier ou du carton avec des ciseaux à lames décoratives en forme de vagues.

3- Collez le poisson

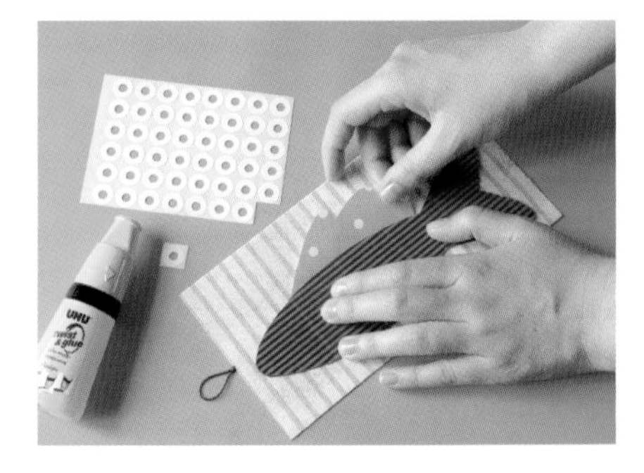

Collez une silhouette de poisson sur la carte, puis une des nageoires découpées dans un autre papier. Pour simuler l'œil, placez 1 œillet adhésif sur le poisson.

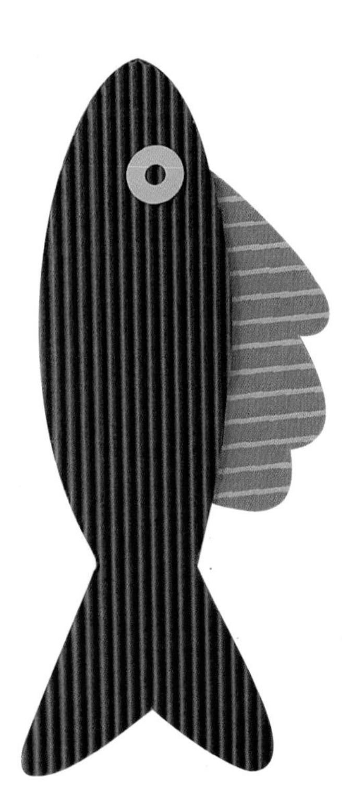

RÉALISEZ DES COUPES FINES

Pour découper les arrondis de la nageoire, vous pouvez utiliser un cutter très pointu que l'on appelle X-Acto, parfait pour réaliser des découpes précises et délicates et dans le cas de découpes très étroites. Prenez-le dans la main droite et, à l'aide de la main gauche, faites pivoter légèrement le carton autour de l'outil.

Une carte brodée

Brodez les papiers pré-piqués avec des fils de coton multicolores au point de grébiche pour donner du relief à une belle fleur.

Avec l'aimable autorisation de Loisirs & Création. Peinture Ressource. Fournitures : Loisirs & Création.

NIVEAU
Moyen

TEMPS
1 h

Les outils

- ✓ Cutter
- ✓ X-Acto
- ✓ Tapis de coupe
- ✓ Ciseaux
- ✓ Règle métallique
- ✓ Perforatrice marguerite
- ✓ Ruban adhésif
- ✓ Ruban adhésif double face
- ✓ Aiguille à broder
- ✓ Planchette de polystyrène
- ✓ Compas

Le modèle

- ✓ 1 carte double en papier texturé sable (15 x 15 cm)
- ✓ 1 carte rouille (13,5 x 13,5 cm)
- ✓ Papier-calque métallisé violet (14,5 x 14,5 cm)
- ✓ 1 enveloppe assortie (16 x 16 cm)
- ✓ Chutes de papier rouge foncé et de papier anis
- ✓ Fils à broder en coton n° 4 (rouge foncé, bleu canard et jaune) et fil métallisé multicolore

ASTUCE
Faites une broderie simple sur un petit rond de couleur et collez-le au dos de l'enveloppe.

1- Préparez le piquage

Fixez la carte rouille au centre du papier-calque métallisé violet avec du ruban adhésif double face. Posez l'ensemble sur le polystyrène et alignez la règle à 5 mm d'un bord de la carte rouille. Piquez tous les 5 mm tout autour du carré avec l'aiguille à broder. Découpez 1 rond de 7 cm de diamètre dans le papier anis et piquez-le tout autour à 3 mm du bord, tous les 3 mm, et au centre en suivant le gabarit.

2- Découpez

Photocopiez le gabarit et placez-le sur le papier rouge foncé. Coupez ensemble les 2 épaisseurs de papier avec l'X-Acto. Préparez le piquage de la fleur sur le polystyrène, toujours en superposant le gabarit et le papier rouge foncé. Perforez 1 marguerite dans le papier-calque métallisé violet.

3- Brodez le papier

Fixez l'extrémité d'une longue aiguillée de fil rouge foncé sur l'arrière des 2 carrés superposés avec un morceau d'adhésif et brodez-les au point de grébiche. Brodez le rond anis avec le même point avec du fil bleu canard. Brodez la fleur en suivant les trous pré-piqués avec le fil jaune et le fil métallisé.

4- Assemblez la carte

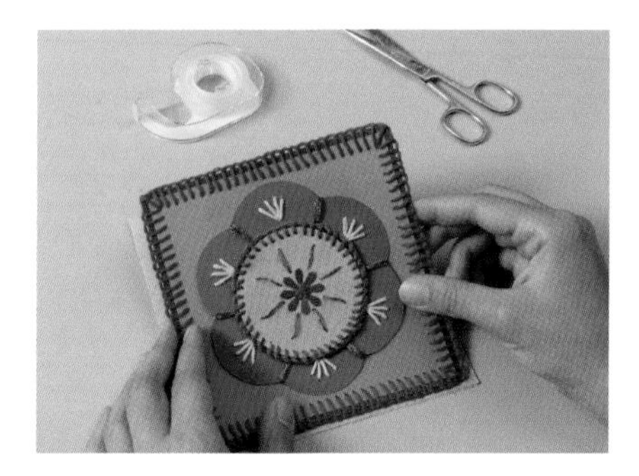

Disposez du ruban adhésif double face au dos du rond et placez-le au cœur de la fleur. De la même façon, collez l'ensemble au milieu du carré. Collez cet ensemble sur la carte double.

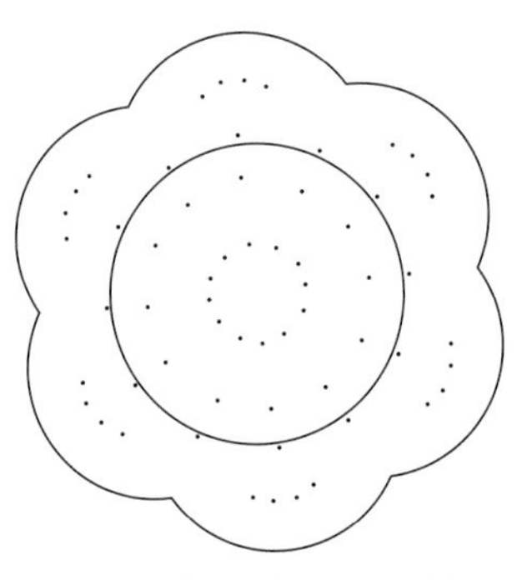

Agrandissez le gabarit à la photocopieuse à 300%.

BRODEZ AU POINT DE GRÉBICHE

Commencez le point de bordure (appelé point de grébiche) : dans les trous pré-piqués, piquez le fil de l'arrière vers l'avant et glissez l'aiguille dans la boucle de fil apparaissant sur le bord avant de serrer le point. Arrivée dans les angles, piquez 3 fois dans le même trou. Terminez le tour par un morceau d'adhésif au dos de la carte.

La carte-cadre aux sequins

Quel plaisir de recevoir un joli portrait encadré de sequins qui se déplie pour se poser directement sur le bureau ou la cheminée !

NIVEAU
Facile

TEMPS
1 h

Les outils

- ✓ Cutter
- ✓ Crayon
- ✓ Règle graduée
- ✓ Tapis de coupe
- ✓ Colle forte en tube
- ✓ 1 aiguille fine
- ✓ Ciseaux

Le modèle

- ✓ 1 feuille A5 (21 x 10,5 cm) de papier fort écru
- ✓ 1 feuille A5 de papier fort rouge
- ✓ 12 sequins plats nacrés blancs
- ✓ 12 perles de rocaille rouges
- ✓ 1 feuille de calque
- ✓ Fil à coudre rouge
- ✓ 1 photo

1- Découpez la carte

Agrandissez le schéma et décalquez-le sur le papier rouge sans oublier les repères des trous et la fenêtre intérieure. Découpez au cutter l'extérieur du cadre sans évider la fenêtre. Marquez la pliure (ligne pointillée) d'un très léger trait de cutter.

2- Cousez les sequins

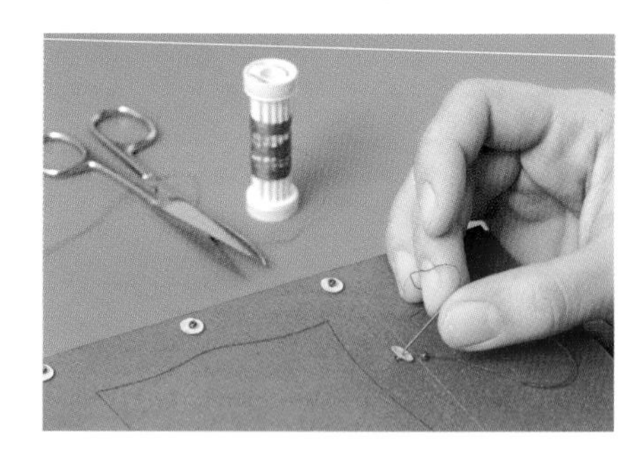

Avec l'aiguille, percez les trous destinés à coudre les sequins et cousez-les un à un pour créer le décor de la carte.

FIXEZ LES SEQUINS

Choisissez une aiguille fine, en vérifiant qu'elle passe bien dans le trou du sequin. Enfilez 40 cm de fil sur l'aiguille et faites un gros nœud à l'extrémité. Commencez la couture en piquant l'aiguille par l'arrière du cadre, passez-la dans l'arrière du sequin, puis dans la perle, puis dans l'avant du sequin, puis dans le même trou. Arrêtez le fil avec un gros nœud au dos de la carte. Cousez de la même façon les 12 sequins.

3- Assemblez le cadre

Dans le papier fort écru, tracez et découpez 2 rectangles de 10 x 14,5 cm. Dans l'un d'eux, tracez et découpez au centre une fenêtre de 10 x 6 cm pour former la marie-louise. Évidez au cutter la fenêtre intérieure du cadre. Collez la marie-louise bien centrée au dos entre les 2 pliures avec la colle forte : la couture des sequins est ainsi dissimulée.

4- Terminez la carte

Coupez la photo au format 10 x 14,5 cm et collez-la au dos par-dessus la marie-louise. Collez le rectangle de papier fort écru restant par-dessus pour pouvoir écrire le texte de la carte.

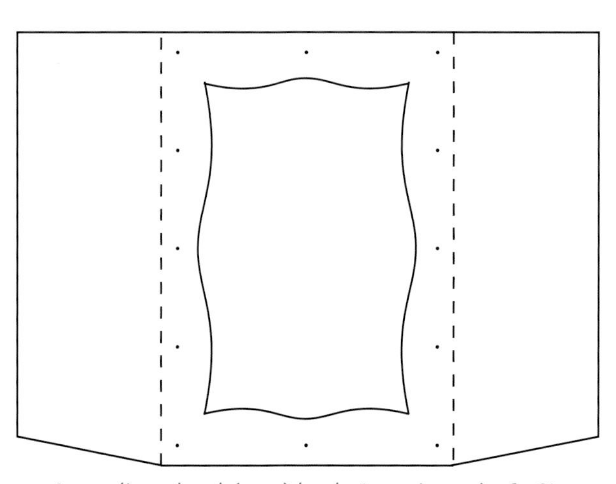

Agrandissez le schéma à la photocopieuse à 260 %.

Des cartes virevoltantes

Un petit point de couture permet de laisser toute liberté de mouvement à de fines silhouettes colorées.

Avec l'aimable autorisation de Loisirs et Création. Feutres: MUJI.

NIVEAU
Moyen

TEMPS
45 mn

Les outils

- ✓ Cutter
- ✓ Règle métallique
- ✓ Bâton de colle
- ✓ Ciseaux
- ✓ Tapis de coupe
- ✓ Machine à coudre
- ✓ Perforatrice de bureau
- ✓ Crayon
- ✓ Gomme

Le modèle

- ✓ Perforatrice fleur
- ✓ Feuille de papier vert format raisin
- ✓ Feuille fantaisie pour scrap (mélange Inspiration Madrid)
- ✓ Fil vert

ASTUCE
Jouez avec les perforatrices : fleurs, feuilles, cercles, étoiles, chiffres, lettres... La seule contrainte : découper une silhouette qui comporte suffisamment de papier pour pouvoir être cousu. Selon la silhouette découpée et la couleur du papier choisie, chaque carte créée sera un modèle original.

1- Découpez la carte

Sur le papier vert, tracez 1 rectangle de 10 x 42 cm. Découpez-le au cutter et à la règle. Marquez 1 repère au centre du grand côté (à 21 cm du bord). Pliez-le ensuite de manière à obtenir 1 carte de 10 x 21 cm.

2- Découpez les fenêtres

Sur 1 des 2 rectangles de 10 x 21 cm, tracez 3 fenêtres de 4 x 4 cm espacées d'1 cm. Évidez les fenêtres au cutter et à la règle. Gommez les traits de crayon.

3- Perforez les fleurs

Perforez 3 fleurs dans le papier à carreaux colorés. Perforez 3 petits cercles avec la perforatrice de bureau pour réaliser le cœur des fleurs. Découpez 1 succession de 3 carreaux de couleurs différentes, soit 1 rectangle de 16,5 x 5,5 cm.

4- Assemblez les fleurs et la carte

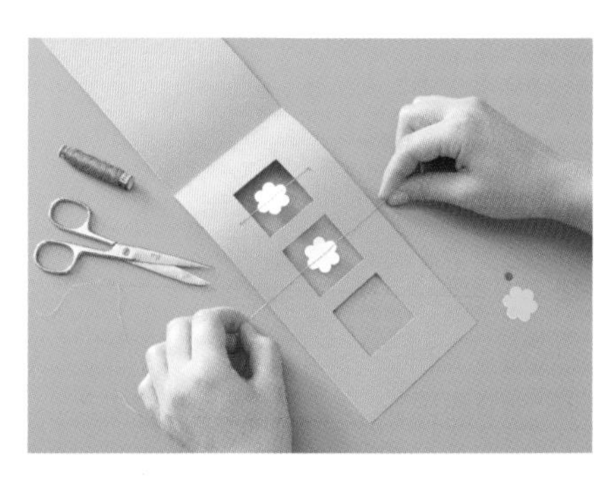

Fixez les fleurs au centre des fenêtres avec la machine à coudre et du fil vert. Collez les cercles de couleur au centre des fleurs.

COUSEZ LES FLEURS

Avec la machine à coudre, piquez l'aiguille sur 1 cm au-dessus du milieu de chaque fenêtre. Commencez à coudre dans le papier vert, puis dans le vide. Placez la fleur sous le pied de la machine, au centre de la fenêtre. Piquez en traversant la fleur, continuez dans le vide et terminez sur 1 cm du papier vert. Dégagez la carte, retournez-la et tendez bien les fils à la main. Nouez les extrémités et coupez.

5- Collez le papier

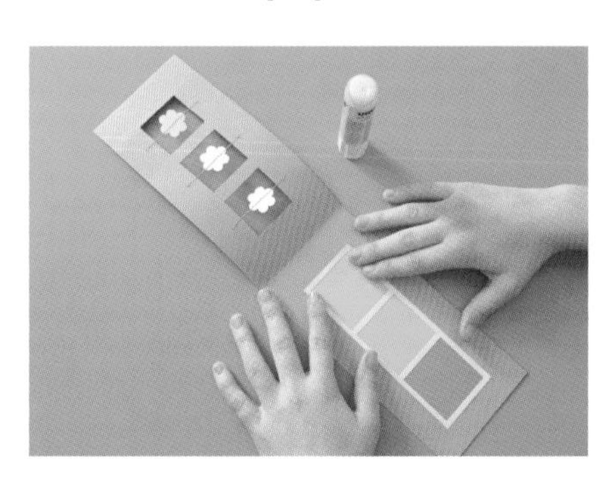

Avec le bâton de colle, placez le rectangle de 3 carreaux de couleur à l'intérieur de la carte, positionné de manière à faire apparaître 1 couleur différente à travers chaque fenêtre.

Décoration

Des cubes et des portraits

Ouvrez la boîte pour jouer aux portraits : ce cadre-sculpture se modifiera au gré du déplacement des cubes.

Avec l'aimable autorisation de Loisirs et Création. Photos : DR.

NIVEAU
Moyen

TEMPS
2 h

Les outils

- ✓ Cutter
- ✓ Tapis de coupe
- ✓ Règle graduée
- ✓ Crayon
- ✓ Ruban adhésif
- ✓ Ruban adhésif double face
- ✓ Colle vinylique
- ✓ Colle forte
- ✓ Pinceau
- ✓ Ciseaux
- ✓ Aiguille

Le modèle

- ✓ 1 feuille 30 x 30 cm de papier uni bordeaux et uni rose
- ✓ 4 feuilles 30 x 30 cm papier imprimé
- ✓ 1 feuille de cartonnette
- ✓ Chutes de papiers unis assortis aux imprimés
- ✓ 8 photos
- ✓ 8 cubes d'enfant (côté : 3,9 cm)
- ✓ 50 cm de cordeletterose
- ✓ 3 attaches parisiennes
- ✓ Perforatrices rondes (diam. : 1 cm et 2,5 cm)

1- Recouvrez les cubes

Pour chaque cube, découpez au cutter des carrés de 3,9 cm de côté : 2 unis, 2 imprimés et 2 photos. Collez-les sur le cube avec du ruban adhésif double face. Recouvrez de la même façon les 8 cubes.

2- Préparez la boîte

Découpez 6 carrés de cartonnette de 8 x 8 cm. Coupez 6 carrés de 10 x 10 cm dans les papiers imprimés. Avec la colle vinylique, collez chaque cartonnette au dos d'un papier imprimé. Coupez les angles à 45° aux ciseaux. Encollez et rabattez les bords.

3- Découpez le papier

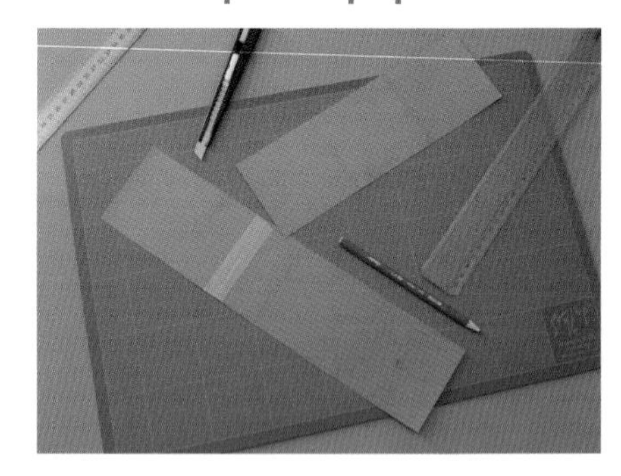

Découpez 3 rectangles de papier bordeaux : (A) 24,6 x 8 cm, (B) 12,4 x 8 cm, (C) 20,4 x 8 cm. Collez B et C bout à bout sur l'envers avec du ruban adhésif. Sur l'envers de chaque bande, tracez 1 trait à 8 cm du bord gauche, puis un autre 0,3 cm plus loin, puis encore à 8 cm et ainsi de suite, pour obtenir 3 carrés sur une bande et 4 carrés sur l'autre, espacés de 0,3 cm.

4- Assemblez les bandes

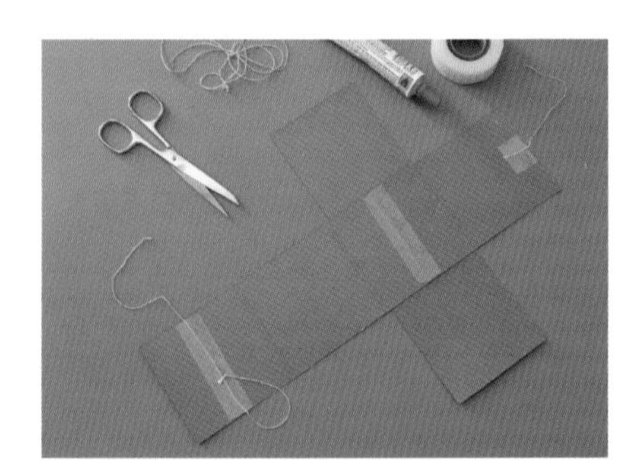

Collez les 2 bandes en croix : le carré raccordé par l'adhésif est collé sur le carré du milieu de l'autre bande. Sur les 2 carrés d'extrémité de la grande bande, fixez avec du ruban adhésif 1 morceau de cordelette : 30 cm en bas de la croix, à 4 cm du bord, et 15 cm de l'autre côté, perpendiculaire et centré.

5- Réalisez les attaches

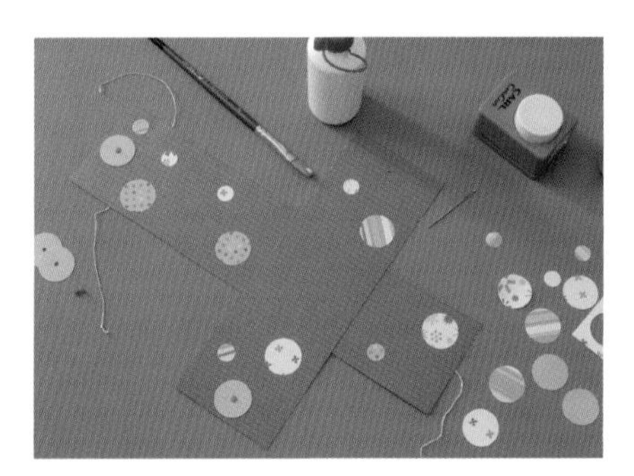

Dans le papier rose, perforez 3 cercles de diam. 5,5 cm. Placez-en 1 en bas de la croix, et 1 à chaque extrémité de la petite branche de la croix. Centrez-les. Percez le centre du cercle et le papier bordeaux avec l'aiguille. Fixez-les avec une attache parisienne. Décorez la croix bordeaux avec des cercles découpés.

6- Recouvrez l'intérieur

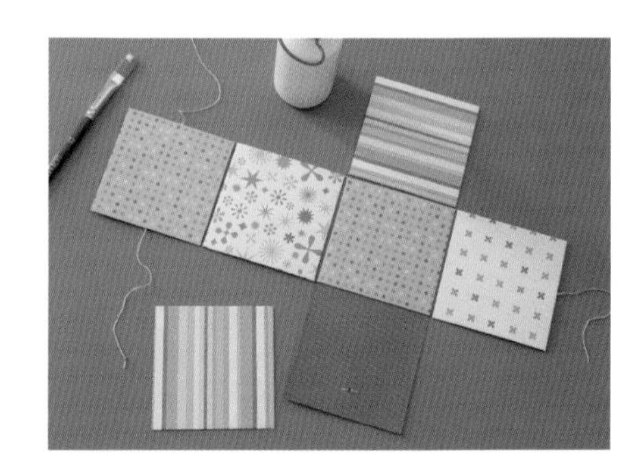

Placez la croix à l'envers sur le plan de travail. Collez à la colle vinylique les carrés recouverts à l'étape 2. Marquez les pliures d'angle contre le plan de travail. Vous pouvez ajouter 1 petite étiquette découpée dans du papier uni pour écrire un titre.

COLLEZ À LA COLLE VINYLIQUE

Étalez la colle au pinceau sur l'envers du papier, en vous plaçant sur une feuille de papier propre pour ne pas tacher le plan de travail. Étalez une couche de colle fine et régulière. Centrez le carré de cartonnette dessus. Retournez sur une partie propre du papier de protection et lissez bien avec un chiffon. Découpez les angles, pré-encollez les rabats si nécessaire et repliez-les l'un après l'autre.

Le mobile des fées

Découpées dans du papier-calque irisé, les fées suspendues sur leurs baguettes virevoltent au moindre courant d'air.

Avec l'aimable autorisation de Loisirs et Création.

NIVEAU
Moyen

TEMPS
1 H 15

Les outils

- ✓ Cutter
- ✓ Tapis de coupe
- ✓ Ciseaux à lames décoratives « festons »
- ✓ Ciseaux droits
- ✓ Crayon ✓ Gomme
- ✓ Aiguille à broder
- ✓ Gros clou
- ✓ Colle forte en tube
- ✓ Ruban adhésif mat
- ✓ Vernis-colle
- ✓ Pinceau

Le modèle

- ✓ 4 feuilles A4 de papiercalque irisé (vert, orange, or et prune)
- ✓ 6 boules de papier mâché (diam. : 30 mm)
- ✓ 1/4 de feuille de papier de soie rose pâle
- ✓ 3 pics à brochettes en bois peints avec de la peinture acrylique dorée
- ✓ Fils à broder de couleurs assorties aux papiers
- ✓ Perforatrice motif « étoile »

Gabarit A

Agrandissez le gabarit (A) à la photocopieuse à 380 %.

1- Découpez

Photocopiez et découpez les gabarits. Reportez le contour de la robe : 1 fois (calques vert et prune) et 2 fois (calques or et orange). Reportez les chapeaux : 1 fois (calques or et orange) et 2 fois (calques vert et prune). Découpez aux ciseaux droits les bords lisses et aux ciseaux à lames décoratives les bords festonnés.

2- Habillez les têtes

Déchirez de petits carrés de papier de soie rose pâle de 1 à 2 cm de côté. Couvrez au fur et à mesure chaque boule de papier mâché de vernis-colle, d'un morceau de papier de soie, puis d'une 2e couche de vernis-colle. Faites chevaucher légèrement les carrés de papier de soie.

3- Décorez les éléments

Perforez 18 étoiles dans les chutes de calque. Collez 1 étoile au centre d'un chapeau et 2 étoiles au centre d'une robe en contrastant les couleurs.
Encollez 1/3 de l'intérieur du 1/2 cercle et formez 1 cône pour le chapeau. Glissez les encoches de la robe l'une dans l'autre. Découpez 1 morceau d'adhésif de 3 cm et coupez-le en 3 dans la longueur. Placez-en un sur la fermeture intérieure de la robe, près de la pointe du cône. Appuyez fortement avec l'ongle.

4- Montez le mobile

Découpez les baguettes peintes : 1 fois 22 cm, 1 fois 18 cm, 2 fois 14 cm et 1 fois 8 cm. Aux extrémités de la tige de 8 cm, placez : 1 fée or (fil : 3 cm) et 1 fée prune (fil : 6 cm). Sur la tige de 14 cm, placez : 1 fée orange (fil : 10 cm) et 1 fée or (fil : 3 cm). Fixez ces 2 ensembles de part et d'autre de la tige de 22 cm, avec 3 et 8 cm de fil. D'autre part, fixez sur la 2e tige de 14 cm les 2 dernières fées (fils : 5 et 12 cm). Nouez 1 fil au milieu de la tige de 22 cm et suspendez à 5 cm l'ensemble des 4 fées à l'extrémité de la dernière tige libre. Fixez de la même façon l'ensemble de 2 fées à l'autre bout de cette tige. Nouez sur cette dernière 1 long fil double pour suspendre le mobile.

Gabarit B

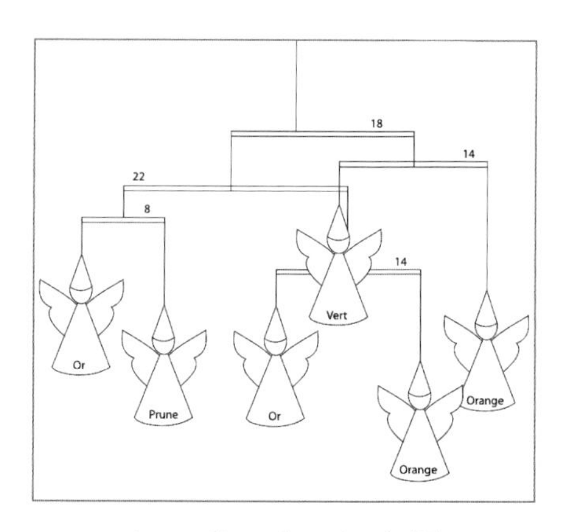

Agrandissez le gabarit (B) à la photocopieuse à 380 %.

MONTEZ LES DIFFÉRENTES PARTIES DES FÉES

Choisissez une robe et un chapeau de couleur différente et un fil à broder de la couleur du chapeau. Faites un quadruple nœud au bout du fil et passez-le avec l'aiguille à l'intérieur de la robe. Avec l'aiguille, percez la boule de papier mâché, de manière décalée par rapport à son centre. Accentuez un des trous en créant un petit cône inversé là où le haut de la robe s'imbriquera. Déposez une goutte de colle au fond de ce trou après avoir passé le fil dans la tête de la fée, appuyez délicatement pour fixer les 2 parties. Enfilez l'aiguille dans le chapeau et faites un double nœud pour bloquer l'ensemble.

Une corbeille à papier

Réalisez une corbeille très résistante et particulièrement déco à partir de petits rouleaux de pages de magazines multicolores.

Avec l'aimable autorisation de Loisirs & Création. Peinture Ressource. Fournitures : Loisirs & Création.

NIVEAU
Moyen

TEMPS
4 h

Les outils

- ✓ Tapis de coupe
- ✓ Règle métallique
- ✓ Brosse plate
- ✓ Chiffon
- ✓ Crayon
- ✓ Ciseaux

Le modèle

- ✓ Morceau de carton fort (récupération d'une boîtes de lessive)
- ✓ Feuille de papier fort
- ✓ Pages de magazines
- ✓ Bâtonnet fin, type brochette
- ✓ Colle blanche pour textiles muraux
- ✓ Lame de couteau
- ✓ Pochettes plastique
- ✓ Vernis acrylique satiné

1- Préparez le fond

Dessinez une forme ovale dans le papier fort. Utilisez-la comme gabarit pour tailler 2 ovales dans le carton fort. Découpez-les avec une marge de 2 cm sur tout le pourtour. Marquez les périmètres avec le dos de la lame de couteau. Crantez-les tout autour. Repliez les crans.

2- Montez la base

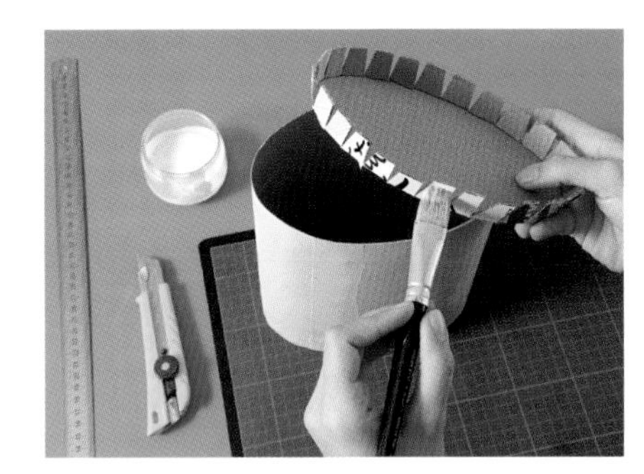

Découpez 1 bande de papier fort de la longueur du périmètre et de 20 cm de hauteur environ. Encollez l'envers des crans d'un ovale. Appliquez la bande de papier fort sur les crans. Fermez le long de la hauteur et coincez l'autre ovale préparé comme gabarit pour la forme. Laissez sécher en forme puis ôtez le gabarit.

3- Enroulez les papiers

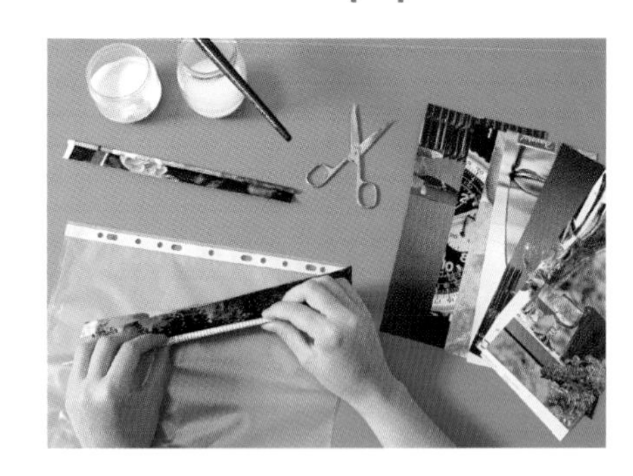

Triez des pages de magazines de même grammage dans des couleurs harmonieuses. Avec des ciseaux, coupez-les en 2 dans le sens de la hauteur.

4- Collez les rouleaux

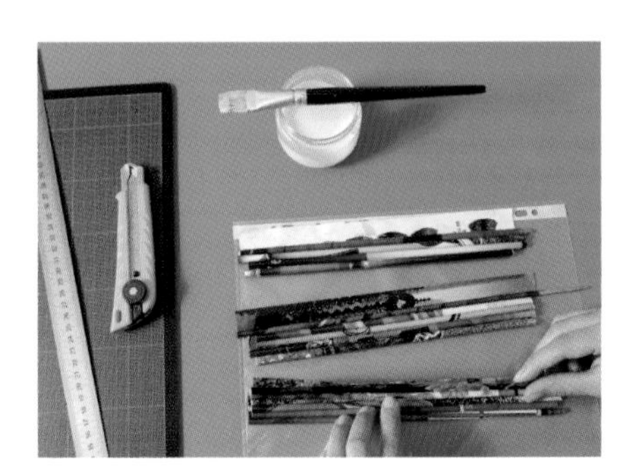

Encollez (colle non diluée) la bande de 2 cm en attente d'un rouleau. Coincez dessus un autre rouleau et ôtez le bâtonnet en le tirant. Réalisez ainsi 1 bande de la longueur du périmètre de l'ovale. Laissez sécher et égalisez avec la règle et le cutter.

5- Contrecollez la pièce

Décollez la bande du support et collez (colle non diluée) sur l'envers des pages de magazines entières en les faisant se chevaucher ; faites adhérer les pages avec de la colle diluée. Laissez sécher et coupez les feuilles qui dépassent au cutter. Passez la lame du couteau entre les rouleaux pour assouplir la bande.

6- Montez la corbeille

Encollez l'envers de la bande ainsi que la base en attente. Fixez la bande autour de la base. Laissez sécher. Réutilisez le gabarit pour maintenir la forme si nécessaire. Passez 2 couches de vernis satiné sur les rouleaux et les tranches.

ENCOLLEZ LES PAGES DE MAGAZINES

Installez-vous sur la pochette plastique. Encollez une face de la demi-page de magazine avec la colle diluée (1 mesure de colle pour 4 mesures d'eau). Placez le bâtonnet perpendiculairement au texte et commencez à enrouler le papier dessus. Serrez uniformément en tournant l'extrémité du bâtonnet. Terminez en collant avec de la colle non diluée. Laissez une marge de papier de 2 cm.

ASTUCE
Sur le même principe, réalisez des accessoires de bureau de différentes tailles : pot à crayons, cadres, boîtes...

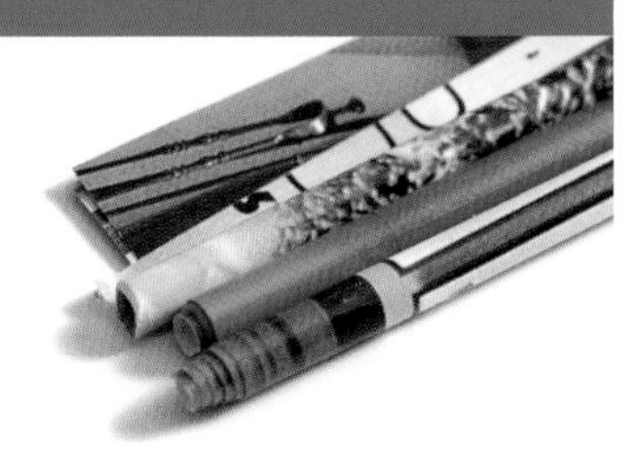

Un carton à dessins

Triez, classez et rangez vos papiers dans ce carton noué d'un ruban qui annonce fièrement votre passion et votre créativité.

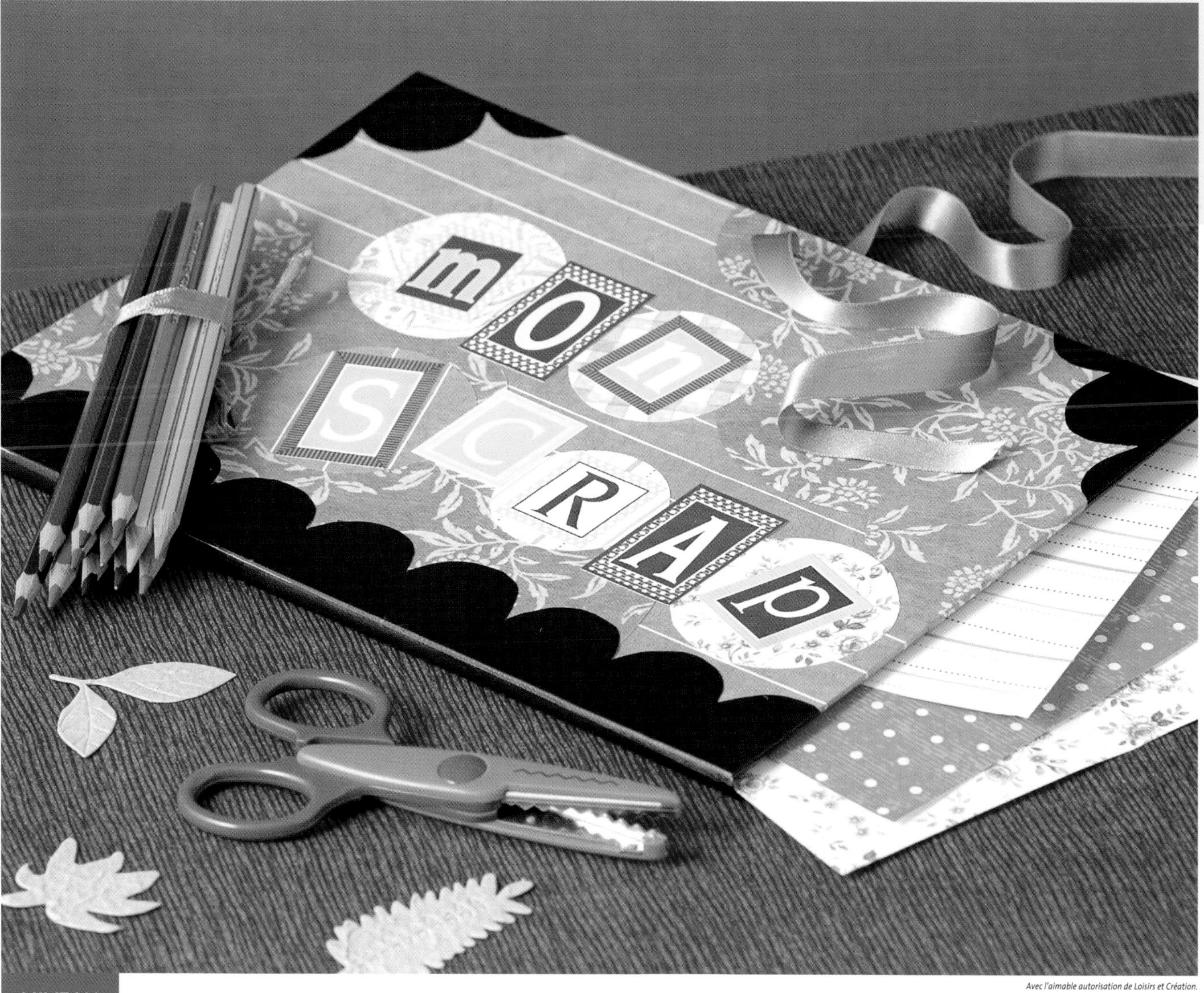

Avec l'aimable autorisation de Loisirs et Création.

NIVEAU
Facile

TEMPS
1 h 30

Les outils

- ✓ Cutter
- ✓ Ciseaux droits
- ✓ Tapis de coupe
- ✓ Cutter rotatif
- ✓ Compas
- ✓ Règle métallique
- ✓ Colle vinylique
- ✓ Pinceau
- ✓ Papier sulfurisé
- ✓ Feutre fin indélébile à séchage rapide

Le modèle

- ✓ 2 cartons contrecollés (22 x 31 cm ; ép. : 2 mm)
- ✓ Papier rayé beige rosé format raisin
- ✓ Papier bleu fleuri
- ✓ Chutes de papiers scrap dans les couleurs rose, beige et bleu
- ✓ Grand lettrage assorti
- ✓ Adhésif large toilé noir type « chatterton »
- ✓ Ruban de satin beige (2 x 30 cm)
- ✓ 3 chemises dossiers rose, bleue et verte (24 x 32 cm)

1- Recouvrez les cartons

Dans le papier rayé beige rosé, découpez 2 rectangles de 26 x 35 cm. Encollez 1 face des cartons et placez-les sur le papier rayé en lissant bien. Coupez en diagonale les angles et rabattez les bords sur l'envers. Découpez dans le papier bleu fleuri 2 fois 15 x 25 cm (angle bas gauche) et 2 fois 13 x 18 cm (angle haut droit). Tracez des arrondis au compas (rayon : 5 cm). Collez ces formes sur le papier rayé en rabattant les bords sur l'envers.

2- Recouvrez l'intérieur

Détachez 1 morceau de 18 cm de chatterton du papier sulfurisé et positionnez-le de façon bien symétrique à l'angle haut d'un carton. Rabattez le chatterton sur l'intérieur. Découpez 2 rectangles de 21,5 x 30,5 cm de papier rayé. Pratiquez au cutter 1 fente de la largeur du ruban, centrée à 15 mm du haut de chaque carton. Glissez le ruban vers l'intérieur et collez-le sur 2 cm. Collez le papier rayé à l'intérieur des cartons.

3- Assemblez le carton

Espacez les 2 cartons d'1 cm. Reliez-les avec 1 bande de chatterton puis retournez le carton double, l'endroit face à vous. Appliquez alors sur 1 carton 1 des chattertons découpés en arrondi, en faisant dépasser 1 cm du bord droit sur la pliure entre les 2 cartons. Faites de même de l'autre côté en faisant chevaucher les bords droits sur 1 cm. Couper à 1,5 cm le débord et rabattez-le vers l'intérieur.

ASTUCE
Le carton proposé correspond à un format de feuilles A4, mais vous pouvez en modifier les proportions selon vos besoins.

4- Décorez le carton

Tracez et découpez dans des papiers assortis 5 cercles (diamètre selon la taille des lettres). Pour chaque mot, collez 1 lettre sur 2 sur 1 cercle. Collez les lettres intermédiaires à cheval sur 2 cercles.

5- Créez des soufflets

Coupez le haut des chemises à 20 cm de haut. Ouvrez au milieu 1 encoche de 5 cm de large et 1 cm de haut et arrondissez les bords. Ouvrez les chemises et marquez de chaque côté 1 pli à 1,5 cm du bord. Fendez en biais le pli du milieu de la chemise sur 1,5 cm de chaque côté. Refermez les chemises et pliez les bords : vers vous pour les bords droits et sur l'arrière pour les bords gauches. Glissez les chemises l'une dans l'autre. Collez chaque bord plié sur le côté de la chemise qui suit. Collez cet accordéon dans le carton à dessins.

DÉCOUPEZ LE CHATTERTON

Découpez 2 longueurs de 33 cm et 4 longueurs de 18 cm de chatterton et collez-les sur du papier sulfurisé. Retournez le papier sulfurisé afin de voir le chatterton par transparence et de tracer le motif. Tracez 1 ligne au feutre indélébile à 2 cm d'un des bords du chatterton. Puis alignez des 1/2 cercles de 2 cm de rayon le long de cette ligne avec le feutre fixé dans l'adaptateur du compas. Découpez les arrondis aux ciseaux.

Un vide-poche lettré

Voici un vide-poche mural qui donne envie de bien ranger ! Découpez-le dans du carton et habillez-le de lettres multicolores.

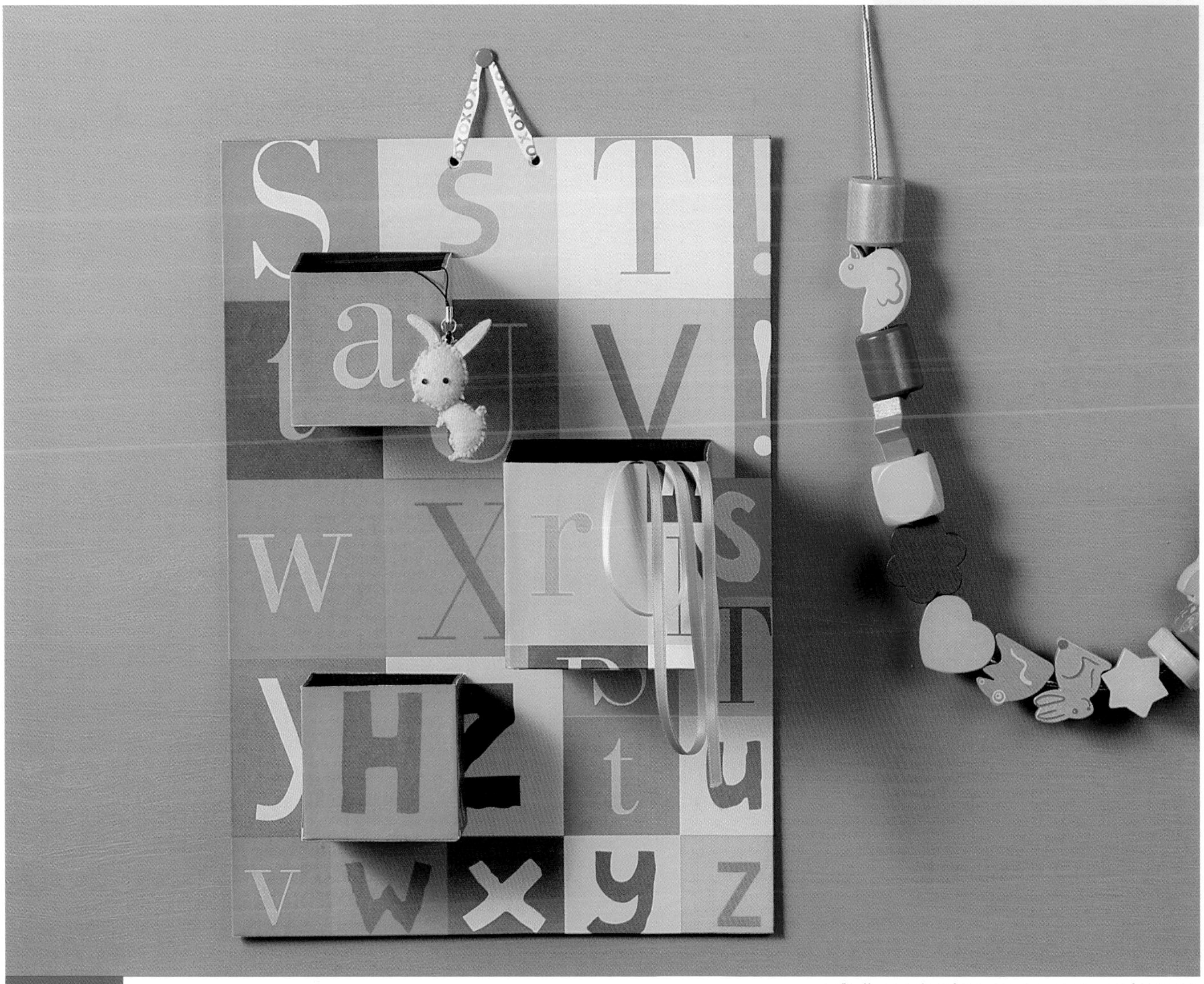

Avec l'aimable autorisation de Loisirs & Création. Peinture Ressource. Fournitures : Loisirs & Création et Ocito.

NIVEAU
Facile

TEMPS
2 h

Les outils

- ✓ Cutter
- ✓ Tapis de coupe
- ✓ Ciseaux
- ✓ Règle métallique
- ✓ Crayon
- ✓ Pinceau
- ✓ Colle vinylique
- ✓ Chiffon doux
- ✓ 1 emporte-pièces (diam. : 0,5 cm)
- ✓ Marteau
- ✓ Éponge

Le modèle

- ✓ 1 rouleau de kraft gommé (larg. : 5 cm)
- ✓ Peinture acrylique mate (couleur au choix)
- ✓ 20 cm de ruban fantaisie (larg. : 1 cm)
- ✓ 1 rectangle de carton-bois (40 x 60 cm ; ép. : 2 mm)
- ✓ 1 rectangle de carton-plume (28 x 40 cm ; ép. : 4 mm)
- ✓ Feuilles imprimées avec différentes lettres (30 x 42 cm)
- ✓ Feuilles de papier blanc

ASTUCE
Vous pouvez habiller le vide-poche avec un patchwork de papiers unis et coller des lettres de carton peintes.

1- Assemblez les boîtes

Dans le carton-bois, découpez 10 carrés de 7,5 cm de côté (2 petites boîtes) et 5 carrés de 10 cm de côté (1 grande boîte). Assemblez les 3 boîtes avec le kraft gommé humidifié à l'éponge et appliquez la bande sur les arêtes de carton. Coupez l'excédent aux ciseaux.

2- Peignez les boîtes

Avec la peinture acrylique mate, peignez l'intérieur de chaque boîte. Laissez sécher puis appliquez une 2e couche si nécessaire.

3- Recouvrez le panneau

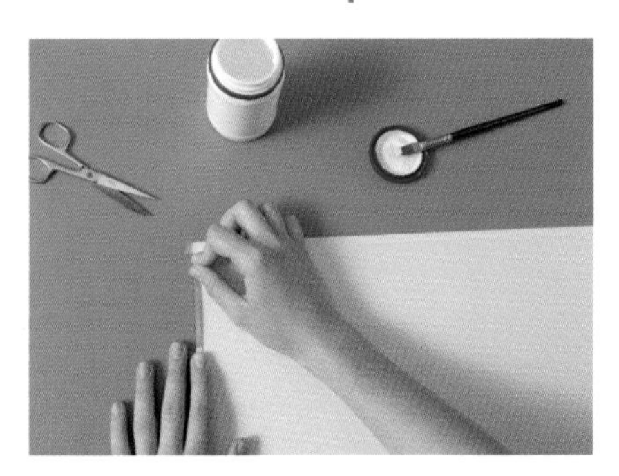

Appliquez une couche de colle vinylique sur toute la surface du rectangle de carton-plume et placez une feuille imprimée dessus. Faites adhérer en appuyant fermement avec le chiffon doux sur toute la surface et rabattez les débords au dos du panneau. Collez-les avec un peu de colle vinylique.

4- Habillez les boîtes

Dans les feuilles imprimées, découpez 3 rectangles de 7,5 x 8,5 cm et 2 carrés de 7,5 cm de côté pour chaque petite boîte puis 3 rectangles de 10,5 x 11,5 cm et 2 carrés de 10 cm de côté pour la grande boîte. Encollez et appliquez le papier sur les différentes faces en rabattant les débords sur les faces adjacentes. Commencez par les morceaux de papier les plus grands et terminez par les carrés pour masquer les débords.

5- Percez le panneau

Collez chaque boîte sur le panneau avec la colle vinylique. Avec l'emporte-pièces et le marteau, réalisez 2 trous espacés de 4,5 cm en les centrant dans la largeur du panneau et en les plaçant à 1 cm du bord haut. Passez le ruban dans les trous et nouez-le au dos du panneau.

ENCOLLEZ LE PAPIER

Placez une feuille de papier blanc sur le plan de travail. Encollez les feuilles imprimées de colle vinylique avec le pinceau. Veillez à déposer une couche de colle uniforme. Changez la feuille de papier blanc dès qu'elle est tachée de colle pour ne pas salir l'endroit du papier à encoller. N'utilisez pas de papier journal car l'encre risquerait de se mélanger avec la colle. Conservez pour vos encollages les feuilles de papier machine mal imprimées à l'ordinateur ou vos pages de brouillon.

Un trieur à courrier

Cartes postales reçues, lettres à poster : glissez-les entre les enveloppes de ce trieur à courrier réalisé en carton-plume.

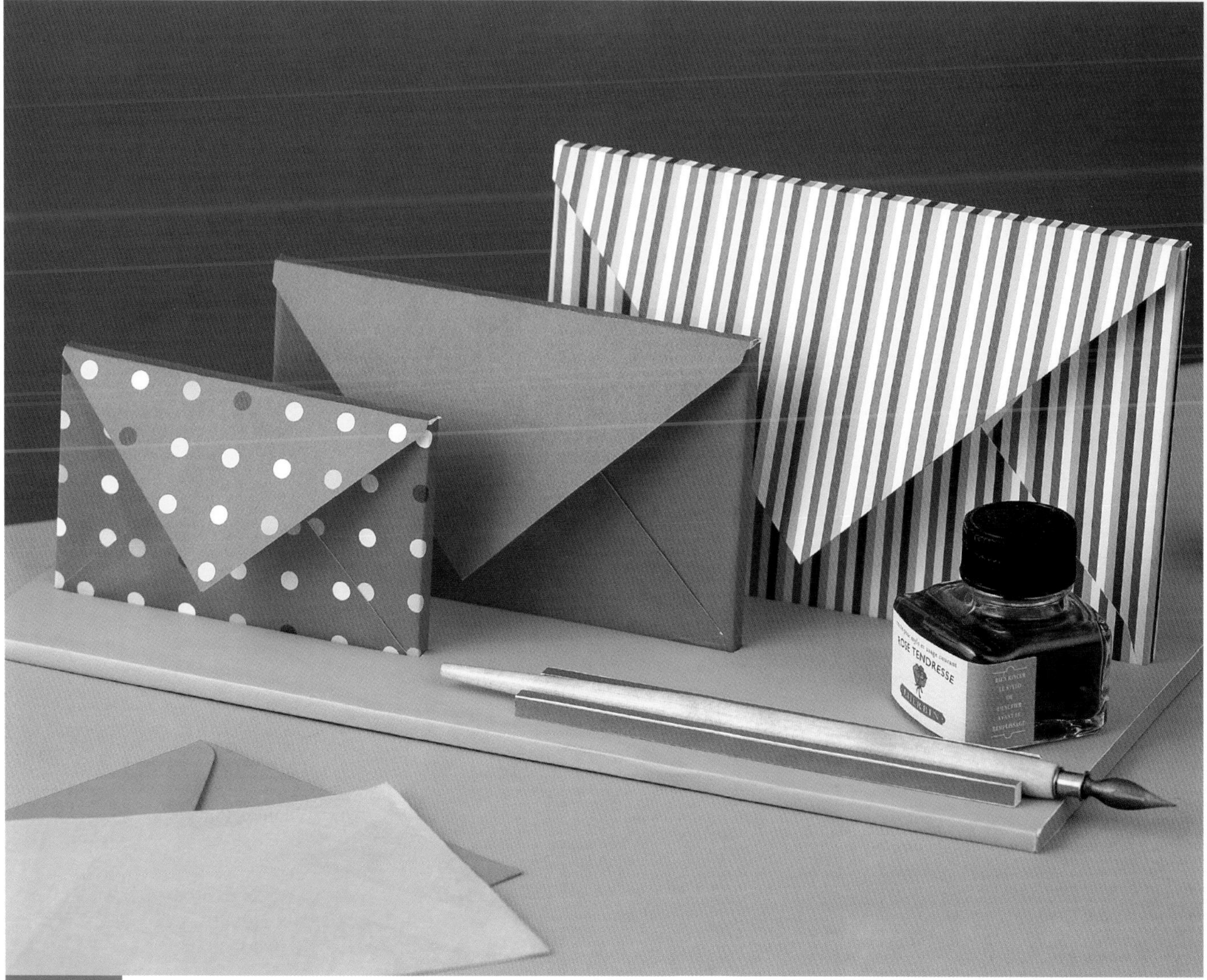

Avec l'aimable autorisation de Loisirs & Création. Peinture Ressource. Fournitures : Loisirs & Création.

NIVEAU
Moyen

TEMPS
1 h 30

Les outils

- ✓ Cutter
- ✓ Tapis de coupe
- ✓ Colle en bombe
- ✓ Colle forte en tube
- ✓ Crayon
- ✓ Règle métallique
- ✓ 1 épingle

Le modèle

- ✓ Feuilles de scrap : 1 rose clair, 1 rose moyen, 1 rouge, 1 rouge à pois, 1 rouge à rayures
- ✓ 2 plaques A4 de carton-plume (ép. : 5 mm)

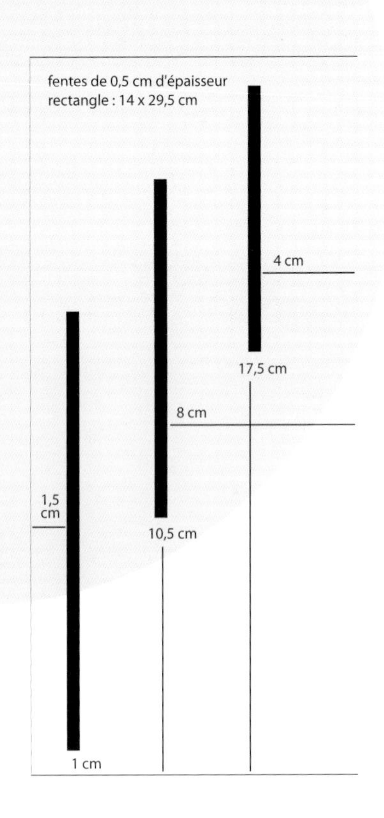

1- Habillez la base

Tracez suivant le gabarit la base du trieur sur le carton-plume. Découpez le rectangle puis les fentes. Découpez dans le papier rose clair 1 rectangle de 16 x 30 cm. Vaporisez de la colle en bombe sur une face du carton plume et collez le papier dessus. Découpez les 4 rectangles des angles. Rabattez puis collez les rabats avec la colle forte.

2- Ouvrez les fentes

Évidez les fentes du papier : travaillez sur l'envers de la base et incisez le papier en le fendant dans sa longueur. Avec une épingle, percez pour marquer les repères des 4 angles puis, sur l'endroit, incisez avec le cutter.

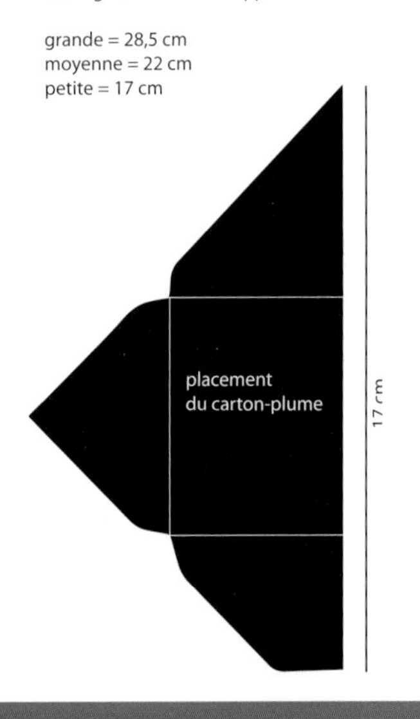

ASTUCE
Pensez à ajuster avant la découpe la longueur des fentes de la base en fonction de la longueur définitive de chaque enveloppe.

3- Formez les enveloppes

Découpez 3 rectangles de carton-plume : 1 fois 10,7 x 7 cm, 1 fois 13,7 x 9 cm et 1 fois 17,7 x 11,5 cm. Photocopiez les 3 demi-gabarits des enveloppes, découpez-les et tracez leur contour sur les feuilles de papier. Déposez de la colle en bombe sur 1 rectangle de carton-plume et collez-le sur le papier. Repliez et collez (colle forte) 3 rabats : les 2 côtés, puis le triangle du bas. En partie haute, collez seulement la tranche du carton-plume.

4- Assemblez

Placez les enveloppes dans les fentes de la base. Découpez 2 baguettes de carton-plume de 0,5 x 14 cm et 2 rectangles de 1,5 x 14 cm de papier rose moyen. Habillez les baguettes avec le papier (colle forte). Collez-les avec la colle forte à 1 cm du côté droit et à 1,5 cm du bord.

COLLEZ LES RABATS

Tracez au crayon le rectangle de placement du carton-plume sur le papier pour être sûre du centrage, rabattez puis collez les rabats avec la colle forte. Afin de faciliter le pliage des rabats, marquez l'envers du papier avec le cutter à 0,5 cm du rectangle de carton-plume.

Un carnet de timbres

Ornée de tampons de la poste, cette pochette de papiers cousus vous permettra de mettre de l'ordre dans votre stock de timbres.

Avec l'aimable autorisation de Loisirs & Création. Peinture Ressource. Fournitures : Loisirs & Création.

NIVEAU
Moyen

TEMPS
1 h

Les outils

- ✓ Tapis de coupe
- ✓ Règle métallique
- ✓ Machine à coudre
- ✓ Ciseaux
- ✓ Ruban adhésif repositionnable
- ✓ Bâton de colle
- ✓ Ordinateur avec logiciel de traitement de texte et imprimante

Le modèle

- ✓ 4 feuilles A4 de papier lilas, fuchsia, orange et violet
- ✓ Tampons perfectly clear timbre « set du postier »
- ✓ Encreurs bleu turquoise et rouge
- ✓ 1 plaque transparente (support pour tampons transparents)
- ✓ Ciseaux fantaisie zigzag
- ✓ Fil de couleur

ASTUCE
Vous pouvez également découper les bords des rectangles orange, fuchsia et lilas avec les ciseaux fantaisie zigzag.

1- Préparez la pochette

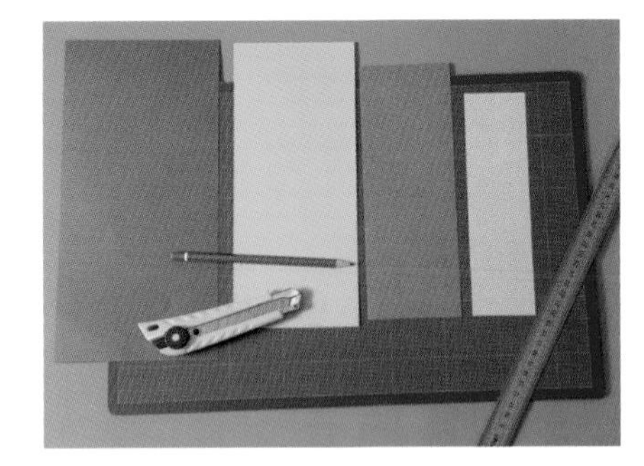

Découpez à l'aide de la règle métallique et du cutter 1 rectangle de 14,8 x 29,7 cm dans le papier violet. Découpez 1 rectangle de 11,8 x 26,7 cm dans le papier orange, 1 rectangle de 8,8 x 23,7 cm dans le papier fuchsia et 1 rectangle de 5,8 x 20,7 cm dans le papier lilas.

2- Découpez les bords

À l'aide des ciseaux fantaisie zigzag, découpez le tour du rectangle violet en vous calant sur le bord de celui-ci.

3- Créez le texte

Sur l'ordinateur, à l'aide d'un logiciel de traitement de texte, imprimez les titres : le bandeau « carnet de timbres » mesure 3,6 x 21 cm et les petits bandeaux mesurent 7,5 x 1 cm. Choisissez une typographie de corps 48 pour écrire le titre "carnet de timbres". Pour les titres : « timbres à x ? », choisissez un corps de 24. Découpez les bandeaux de texte à la règle et au cutter.

4- Associez les rectangles

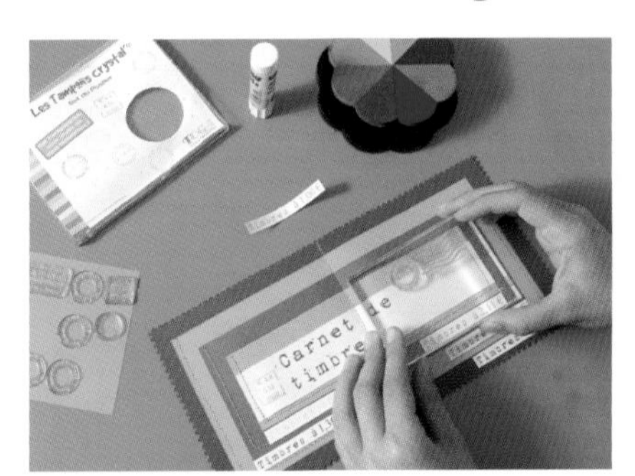

Pliez les uns après les autres tous les rectangles en 2. Superposez les rectangles en plaçant le plus grand en dessous et le bandeau de texte au-dessus, sur le petit rectangle lilas. Collez l'ensemble à l'aide de l'adhésif repositionnable. Cousez à la machine à coudre au point droit le centre des rectangles (sur la pliure). Faites 1 couture sur le côté droit et en bas des rectangles de couleur lilas, fuchsia, orange et violet.

5- Collez les bandeaux

À l'aide du bâton de colle, collez les petits bandeaux édités sur l'ordinateur en dessous de chaque rectangle. Collez les tampons sur la plaque prévue à cet effet. Encrez les tampons et tamponnez le bandeau.

Grâce à Internet, vous pouvez visiter des sites qui recensent des typographies que des designers mettent en ligne (gratuitement, à usage personnel ou payants). L'un de ces sites s'appelle Dafont, mais vous pouvez en trouver d'autres en tapant simplement « typographie » sur un moteur de recherche.

Un panneau de porte

C'est votre chambre ? Dites-le avec des fleurs et décorez de rubans ce panneau à placer sur la poignée de votre porte.

Avec l'aimable autorisation de Loisirs et Création. Photos : DR.

NIVEAU
Facile

TEMPS
45 mn

Les outils

- ✓ Règle graduée
- ✓ Ruban adhésif double face
- ✓ Colle vinylique
- ✓ Pinceau
- ✓ Ciseaux
- ✓ Compas
- ✓ Crayon

Le modèle

- ✓ Panneau de porte en bois
- ✓ Photo 4,5 x 5 cm
- ✓ 1 feuille de papier imprimé beige à fleurs
- ✓ Chutes de papiers imprimés (rayures, motifs géométriques)
- ✓ Chutes de papiers unis
- ✓ 2 perforatrices fleur (2 tailles)
- ✓ Pince et ruban jaune Dymo
- ✓ 1 tampon encreur rose
- ✓ 1 bouton bleu
- ✓ Chutes de rubans
- ✓ 10 cm de ruban croquet bleu larg. 5 mm
- ✓ 10 cm de ruban marron à pois
- ✓ Petites attaches parisiennes

ASTUCE
Décorez l'autre côté du panneau sur le même principe en écrivant « ne pas déranger » en lettres autocollantes.

1- Habillez le panneau

Collez le papier beige à fleurs sur le panneau de bois avec la colle vinylique. Découpez les contours au cutter. Découpez 2 bandes de papier rayé de 0,8 cm de large, 1 bande bleue et 1 bande rose de 1 cm de large. Collez-les. Collez le ruban à pois, coupez l'excédent aux ciseaux. Frottez tout le contour du panneau directement avec le tampon encreur rose.

2- Placez le cadre photo

Tracez au compas 1/2 cercle (diam. : 6 cm) sur le papier géométrique. Découpez aux ciseaux et collez-le en bas du panneau. Collez le ruban croquet bleu par-dessus, coupez l'excédent aux ciseaux. Découpez 1 carré de papier bleu de 5,5 cm de côté. Avec du double face, fixez la photo dessus, puis le tout en biais sur le panneau.

3- Fixez la grande fleur et les rubans

Dans les papiers unis, perforez 1 grande fleur et 5 moyennes. Avec l'adhésif double face, collez la grande dans le cercle, puis 1 bouton pour figurer le cœur. Nouez les rubans autour du cercle du panneau.

4- Placez les textes et les fleurs

Percez le centre des fleurs moyennes avec la pointe du compas, et passez l'attache parisienne dans la fleur. Fixez les fleurs sur le panneau avec le double face. Imprimez les textes avec la pince Dymo et collez-les sur le panneau.

MULTIPLIEZ LES RUBANS

Pour décorer l'étiquette-photo, engagez l'attache parisienne dans le percement du centre de la fleur, puis nouez un petit morceau de ruban sur l'envers de la fleur, autour des 2 branches de l'attache. Avec la pointe du compas, faites un trou dans le carré bleu, enfilez les 2 branches de l'attache parisienne et rabattez-les sur l'envers de l'étiquette. Coupez les extrémités des rubans en biais avec les ciseaux.

La chaussette de Noël

Glissez quelques pièces ou des bonbons dans une chaussette de papiers rouges et blancs rehaussés de jolis motifs aux tampons.

Avec l'aimable autorisation de Loisirs & Création. Peinture Ressource. Fournitures : Loisirs & Création.

NIVEAU
Moyen

TEMPS
1 h

Les outils

✓ Tapis de coupe ✓ Crayon
✓ Règle métallique ✓ Cutter
✓ Ciseaux droits ✓ Fil rouge
✓ Ruban adhésif repositionnable
✓ Stylo blanc ✓ 1 aiguille
✓ 2 feuilles A4 de papier bristol blanc
✓ Machine à coudre
✓ 1 feuille de papier-calque
✓ Ciseaux cranteurs
✓ Perforatrice de bureau

Le modèle

✓ 4 feuilles de scrap (collection Hiver en Alsace de Toga) : l'appel de la forêt (A), des rubans et des mots (B), rayures flocons (C) et rouge écarlate (D)
✓ Kit de 15 tampons Noël d'Aladine Atelier
✓ 1 encreur rouge
✓ 10 cm de ruban croquet rouge
✓ 10 cm de ruban extra-fort rouge
✓ 30 cm de ruban vichy rouge

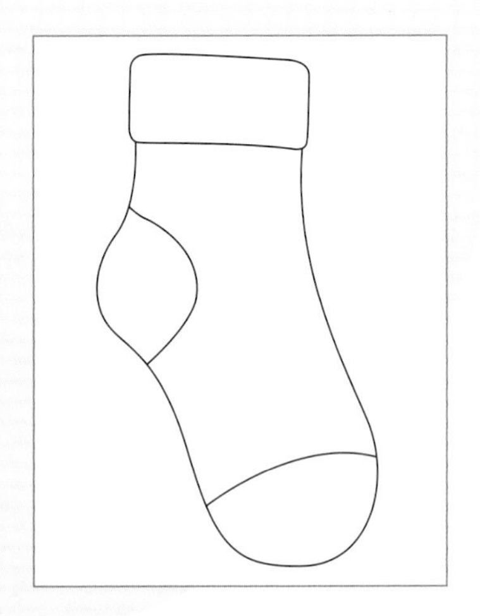

Agrandissez le gabarit à la photocopieuse à 450 %

ASTUCE
Tamponnez (ou écrivez) le prénom du destinataire sur le revers de la chaussette !

1- Préparez la chaussette

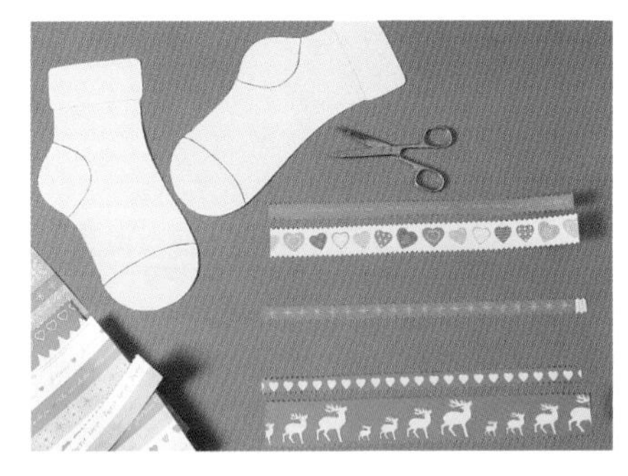

Photocopiez le gabarit de la chaussette sur les 2 feuilles de papier bristol blanc. Découpez le contour aux ciseaux. Avec les ciseaux cranteurs, découpez : dans la feuille A, la rangée de cœurs et la rangée de cerfs ; dans la feuille B, la bande avec l'inscription « Des étoiles plein les yeux » et la bande de cœurs décorés ; dans la feuille C, 1 bande d'étoiles.

2- Placez les éléments

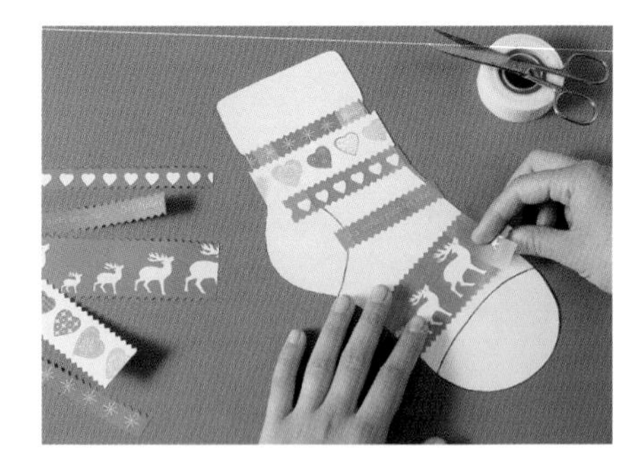

Sur le gabarit de bristol et sous le revers de la chaussette indiqué par un trait horizontal, collez (ruban adhésif repositionnable) la bande d'étoiles (feuille C). Placez en dessous la bande de cœurs décorés (feuille B). En 3e rangée, collez la rangée de cœurs (feuille A). Laissez 2 cm puis collez légèrement en diagonale la bande avec l'inscription « Des étoiles plein les yeux » (feuille B). Laissez 2 à 3 cm et fixez la rangé de cerfs (feuille A). Les bandes peuvent dépasser légèrement du bord car, après la couture, vous découperez les morceaux de bandes qui dépassent.

3- Imitez le tricot

Décalquez l'emplacement du talon et du bout de la chaussette sur la feuille rouge écarlate (D). Découpez le talon et le bout de chaussette aux ciseaux. Dessinez au stylo blanc des rangés de V en commençant par suivre le bord et en descendant. Laissez sécher. Collez avec des morceaux d'adhésif repositionnable le talon et la pointe sur le gabarit de bristol.

4- Cousez les bandes

Cousez toutes les bandes horizontales. Cousez au point zigzag la bande avec les cœurs décorés. Cousez le ruban croquet rouge sur le haut de la pointe en faux tricot. Cousez l'extra-fort rouge en bas de la 2e rangée de cœurs. Placez les 2 gabarits de chaussette l'un sur l'autre et cousez-les à 0,5 cm du bord au point droit. Découpez les bandes qui dépassent. Cousez les chutes de fil rouge avec l'aiguille au bout de la chaussette.

5- Tamponnez les motifs

Dans les espaces entre les bandes, tamponnez à l'encre rouge des sapins entre les cœurs et la bande « Des étoiles plein les yeux ». Entre cette bande et la bande des cerfs, tamponnez le motif étoile. Entre la bande des cerfs et le bout de la chaussette, tamponnez le motif flocon. Perforez 1 trou dans le coin supérieur gauche. Faites 1 boucle sur le ruban vichy rouge et glissez-le dans le trou. Assemblez les 2 extrémités à la machine.

COUSEZ SANS SOUCI

Pour ne pas faire bouger les bandes pendant la couture, cousez directement sur le ruban adhésif repositionnable : vous le retirerez facilement avec la pointe de l'aiguille lorsque toutes les coutures seront terminées.

Trois diabolos

Ces amusants diabolos-cadres de couleurs vives sont découpés dans du carton micro-cannelé plié et évidé de multiples fenêtres.

NIVEAU
Facile

TEMPS
45 mn

Les outils

- ✓ X-Acto ✓ Crayon
- ✓ Compas avec adaptateur pour cutter rotatif
- ✓ Tapis de coupe
- ✓ Ciseaux ✓ Règle métallique
- ✓ Feutre fin indélébile
- ✓ Colle latex ✓ Ruban adhésif
- ✓ Ruban adhésif/ repositionnable
- ✓ Pinceau
- ✓ Stylo-feutre de la couleur des cartons choisis

Le modèle

Pour 1 cadre :

- ✓ 1 demi-rouleau de carton micro-cannelé de couleur
- ✓ 6 photos dont 4 petites

Agrandissez le gabarit à la photocopieuse à 300 %.

1- Découpez le diabolo

Posez la photocopie du gabarit sur le carton et fixez-la avec du ruban adhésif repositionnable. Coupez en même temps le carton et la photocopie en suivant les traits continus avec le cutter le long de la règle pour les lignes droites et à main levée pour la courbe. Replacez des morceaux de ruban adhésif au fur et à mesure de la coupe. Marquez les plis du cadre (en pointillés) d'un léger trait de cutter à main levée.

2- Découpez les fenêtres

Au dos du diabolo, tracez les diagonales sur les formes convexes afin de trouver le centre des cercles. Avec le compas et le cutter rotatif, tracez des cercles de 3,5 cm de rayon. Enfoncez la lame dans le carton et faites-la tourner autour de l'axe. Tracez 1 ligne verticale au milieu des surfaces concaves et marquez-la d'un point à 3,5 cm de la pliure en haut et en bas. Découpez des ronds de 2 cm de rayon.

3- Cadrez les photos

Placez la photo dans une fenêtre et cadrez le sujet. Tenez devant la lumière la photo et le cadre et, par transparence, tracez 1 rond de taille supérieure à la fenêtre au feutre indélébile sur l'envers de la photo. Découpez la photo aux ciseaux sur le trait de feutre. Collez la photo avec du ruban adhésif.

4- Montez le diabolo

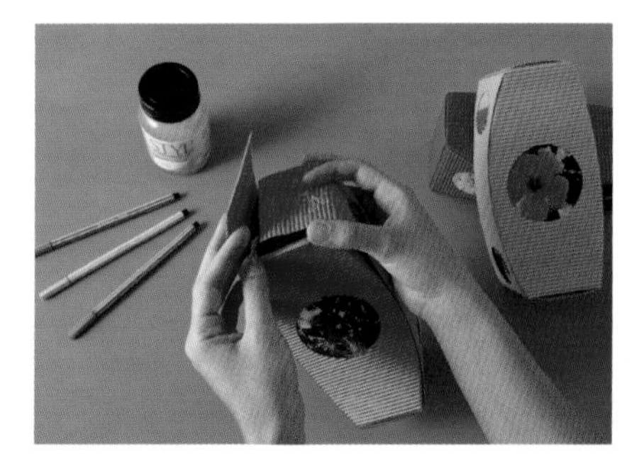

Avec la colle latex, collez tout d'abord la languette de côté. Rabattez ensuite les languettes les plus étroites à l'intérieur, puis encollez les 2 parties qui viendront fermer la « boîte », après avoir éventuellement rectifié les bords aux ciseaux s'ils dépassaient un peu sur les côtés. Pressez-les fortement en glissant votre main à l'intérieur. Coloriez au stylo-feutre les tranches blanches du carton micro-cannelé.

ASTUCE
Vous n'êtes pas obligée d'aligner les photos, vous pouvez les placer dans tous les sens !

COLLEZ LES LANGUETTES

Encollez largement la languette de côté de la découpe et le bord intérieur opposé sur 2 ou 3 cm. Laissez sécher quelques minutes puis assemblez les 2 parties bord à bord. Glissez votre main dans la « boîte » ainsi montée pour faciliter l'adhérence en appuyant quelques instants, le temps que la colle prenne. Pour les dernières languettes, vous ne pourrez plus glisser votre main dans le volume : il vous suffira de poser un objet lourd sur le cadre posé debout, le temps que la colle prenne.

La marguerite marque-place

Chacun trouvera sa place à table grâce à une marguerite fièrement plantée dans une petite boîte à friandises.

Avec l'aimable autorisation de Loisirs et Création. Set de table : Conran Shop.

NIVEAU
Facile

TEMPS
30 mn

Les outils

- ✓ Cutter
- ✓ Tapis de coupe
- ✓ Règle métallique
- ✓ Feuille blanche A4
- ✓ Pince coupante
- ✓ Compas
- ✓ Plioir
- ✓ Crayon
- ✓ Colle forte

Le modèle

- ✓ Feuille cartonnée verte ou bristol
- ✓ 2 feuilles A4 de 2 tons de vert
- ✓ 1 feuille de papier jaune
- ✓ Fil de fer vert
- ✓ 4 perles à écraser
- ✓ Marguerites de papier (Rayher Loisirs et Création)
- ✓ Feutres jaune et rouge
- ✓ Ruban adhésif double face

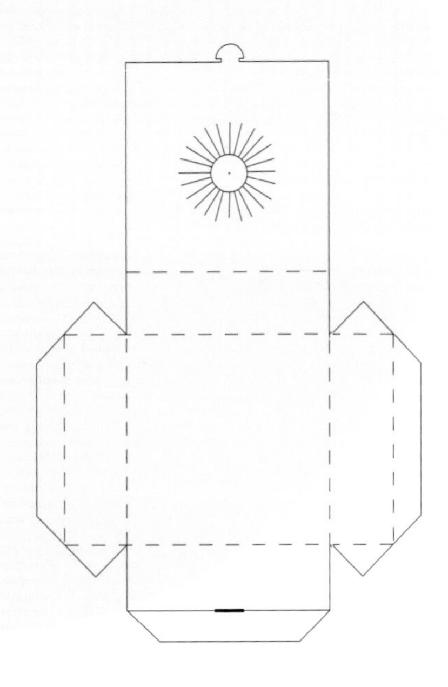

Agrandissez à la photocopieuse à 250 %.

1- Découpez la boîte

Photocopiez le gabarit sur une feuille cartonnée verte. Découpez les contours de la boîte avec le cutter. Percez le centre du cercle avec la pointe du compas. Incisez au cutter toutes les fentes disposées en cercle sur le couvercle. Tracez et découpez au cutter des bandes de papier de 2 tons de vert de 0,6 cm de largeur : il faut 3 lamelles (long. : 21 cm) par couleur pour réaliser une boîte.

2- Pliez la boîte

En suivant les pointillés, pliez la boîte avec la règle métallique et le plioir. Fermez les côtés de la boîte en plaçant des morceaux d'adhésif double face sur les languettes. Pliez les lamelles en 2 et glissez-les dans les fentes du couvercle en alternant les tons de vert.

3- Réalisez la fleur

Avec la pince, coupez 12 cm de fil de fer. Toujours avec la pince, serrez très fort la perle à écraser à l'extrémité du fil. Coloriez le centre de la fleur en jaune, piquez son centre avec la pointe du compas et enfilez la fleur sur la tige. Bloquez la fleur en plaçant une autre perle à écraser sous la fleur.

4- Réalisez le support

Découpez au cutter une bande de papier jaune de 1 cm de large et de 15 cm de longueur. Pliez-la en 2 et écrivez le prénom au stylo feutre rouge. Déposez un filet de colle sur la pliure et collez la bande sous la fleur, sur le fil de fer.

5- Fixez la fleur

Placez 1 perle à écraser à 0,5 cm de l'extrémité libre du fil de fer et écrasez-la avec la pince. Placez le fil de fer dans le trou du couvercle. Bloquez la tige en plaçant 1 perle à écraser sous le couvercle, par l'intérieur de la boîte.

MARQUEZ DES PLIS NETS

Pour plier avec précision une feuille cartonnée ou une feuille de bristol, placez une règle métallique le long de la pliure. Maintenez-la d'une main et relevez délicatement le carton de l'autre pour amorcer le pliure. Tout en conservant l'appui sur la règle, prenez en main le plioir et faites glisser l'extrémité pointue contre le carton, en appuyant doucement contre la règle : le pli est marqué. La pression de l'outil contre la règle doit être régulière : entraînez-vous sur une chute.

Un pot-pourri flamboyant

Cette boîte réalisée en papier indien aux motifs délicats fait partie du décor de la pièce tout en la parfumant agréablement.

Avec l'aimable autorisation de Loisirs & Création. Peinture Ressource. Fournitures : L'Éclat de Verre.

NIVEAU
Moyen

TEMPS
1 h 30

Les outils

- ✓ Cutter
- ✓ Tapis de coupe
- ✓ Règle métallique
- ✓ Crayon
- ✓ Ciseaux
- ✓ Plioir
- ✓ Colle vinylique
- ✓ Colle en bombe
- ✓ Pinceau
- ✓ Perforatrice fleur
- ✓ 1 grosse aiguille

Le modèle

- ✓ Papier indien format raisin imprimé rose (120 g)
- ✓ 1 feuille A4 de papier uni rose
- ✓ Papier-calque
- ✓ 6 mini-attaches parisiennes cuivre
- ✓ Ruban d'organza rose (long. : 1 m ; larg. : 1 cm)
- ✓ Pot-pourri fleuri

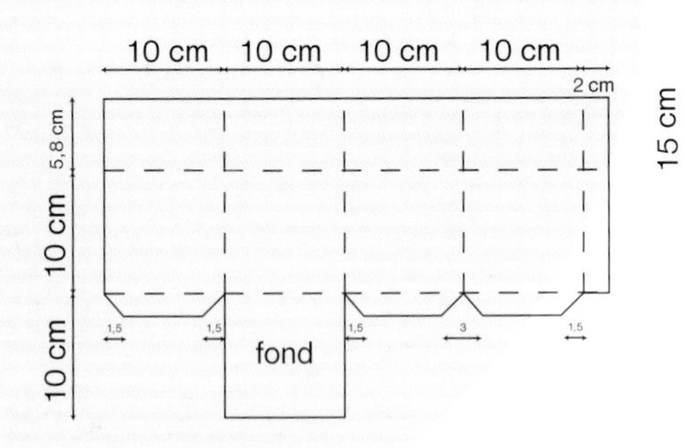

Gabarit à tracer selon les cotes.

1- Tracez les éléments

Tracez le plan de la boîte sur l'envers du papier imprimé rose et découpez 1 rectangle de 24 x 42 cm en suivant le gabarit. Reproduisez le schéma du couvercle au crayon sur le papier-calque. Reportez le tracé sur l'envers du papier en repassant sur les traits. Retournez le papier-calque pour reproduire le schéma inversé.

2- Assemblez le tout

Une fois les plis bien marqués, formez la boîte. Repliez la bande de 3,8 cm vers l'intérieur, soulevez et encollez légèrement en laissant ouvert l'extrémité du pli pour pouvoir introduire les 2 cm permettant l'assemblage des côtés. Encollez l'intérieur du côté ouvert et pressez pour assembler. Encollez les 3 rabats du fond de boîte, repliez et pressez le fond de papier.

3- Créez les couvercles

Collez 1 feuille de papier rose uni au dos de chaque partie du couvercle avec la colle en bombe. Découpez l'excédent de papier rose en suivant les contours des couvercles puis découpez la fente. Marquez les pliures du rabat avec le plioir. Collez les 2 parties en vis-à-vis en plaçant le rabat à l'intérieur de la boîte. Marquez le pliage sur chaque côté.

4- Fixez les fleurs

Perforez 6 fleurs dans le papier rose uni. Avec la grosse aiguille, percez le cœur d'une fleur, le ruban à 5 cm de l'extrémité et le centre d'un côté de la boîte en mettant une main à l'intérieur pour ne pas la déformer, placez 1 attache parisienne et ouvrez les 2 pattes légèrement. Tendez le ruban sur le 2e côté, le même décor sur chaque côté. Pour terminer, enlevez la 1re attache parisienne, superposez les rubans, percez et replacez l'attache parisienne. Coupez le ruban à 5 cm en biais. Fixez 1 fleur sur chaque couvercle de la même façon, remplissez la boîte de pot-pourri fleuri puis fermez le couvercle en glissant les feuilles dans la fente. Nouez 1 ruban d'organza rose autour de la base des feuilles.

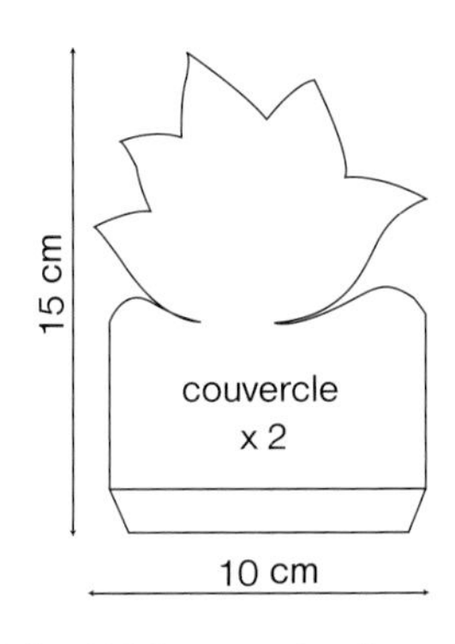

Gabarit à tracer selon les cotes.

DÉCOUPEZ LA BOÎTE ET LES COUVERCLES

Découpez soigneusement aux ciseaux les contours de la boîte et des 2 couvercles et découpez les encoches en biais. Il est conseillé de réaliser un prototype sur du papier blanc de manière à bien maîtriser la découpe, le pliage et l'assemblage avant de réaliser la boîte sur le papier imprimé rose. Une fois la boîte découpée, faites 1 trait avec le plioir et la règle sur les traits de pliure dessinés puis repliez le papier pour marquer les plis.

La lanterne rose

Retraite aux flambeaux ou soirée au jardin, la bougie placée dans la lanterne de bristol diffusera une douce lumière colorée.

Avec l'aimable autorisation de Loisirs & Création. Peinture Ressource. Fournitures : Loisirs & Création.

NIVEAU
Moyen

TEMPS
45 mn

Les outils

- ✓ Cutter
- ✓ Tapis de coupe
- ✓ Règle métallique
- ✓ Crayon
- ✓ Colle en bâton
- ✓ Colle forte en tube
- ✓ Plioir
- ✓ Marteau

Le modèle

- ✓ 2 feuilles A4 de bristol rose
- ✓ 1 pochette de papier vitrail de couleurs assorties (rose, rouge, jaune, vert et bleu)
- ✓ 1 morceau de carton (10 x 10 cm; ép. : 2,5 mm)
- ✓ 1 bougie chauffe-plat
- ✓ 1 perforatrice à pince
- ✓ Kit pour la pose d'œillets
- ✓ 4 oeillets métalliques roses
- ✓ Coton à broder

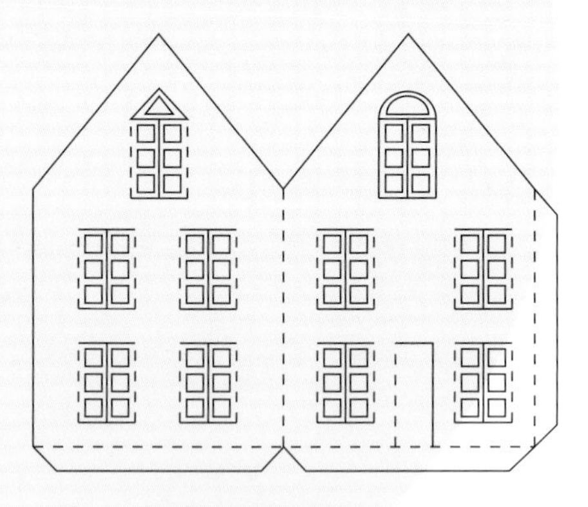

Agrandissez le gabarit à la photocopieuse à 400 %.

1- Découpez la lanterne

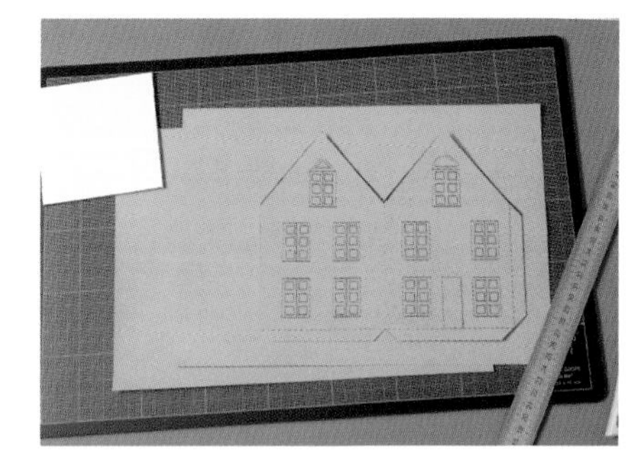

Photocopiez le gabarit en 2 exemplaires sur les feuilles de bristol rose. Découpez le contour au cutter. Découpez également 1 carré de 10 cm de côté dans le carton.

2- Ouvrez les fenêtres

À l'aide du cutter, découpez les fenêtres les unes après les autres ainsi que les ouvertures des fenêtres et des portes. Afin de faciliter le pliage, passez un léger coup de cutter (sans appuyer de manière à ne pas couper le papier) sur chaque côté des fenêtres.

3- Habillez les fenêtres

Découpez dans chaque feuille de papier vitrail 1 bande de 1 cm de large. Découpez ces bandes à 2,8 cm (la hauteur de chaque fenêtre). Enduisez de colle l'une des faces de chaque bande et collez-les sur les fenêtres. Perforez 1 petit trou avec la pince à 1 cm de chaque sommet de toit. Placez 1 œillet dans chaque trou à l'aide du kit pour la pose d'œillets.

4- Assemblez la lanterne

Tracez les diagonales du carré de carton. Avec la colle forte, fixez la bougie chauffe-plat à l'intersection des diagonales. Placez l'angle du gabarit plié en 2 contre un angle du carton. Collez les rabats puis collez à l'extrémité de la diagonale l'angle de l'autre gabarit. Passez 1 morceau de coton à broder dans les œillets et faites une boucle pour fermer la lanterne.

ASTUCE
Pour une retraite aux flambeaux, vous pouvez suspendre la lanterne au bout d'un tasseau ou d'un tuteur de bambou avec du fil de fer.

ASTUCE
Si vous ne trouvez pas de papier vitrail, récupérez les emballages transparents de bonbons multicolores.

ÉVIDEZ LES FENÊTRES

Pour gagner du temps lors de la découpe des fenêtres, organisez l'ordre des découpes qui se font au cutter : commencez par découper toutes les lignes verticales, tournez la feuille et découpez toutes les lignes horizontales. Pensez à engager précisément la pointe de la lame du cutter à chaque angle des tracés.

Des pochettes chic

En variant les dimensions, les papiers et les détails de fermeture, vous réaliserez des pochettes pour tous vos petits cadeaux.

Avec l'aimable autorisation de Loisirs & Création. Peinture Ressource. Fournitures : Loisirs & Création.

NIVEAU
Facile

TEMPS
30 mn

Les outils

- ✓ Cutter
- ✓ Pochoir coluzzle cercles + tapis mousse
- ✓ Cutter circulaire
- ✓ Tapis de coupe
- ✓ Règle métallique
- ✓ Bâton de colle
- ✓ Perforatrice gros cercle
- ✓ Emporte-pièces (diam. : 3 mm)
- ✓ Plioir

Le modèle

Pour la pochette CD :

- ✓ 1 feuille de papier irisé violet (70 x 50 cm)
- ✓ 1 feuille A4 de papier miroir
- ✓ 3 attaches parisiennes violettes

ASTUCE
À partir du gabarit, il est possible de fabriquer une multitude de pochettes pour différents usages : bonbons, petit objet déco, foulard ou bijoux. Il faut pour cela définir les dimensions (hauteur, largeuret profondeur) les plus adaptées à l'objet à emballer. Pour la fermeture de la pochette, différentes options sont possibles : un joli adhésif, des attaches parisiennes, des rubans noués au centre ou sur les côtés.

1- Découpez le papier

Agrandissez le gabarit à la photocopieuse, découpez-le et reportez le contour sur le papier irisé violet. Découpez-le et marquez les plis au plioir suivant les indications du gabarit. Pliez-les.

2- Formez la boîte

Encollez la languette latérale et 1 des languettes en pied. Formez la boîte et collez d'abord la languette latérale puis la languette en pied en prenant soin de rentrer préalablement les triangles.

3- Marquez le pli

Pliez les côtés pour fermer le haut de la boîte et marquez le pli horizontal à l'endroit où la boîte se referme.

4- Perforez les cercles

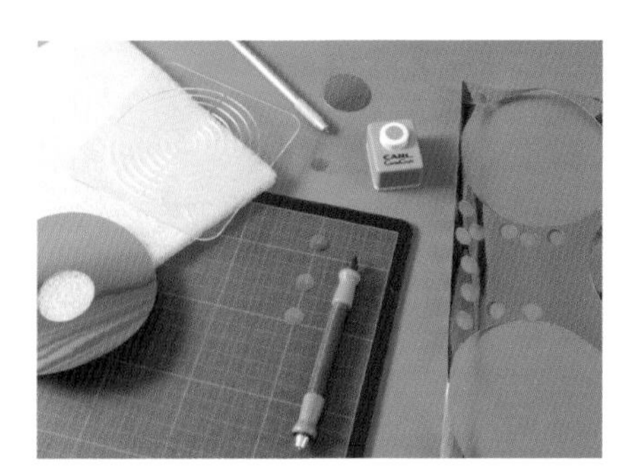

Dans le papier miroir, découpez 1 disque de 12 cm de diamètre et évidez son centre d'un disque de 3,5 cm de diamètre. Avec la perforatrice gros cercle, découpez 4 pastilles. Perforez le centre de 3 des pastilles avec l'emporte-pièces.

Agrandissez le gabarit à la photocopieuse à 440 %.

5- Fermez la boîte

Avec l'emporte-pièces, perforez 3 petits trous dans la partie haute de la pochette. Collez-y les 3 pastilles perforées. Collez le disque sur la face de la boîte et, au centre de la partie évidée, la dernière pastille. Glissez le CD dans la pochette et fermez-la avec 3 attaches parisiennes violettes.

DÉCOUPEZ DES CERCLES

Plusieurs outils vous permettent de découper des cercles de toutes les tailles : les perforatrices, les pochoirs coluzzle (avec un tapis mousse et un cutter circulaire) et les compas de découpe. Vous pouvez également tracer les cercles au compas et découper le contour aux ciseaux ou au cutter.

Un calendrier tout rond

Découpez ce calendrier perpétuel très design dans des feuilles de papier fort et assemblez-les avec des anneaux articulés.

Avec l'aimable autorisation de Loisirs & Création et L'Éclat de Verre. Peinture Ressource. Fournitures : L'Éclat de Verre.

NIVEAU
Facile

TEMPS
2 h

Les outils

- ✓ Cutterou X-Acto
- ✓ Tapis de coupe
- ✓ Ciseaux à bouts pointus
- ✓ Règle métallique
- ✓ Crayon
- ✓ 1 pince à œillets
- ✓ 1 assiette (diam. : env. 28 cm)
- ✓ Lettres pochoirs en métal

Le modèle

- ✓ Feuilles de papier uni de coloris assortis (40 x 60 cm ; 250 g)
- ✓ Ruban adhésif double face (larg. : 10 mm)
- ✓ 12 œillets métalliques (diam. : 4 mm)
- ✓ 2 gros anneaux fendus pour porte-clés (diam. : 3 cm)

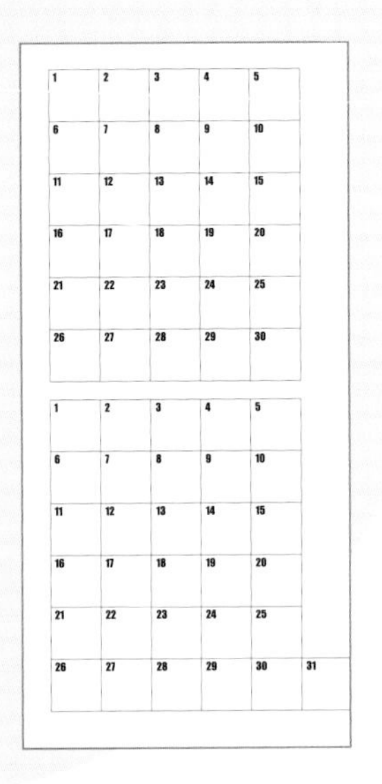

Agrandissez le modèle à la photocopieuse à 400 %.

1- Découpez les cercles

Sur les différentes feuilles de papier, tracez 12 disques avec le crayon de papier et l'assiette puis découpez les contours avec les ciseaux.

2- Tracez les lettres

Posez la règle sur un des disques et utilisez-la comme guide pour le placement des lettres pochoirs. Posez une 1ère lettre et tracez les contours au crayon. Tracez les autres lettres de la même manière en laissant un espace régulier entre chacune. Ôtez la règle et évidez au cutter chacune des lettres. Réalisez le marquage de chaque mois sur chacun des disques.

3- Collez les jours

Agrandissez et photocopiez 12 fois le modèle. Recoupez-les au ras des contours extérieurs au cutter et à la règle. Ôtez la case 31 pour certains des mois et les cases 30 et 31 pour le mois de février. Collez chaque photocopie sur les différents disques de papier avec du ruban adhésif double face.

4- Assemblez les cercles

Avec la pointe des ciseaux, réalisez 1 trou à 12 mm du bord sur le haut de chaque disque. Posez 1 œillet dans chacun des trous avec la pince à œillets. Enfilez, dans l'ordre des mois, tous les disques sur un des anneaux fendus puis passez le 2e anneau dans le premier.

ASTUCE
Nouez des rubans multicolores dans les anneaux !

ÉVIDEZ LES LETTRES

Pour évider les lettres de chaque mois, vous pouvez utiliser le cutter ou un X-Acto. Dans les 2 cas, travaillez avec une lame neuve. Ne cherchez pas à entailler le papier en une seule fois : passez plusieurs fois la lame du cutter sur le trait sans forcer. Vous éviterez ainsi de déraper. Commencez par évider soigneusement les petits éléments puis terminez par les plus grands.

Un cœur multi-photos

Ce cadre-cœur de carton-plume parsemé de fleurs en tissu regroupera la photo et la date de naissance de tous vos petits-enfants.

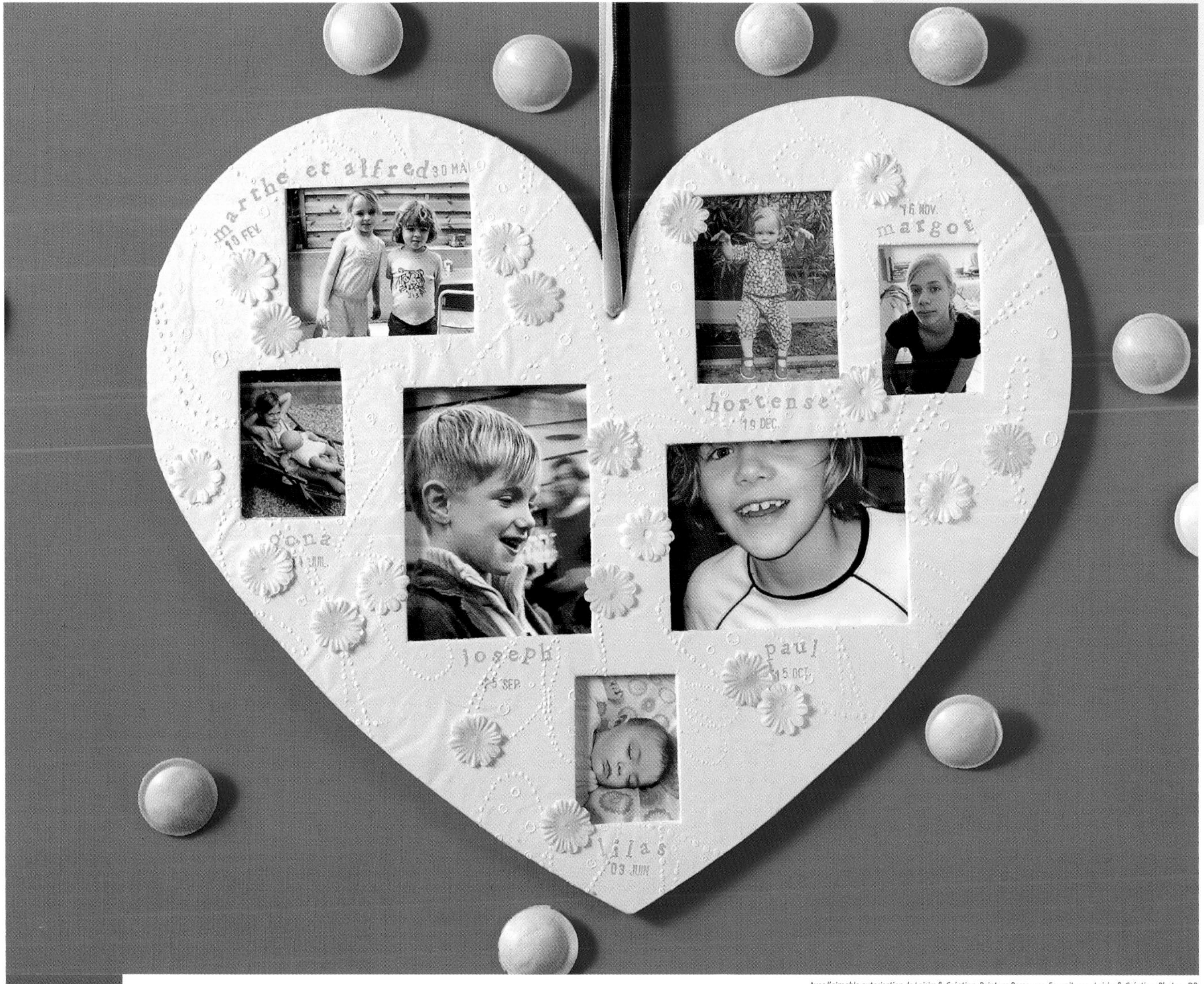

Avec l'aimable autorisation de Loisirs & Création. Peinture Ressource. Fournitures : Loisirs & Création. Photos : DR.

NIVEAU
Facile

TEMPS
2 h

Les outils

- ✓ Cutter
- ✓ Tapis de coupe
- ✓ Ciseaux
- ✓ Règle métallique
- ✓ Crayon
- ✓ Emporte-pièces (diam. : 5 mm)
- ✓ Marteau ✓ Pinceau plat
- ✓ Colle forte en tube
- ✓ Colle vinylique
- ✓ Ruban adhésif
- ✓ Colle en bombe

Le modèle

- ✓ 1 plaque A3 de carton-plume (ép. : 5 mm)
- ✓ 1 feuille A3 de papier blanc à motifs
- ✓ 1 feuille A3 de papier fuchsia (120 g)
- ✓ 1 feuille A3 de papier-calque
- ✓ Encreur rose
- ✓ 7 photos
- ✓ Tampons lettres
- ✓ Tampon dateur
- ✓ 3 longueurs de 80 cm de ruban fantaisie
- ✓ Environ 20 fleurs en tissu

1- Découpez les formes

Reproduisez le gabarit à l'aide du papier-calque et du crayon sur la plaque de carton-plume et découpez les contours au cutter. Évidez les fenêtres qui serviront à présenter les photographies.

ASTUCE
Un simple tampon dateur de bureau crée des impressions très déco une fois encré avec des encreurs de couleur !

2- Habillez le cœur

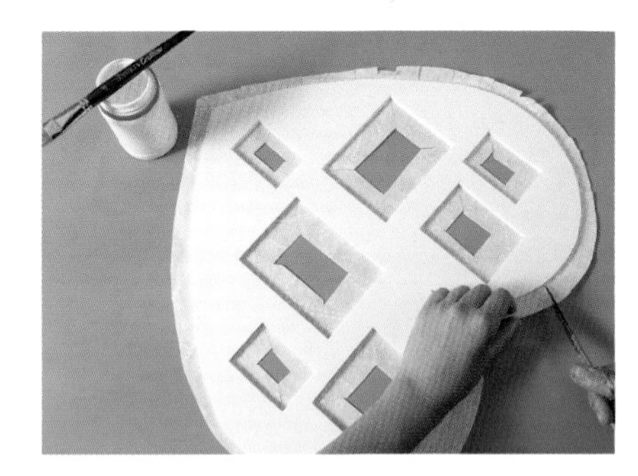

Posez le cœur de carton-plume sur la feuille de papier blanc à motifs, tracez 1 repère au crayon à 2 cm du bord du carton puis découpez le contour du papier. Encollez (colle vinylique) l'envers du papier blanc à motifs et centrez-le sur le cœur de carton-plume. Lissez bien. Effrangez aux ciseaux les débords pour qu'ils suivent les courbes du cœur et rabattez-les sur l'envers.

3- Placez les photos

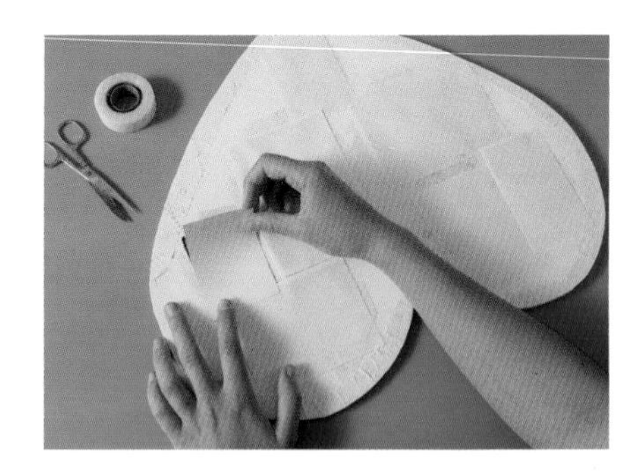

Recadrez les différentes photographies, découpez-les si nécessaire en laissant une marge de 5 mm tout autour et collez-lesau dos du cadre en les maintenantavec des morceaux de ruban adhésif.

4- Collez le fond

Posez le cadre sur la feuille de papier fuchsia et tracez le contour au crayon. Tracez 1 cœur parallèle au tracé précédent à 5 mm à l'intérieur de la forme et découpez aux ciseaux. Collez la forme découpée au dos du cadre avec la colle en bombe. Lissez bien.

5- Imprimez les textes

Écrivez le prénom de chaque enfant sous chacune des fenêtres avec les tampons lettres et l'encreur rose. Imprimez la date de naissance des enfants avec le tampon dateur. Collez les fleurs en tissu avec une pointe de colle forte.

6- Placez l'accroche

Perforez le haut du cadre à l'emporte-pièces frappé au marteau à 1 cm du bord. Passez les différents rubans dans le trou. Nouez-les ensemble afin de réaliser une accroche en plaçant le nœud à 10 cm du trou.

ASTUCE
Un simple tampon dateur de bureau crée des impressions très déco une fois encré avec des encreurs de couleur !

DÉCOUPEZ LES FENÊTRES

Une fois le cœur habillé de papier blanc à motifs, retournez-le sur le tapis de coupe et laissez une marge d'environ 2 cm tout autour de chaque fenêtre. Coupez tous les angles à 45°, encollez les rabats ainsi formés et repliez-les. Lissez bien.

Agrandissez le gabarit à la photocopieuse à 1000 %.

Un étui à lunettes

Ce matou bien sage prendra soin des lunettes de votre enfant : découpez-le dans du papier épais et décorez-le de belles moustaches !

Avec l'aimable autorisation de Loisirs et Création. Fournitures : Loisirs & Création.

NIVEAU
Moyen

TEMPS
1 h

Les outils

- ✓ Cutter
- ✓ Ciseaux
- ✓ Règle métallique
- ✓ Stylo-feutre noir
- ✓ Bâton de colle
- ✓ Tapis de coupe
- ✓ Crayon
- ✓ Plioir
- ✓ Compas (ou grille de cercles)

Le modèle

- ✓ 1 feuille A4 de papier orange (250 g)
- ✓ 1/2 feuille A4 de papiers blanc et rose
- ✓ 1/2 feuille A4 de papier noir
- ✓ 1 feuille de scrap orange
- ✓ Perforatrice cercle (diam. : 2,8 cm)

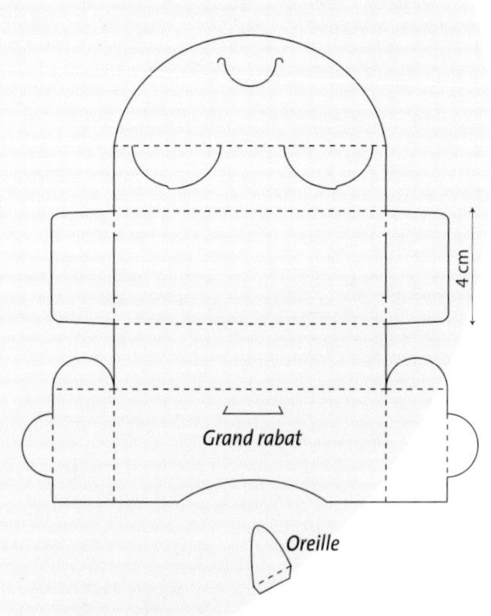

Agrandissez le gabarit du chat à la photocopieuse à 330 %.

ASTUCE
Sur le même principe, vous pouvez inventer d'autres animaux comme la grenouille ci-dessous.

1- Préparez les éléments

Photocopiez le gabarit sur la feuille A4 orange. Découpez les contours de l'étui y compris les 2 arcs de cercle (pour les yeux) et les 4 fentes (1 arrondie, 1 droite et 2 dans la pliure des rabats) représentées par un trait plein. Perforez 2 cercles (diam. : 2,8 cm) dans le papier blanc. Tracez au compas et découpez 1 cercle (diam. : 1,8 cm) dans le papier rose et 1 cercle (diam. : 1,3 cm) dans le papier noir. Découpez l'oreille dans la feuille A4 orange et utilisez-la comme gabarit pour découper 2 oreilles dans la feuille de scrap orange. Marquez les pliures.

2- Collez les éléments

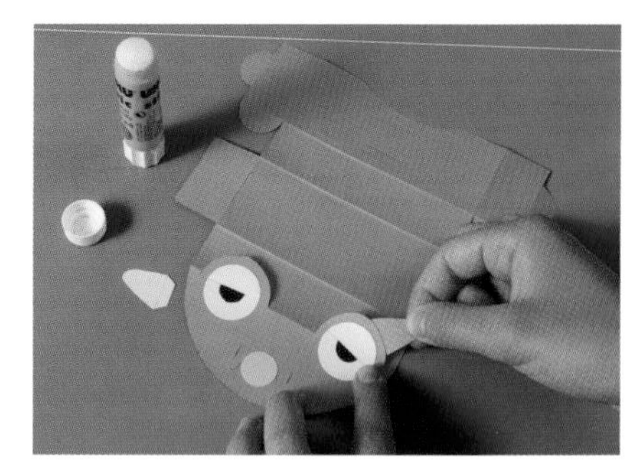

Avec le bâton de colle, collez les yeux (cercles blancs). Coupez aux ciseaux le cercle noir en 2 et collez chaque moitié au milieu des cercles blancs (face arrondie vers le bas). Collez le rabat de chaque oreille au-dessus des yeux. Encollez la moitié du cercle rose et fixez cette partie encollée au-dessus de la fente arrondie qui sert de languette de fermeture pour l'étui.

3- Décorez

Dessinez au stylo-feutre noir le contour des yeux et 1 trait au-dessus des demi-cercles noirs. Sous les yeux, dessinez les joues au crayon. Découpez 3 bandes de papier noir de 0,5 x 10,5 cm et glissez-les dans les 2 fentes de part et d'autre du nez. Dans la feuille de scrap orange, découpez des bandes de 4,5 cm de long (la largeur peut varier selon votre envie). Collez les bandes les unes à côté des autres sur la face qui comporte la fente droite. Coupez aux ciseaux les bandes qui dépassent de l'arrondi. Passez un coup de cutter dans la fente droite.

4- Préparez le rectangle

Découpez 1 rectangle de 4,5 x 10,9 cm dans la feuille de scrap orange, pliez-le dans le sens de la longueur à 2 cm du bord et placez-le (face imprimée à l'intérieure et pliure en bas) derrière les yeux. Tracez leur contour au crayon. Retirez le rectangle et découpez les 2 arcs de cercle tracés. Repliez le rectangle, face colorée à l'extérieur.

5- Fermez l'étui

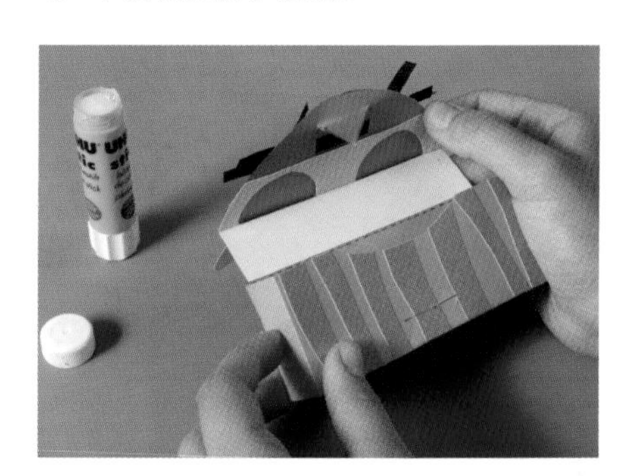

Encollez l'étui à l'endroit où les 2 arcs de cercle sont découpés et sur le grand rabat. Glissez les yeux en mettant au préalable de la colle au dos (face blanche). Découpez le papier qui dépasse du rabat. Fermez l'étui en plaçant tous les petits arcs de cercle dans la fente correspondante.

MARQUEZ LES PLIURES

Placez la règle métallique contre les pointillés de l'étui et marquez les plis avec le plioir. Rabattez le papier. Repassez ensuite sur les pliures avec l'ongle ou le plat du plioir. Pliez également les rabats des oreilles.

La grenouille

Il pleut, il mouille ? Il est temps de découper le masque de la grenouille dans une feuille de papier et de le peindre... en vert !

Avec l'aimable autorisation de Loisirs & Création. Fournitures : Loisirs & Création.

NIVEAU
Facile

TEMPS
1 h

Les outils

- ✓ Cutter
- ✓ Tapis de coupe
- ✓ Ciseaux
- ✓ Règle métallique
- ✓ Crayon
- ✓ Emporte-pièces (diam. : 1 cm)
- ✓ Perforatrice de bureau
- ✓ Marteau
- ✓ Papier-calque
- ✓ Bâton de colle
- ✓ Ruban adhésif double face

Le modèle

- ✓ 1 feuille de bristol (40 x 60 cm ; 300 g)
- ✓ Feuilles A5 de papier blanc, rouge et rose (125 g)
- ✓ 2 gommettes rondes noires
- ✓ 2 attaches parisiennes
- ✓ 80 cm de ruban fantaisie
- ✓ Bombe de peinture verte

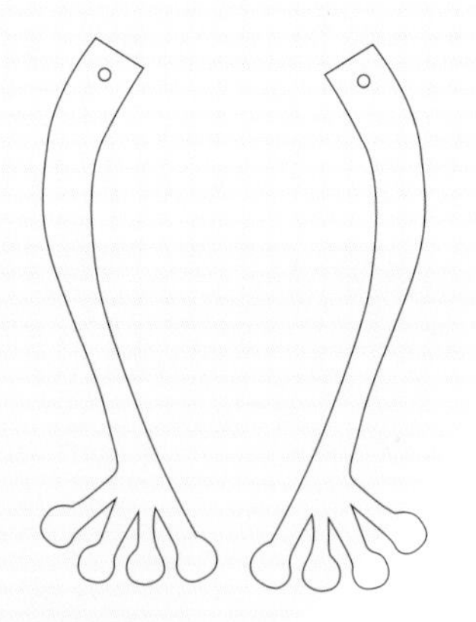

Agrandissez les gabarits des pattes à la photocopieuse à 580 %.

1- Découpez les formes

Agrandissez et décalquez les gabarits sur le bristol et les feuilles de couleur. Découpez les contours au cutter. Perforez les différents trous indiqués sur le gabarit. Percez les trous pour voir à travers le masque avec l'emporte-pièces frappé au marteau.

2- Appliquez la peinture

Appliquez la peinture en bombe verte sur une des faces des formes découpées dans le bristol en plusieurs couches fines puis laissez sécher. La peinture en bombe ayant une forte odeur, réalisez le masque au moins 24 heures avant de l'utiliser.

3- Collez bouche et yeux

Appliquez de la colle en bâton au dos de la forme en papier rose et collez-la sur celle en papier rouge. Posez du ruban adhésif double face au dos de cette dernière ainsi que sous les formes blanches des yeux. Collez chacune d'elles sur le masque. Placez 1 gommette ronde noire sur chaque œil.

4- Fixez les pattes

Pour donner sa forme au masque, fermez les ouvertures en superposant les 2 trous situés aux coins des découpes puis passez 1 attache parisienne dans les trous. Ouvrez les ailes des attaches pour maintenir l'ensemble.

5- Fixez les rubans

Découpez 2 longueurs de ruban de 40 cm. Faites 1 double nœud à une extrémité et passez l'autre extrémité dans les trous situés sur le haut de la tête de la grenouille.

Agrandissez les gabarits de la tête à la photocopieuse à 580 %.

PEIGNEZ AVEC DE LA PEINTURE EN BOMBE

Lorsque vous peignez avec de la peinture en bombe, placez votre travail dans une grande boîte en carton afin d'éviter les projections de peinture. Aérez bien la pièce dans laquelle vous travaillez et, si vous en avez la possibilité, travaillez à l'extérieur. Placez la bombe de peinture à une distance d'environ 20 cm de la surface à peindre et appliquez plusieurs couches très fines en laissant sécher entre chaque couche.

Des masques de papier peint

À partir d'un seul gabarit, multipliez les masques : Colombine, chat ou Arlequin seront vite prêts pour la fête !

NIVEAU
Facile

TEMPS
30 mn

Les outils

- ✓ Cutter
- ✓ Crayon
- ✓ Ciseaux droits
- ✓ Ciseaux cranteurs
- ✓ Perforatrice à copie
- ✓ Colle en tube
- ✓ Adhésif crêpe + double face
- ✓ Tapis de coupe

Le modèle

- ✓ Chutes de papier peint vinyl ou de frise adhésive
- ✓ Feuille de bristol et carton
- ✓ Papier végétal jaune
- ✓ Carte de couleur (pochette Clairefontaine)
- ✓ Gommettes, étoiles
- ✓ Élastique à fronces
- ✓ Bouchon de jus de fruits

Agrandissez le dessin à la photocopieuse à 300 %

ASTUCE
Si vous n'avez pas de tampons, écrivez les textes aux feutres de couleur.

1- Tracez et découpez le gabarit

Reportez le tracé du masque sur un morceau de carton pour réaliser le gabarit qui servira à tous les masques. Découpez le contour avec les ciseaux et les yeux avec le cutter. Faites 1 trou à chaque extrémité avec la perforatrice à copie pour la fixation de l'élastique.

2- Collez le papier sur le bristol

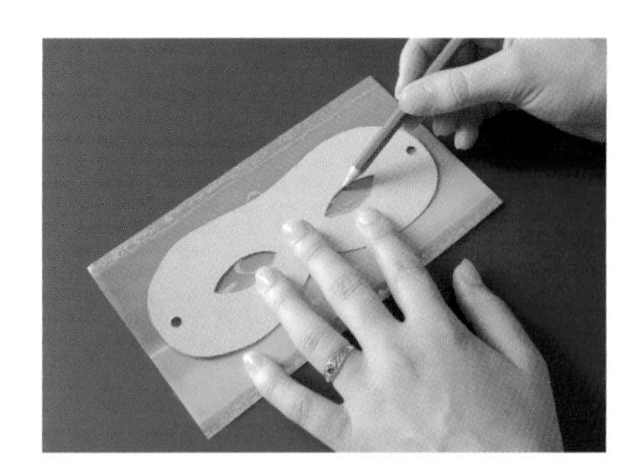

Collez la frise de papier peint adhésive sur une feuille de bristol. Posez le gabarit sur le bristol ; tracez au crayon le contour du masque, les yeux et les trous.

LE CHAT
Il est réalisé dans du papier peint à rayures. Les moustaches sont découpées dans une bande frangée de 10 x 1,5 cm, puis collées à l'emplacement du nez avec de l'adhésif double face. Le bouchon, collé, figure le nez.

3- Découpez le masque

Découpez le contour du masque aux ciseaux. Découpez le contour des yeux au cutter. Percez les trous avec la perforatrice. Coupez 15 à 20 cm d'élastique et glissez 1 extrémité dans chaque trou. Faites 2 ou 3 nœuds bien serrés. Coupez à 5 mm des nœuds.

4- Réalisez la voilette

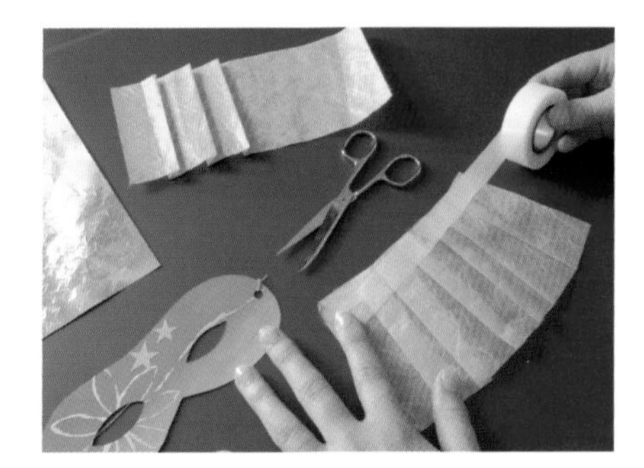

Pour former la voilette de Colombine, découpez 1 rectangle de papier végétal jaune de 27 x 10 cm. Plissez-le et fixez les plis avec l'adhésif double face. Fixez la voilette sur l'envers du masque avec de l'adhésif crêpe. Collez des étoiles pour souligner les yeux.

ARLEQUIN
Il est réalisé dans un papier peint géométrique. Le masque est collé sur une carte orange. Le contour est découpé aux ciseaux cranteurs.

CONSERVEZ LES CHUTES DE PAPIER PEINT

Les chutes de papier peint offrent une infinie variété de motifs et de coloris. Demandez à un revendeur des échantillons ou -mieux- un ancien catalogue : vous disposerez d'une gamme complète pour vos créations.

INDEX